EL EXPO

LA BIBLIA, LIBRO POR LIBRO

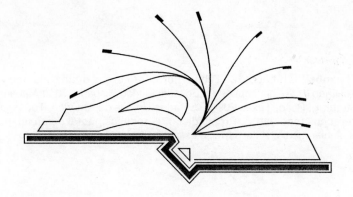

7

DEUTERONOMIO, JUAN, JOB, PROVERBIOS, ECLESIASTÉS, CANTARES

52 estudios intensivos de la Biblia para alumnos adultos

CASA BAUTISTA DE PUBLICACIONES

EDITORIAL MUNDO HISPANO

7000 Alabama Street, El Paso, TX 79904, EE. UU. de A.

www.editorialmundohispano.org

Nuestra pasión: Comunicar el mensaje de Jesucristo y facilitar la formación de discípulos por medios impresos y electrónicos.

El expositor bíblico. (La Biblia, libro por libro. Adultos-alumnos). Volumen 7. © Copyright 1997. Editorial Mundo Hispano. 7000 Alabama Street, El Paso, Texas 79904, Estados Unidos de América. Todos los derechos reservados.

Primera edición: 1997
Sexta edición: 2017

Clasifíquese: Educación cristiana
Clasificación Decimal Dewey: 220.6 B471a

Temas: 1. Biblia—Estudio
2. Escuelas Dominicales—Currículos

ISBN: 978-0-311-11267-8
E.M.H. Art. No. 11267

750 11 17

Impreso en Colombia
Printed in Colombia

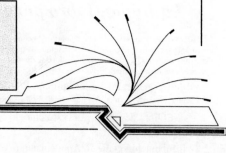

EL EXPOSITOR BÍBLICO

PROGRAMA:

"LA BIBLIA, LIBRO POR LIBRO"

PARA ADULTOS

DIRECTORA GENERAL
Raquel Contreras

**DIRECTORA DE LA
DIVISIÓN EDITORIAL**
Raquel Contreras

**DEPARTAMENTO
DE DISEÑO GRÁFICO**
Carlos Santiesteban Jr.

COMENTARISTAS
Deuteronomio
Valdemar Morales
Juan
Juan Carlos Cevallos
Job
Proverbios
Eclesiastés, Cantares
James Giles

EDITORES
Nelly de González
Mario Martínez

**COORDINADORA
DE PRODUCCIÓN**
Nora Avalos

CONTENIDO

Descripción General de
La Biblia, Libro por Libro para Adultos

Objetivo educacional: que el adulto (1) conozca los hechos básicos, la historia, la geografía, las costumbres, el mensaje central y las enseñanzas que presentan cada uno de los libros de la Biblia; (2) desarrolle actitudes que demuestren la valorización del mensaje de la Biblia en su vida diaria de tal manera que pueda ser mejor discípulo de Cristo.

Objetivo general del programa *La Biblia, Libro por Libro:*
Facilitar el estudio de todos los libros de la Biblia, durante nueve años, en 52 estudios por año.

El libro de adultos está estructurado en seis secciones bien definidas:

1 Información general. Aquí encuentra el tema-título del estudio, el pasaje que sirve de contexto, el texto básico, el versículo clave, la verdad central y las metas de enseñanza-aprendizaje.

2 Estudio panorámico del contexto. El propósito de esta sección es ubicar el estudio en el marco histórico en el cual se llevó a cabo el evento o las enseñanzas del texto básico. Aquí encuentra datos históricos, fechas de eventos, costumbres de la época, información geográfica y otros elementos de interés que enriquecen el estudio de la Biblia.

3 Estudio del texto básico. Está dividido en dos partes.
La primera le instruye: *Lea su Biblia y responda.* Se espera que, con la Biblia abierta, complete una serie de ejercicios que le guían a familiarizarse y comprender el pasaje.
La segunda parte le instruye: *Lea su Biblia y piense.*
Aquí se provee la interpretación del mensaje básico del pasaje en relación con todo el libro bajo estudio. Aunque la base de la exégesis son las versiones Reina-Valera Actualizada y Reina-Valera Revisada 1960, también se usan otras versiones de la Biblia. Sinceramente creemos que el estilo narrativo, didáctico y lógico de esta sección le hará disfrutar del estudio de la Palabra de Dios.

4 Aplicaciones del estudio. El propósito de esta sección es guiarle como estudiante a aplicar el estudio de la Biblia a su vida diaria, con la intención de que se decida a actuar de acuerdo con las enseñanzas bíblicas. Aseguramos que no son pequeños "sermoncitos" o "moralejas", sino verdaderos desafíos para actuar en obediencia al Señor Jesucristo.

5 Prueba. Aquí se da la oportunidad de demostrar cómo se han alcanzado las metas de enseñanza-aprendizaje para el estudio correspondiente. Hay dos actividades, una que "prueba" conocimientos de los hechos presentados, y la otra que "prueba" sentimientos o afectos hacia las verdades encontradas en la Palabra de Dios durante el estudio. La actividad que prueba sus conocimientos puede hacerla en el aula, durante la hora de clase; la actividad que "prueba" sus sentimientos, generalmente tiene que hacerla en el laboratorio de la vida cotidiana. Al fin y al cabo, es allí donde uno demuestra la calidad de discípulo de Cristo que realmente es.

6 Lecturas bíblicas para el siguiente estudio. Estas lecturas forman el contexto para el siguiente estudio. Si las lee con disciplina, sin duda alguna leerá toda su Biblia, por lo menos una vez, en nueve años. Le animamos a leerlas, estudiarlas y meditarlas en su cita diaria con la Palabra de Dios y con el Dios de la Palabra.

PLAN DE ESTUDIOS
DEUTERONOMIO

Escriba antes del número de cada estudio, la fecha en que lo usará.

Fecha **Unidad 1: La fidelidad de Dios**
_____ 1. La fidelidad de Dios
_____ 2. La infidelidad del pueblo
_____ 3. Las victorias son de Dios

Unidad 2: Llamado a la obediencia
_____ 4. El gran mandamiento
_____ 5. Resultados de la obediencia
_____ 6. Dónde y cómo adorar a Dios

Unidad 3: Normas para el pueblo de Dios
_____ 7. Normas de vida para un pueblo santo
_____ 8. Normas para elegir líderes
_____ 9. Normas para los líderes religiosos
_____ 10. Normas para la buena vecindad

Unidad 4: La adoración, un estilo de vida
_____ 11. Primicias y diezmos
_____ 12. Arrepentimiento y restauración
_____ 13. Moisés: un estilo de vida fiel a su Dios

COMENTARIO BIBLICO MUNDO HISPANO
Tomo 3, LEVITICO, NUMEROS Y DEUTERONOMIO

No. 03103 EMH

Escrito originalmente en castellano y contextualizado al mundo hispano.
¡Participan autores reconocidos en el mundo evangélico hispano!
Texto impreso de la Biblia RVA con sus notas explicativas. Exégesis y explicación del texto bíblico en base a párrafos o unidades de pensamientos.
Ayudas prácticas: Joyas bíblicas, semillero homilético, ilustraciones, verdades prácticas, fotografías y mapas.
Incorporación del sistema Strong.

5

DEUTERONOMIO
Una introducción

Deuteronomio

Para muchos lectores del Antiguo Testamento, el libro de Deuteronomio es de menor importancia que otros libros. Aparentemente consiste principalmente de historia y leyes.

Esta actitud adversa debe cuestionarse (en cuanto a los cristianos respecta) por el extensivo uso de Deuteronomio en el Nuevo Testamento, que asciende a más o menos 80 referencias al libro. Jesús lo usó durante la tentación (citó 6:13-16; 8:3, en Mateo 4:4, 7, 10 y Lucas 4:4, 8, 12). Afirmó el primer y grande mandamiento de 6:5 en Mateo 22:37; Marcos 12:29-33 y Lucas 10:27; el 18:13 bien pudo ser la semilla de donde crecieron las demandas del Sermón del monte.

Entre otros pasajes que se citan en el Nuevo Testamento están: 32:35 (Heb. 10:30); 29:18 (Heb. 12:15); y 18:15 (Hech. 3:22; 7:37) los cuales han provisto a los cristianos con un concepto básico para interpretar la obra de Cristo.

El judaísmo también tiene elementos muy importantes de Deuteronomio. La *Shema* que recitan en la mañana y en la tarde los observantes del judaísmo, y que tiene una significancia comparable a la de la cena del Señor en el cristianismo, se compone de 6:4-9 y 11:13-21, junto con Números 15:37-41.

Teología. Es importante ubicar el libro de Deuteronomio en relación con el lugar que le fue asignado en la historia de la salvación.

Jehovah es presentado como el único poderoso Dios (6:4; 35:10, 14, 17). Su poder y amor por Israel han sido revelados sobre todo en la liberación de Egipto y los subsecuentes actos salvíficos (4:34-38). El futuro es seguro: Jehovah prometió a los patriarcas de Israel que Canaán pertenecería a sus descendientes (8:1; 9:5). El cumplirá su promesa y para ello juzgará los pecados de los cananitas (9:4-7). Su amor y su soberano poder da la seguridad de que la obediencia de Israel al pacto garantiza permanentes bendiciones en la tierra que poseerán y que forma parte del pacto. Obviamente, también se subrayan los deberes del pueblo en guardar los mandamientos que se derivan de la relación de pacto, enfatizando las perspectivas del futuro, cuando Dios los introduzca en la tierra que proveyó para ellos (1:25).

En cuanto a su relación con los demás libros del Pentateuco, Deuteronomio, en un sentido, llega a constituirse en un resumen de los otros cuatro libros, sin que forzosamente esto signifique que es una mera repetición. Es la última parte de la ley y por su estilo bien puede llamársele la "versión popular".

El relato de la muerte de Moisés sin duda fue un agregado posterior, posiblemente de Josué, y sirve como lógico final del libro.

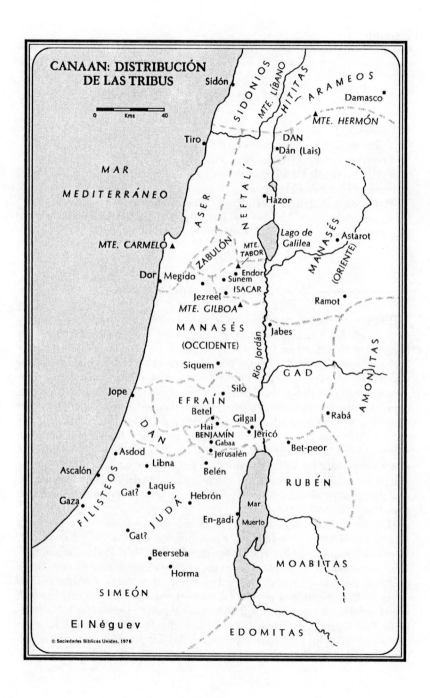

CANAAN: DISTRIBUCIÓN
DE LAS TRIBUS

0   Kms   40

Sidón

SIDONIOS

MTE. LÍBANO

HITITAS

ARAMEOS

Damasco

MTE. HERMÓN

Tiro

DAN

Dán (Lais)

MAR
MEDITERRÁNEO

ASER

NEFTALÍ

Hazor

ZABULÓN

Lago de
Galilea

MANASÉS

Astarot

(ORIENTE)

MTE. CARMELO

MTE.
TABOR

Dor Megido

Endor
Sunem

ISACAR

Jezreel

MTE. GILBOA

Ramot

MANASÉS

Jabes

(OCCIDENTE)

Río Jordán

Siquem

GAD

Silo

AMONITAS

Jope

EFRAÍN

Betel

Gilgal

Rabá

DAN

Hai

BENJAMÍN

Jericó

Gabaa

Asdod

Libna

Jerusalén

Bet-peor

Ascalón

Gat?

Laquis

Belén

RUBÉN

Gaza

FILISTEOS

JUDÁ

Hebrón

Mar

En-gadi

Muerto

Gat?

Beerseba

MOABITAS

Horma

SIMEÓN

El Néguev

© Sociedades Bíblicas Unidas, 1976

EDOMITAS

La fidelidad de Dios

Contexto: Deuteronomio 1:1-25
Texto básico: Deuteronomio 1:1-18
Versículo clave: Deuteronomio 1:18
Verdad central: Dios demuestra su fidelidad entregando a su pueblo la tierra que les había prometido.

Metas de enseñanza-aprendizaje: Que el alumno demuestre su: (1) conocimiento de la promesa que Dios hizo a su pueblo y cómo la cumplió, (2) actitud de adoración y gratitud a Dios porque cumple sus promesas.

--------------- *Estudio panorámico del contexto* ---------------

El título mismo de este libro nos revela su contenido. *Segunda Ley o repetición de la Ley.* Podríamos decir que Deuteronomio es la reinterpretación del pacto de Dios con Israel. La generación que entraría a la tierra prometida era totalmente nueva y distinta de la que salió de Egipto, por lo tanto era necesario que el pueblo renovara su pacto y entendiera las dimensiones de ser obedientes al Señor. Deuteronomio no es tan solo la remembranza de acontecimientos históricos, sino el llamado urgente al compromiso para cumplir el propósito divino de ser bendición a todas las familias de la tierra. En el tiempo cuando Moisés dictó sus discursos, los israelitas estaban acampando en las llanuras de Moab. Esta comprendía la meseta oriental del mar Muerto entre los valles de Amón y Zered. Las llanuras de Moab consistían en una región bien regada y productiva a lo largo del Jordán, extendiéndose desde el norte del mar Muerto hasta el valle Nimrim por una distancia de unos trece kilómetros.

Escritor del libro. La paternidad literaria de Deuteronomio se le atribuye a Moisés por la tradición hebrea. Esto lo confirman algunos pasajes como Nehemías 8:1, o el mismo libro de Deuteronomio: 1:5; 31:9, 26 etc. Cuando nuevamente vemos el título del libro como segunda ley, es cuando nos damos cuenta de que Moisés no está hablando por iniciativa propia, sino que es Dios quien le da el mensaje al pueblo del pacto (Deut. 1:1-8). Dios revela a esta nueva generación cómo en el pasado bendijo al pueblo y cómo los había sacado de Egipto para que tomaran la tierra buena que fluye leche y miel. Hay una confirmación de los principios sobre los cuales debe descansar la nueva vida del pueblo de Dios.

Moisés delega responsabilidades. Moisés nombró jueces para que le ayudaran en el trabajo que debía realizar y envió los espías para que dieran ánimo al pueblo para tomar la tierra. Sin embargo, éstos fallaron y el pueblo siguió pecando contra Dios y el resultado fue la sentencia de vagar por cuarenta años en el desierto hasta que muriera el último de esa generación excepto dos valientes: Josué y Caleb, quienes llevarían a la nación y entrarían a la tierra prometida.

Estudio del texto básico

Lea su Biblia y responda

1. ¿Conforme a qué habló Moisés a los hijos de Israel? (1:3).

_____

2. Escriba las cualidades que debían tener los jefes que ayudaron a Moisés (v. 13).

a. _____ b. _____

c. _____

3. ¿Cómo dividió Moisés a los jefes sobre las tribus? (v. 15).

_____

_____

4. ¿Cómo esperaba Moisés que estos jefes juzgaran? (v. 17).

_____

Lea su Biblia y piense

1 Moisés habla en nombre de Dios, Deuteronomio 1:1-4.

V. 1. Es definitivo que Moisés tenía que repetir las leyes y normas que Dios le había dictado al pueblo y recapitular los temas principales de su fe, ya que este era un pueblo joven, nuevo. El campamento situado en el lado oriental del Jordán, *el Arabá,* era una llanura desierta que se extendía al sur del mar Muerto. Moisés se encarga de situar bien el campamento al nombrar los lugares que lo rodean, *Suf* o Mar Rojo, puede ser la localización de un lugar pero incierto.

Tofel, éste y los otros lugares mencionados son parecidos a los mencionados en Números 33:18-20 que están sobre la ruta de Horeb a Cades-barnea.

V. 2. *Horeb,* es un nombre alternativo para Sinaí, aunque probablemente Moisés se refiera al área general y no al mismo monte de Dios. Cades-barnea, era un lugar muy especial para los hebreos puesto que periódicamente volvían a ese lugar y de aquí fue de donde enviaron a los espías hacia Jericó.

V. 3. Hay dos cosas impresionantes en este versículo: (1) Probablemente

Moisés dicta este discurso un mes antes de su muerte. Un mes antes del año cuarenta y (2) es la confirmación de que está hablando no ideas ni leyes propias, habla según lo que Dios le ordenó que hablase.

V. 4. Las palabras de Jehovah vinieron a Moisés luego de haber completado la primera etapa de la conquista al derrotar a los reyes transjordanos, Sejón y Og (Núm. 21:33-35).

2 Moisés recuerda la promesa de Dios, Deuteronomio 1:5-8.

V. 5. Cuando Moisés habla de *esta ley,* se refiere a todo lo que va a continuación, regularmente lo traducimos como *ley,* sin embargo, el alcance de este término es mucho más amplio que una simple ley, puesto que incorpora estatutos, decretos y mandamientos.

Vv. 6, 7. Aquí resalta ya una orden, marchar y tomar la tierra prometida, no más vagar por el desierto. *La Sefela* es una región de colinas bajas situadas entre la llanura costera y la cadena *montañosa* central. Los amorreos eran nómadas incivilizados del desierto, pero un grupo se situó en Palestina por lo que en el Antiguo Testamento, eran considerados como parte de la población en la región montañosa. Sin embargo, en un sentido amplio el término amorreo y cananeo eran similares en su uso.

V. 8. La promesa hecha a los padres es recordada por Moisés, puesto que estaba siendo confirmada, al estar listos para entrar a *la tierra.* La tierra era para tomarla, Dios ya había hecho un pacto con *Abraham, Isaac y Jacob* en relación con la entrega de extensiones territoriales. No solamente se darían estas tierras a estos patriarcas y a su descendencia inmediata, sino que *sus descendientes después de ellos* se verían también beneficiados.

3 Moisés pide ayuda, Deuteronomio 1:9-18.

Vv. 9, 10. Moisés acepta sus limitaciones, el pueblo es grande en número, los problemas y las necesidades también son múltiples, por lo tanto él solo definitivamente no podrá cumplir su tarea. Una de las manifestaciones más preclaras de la idoneidad de un líder es su disposición a permitir y promover la ayuda de otras personas.

La promesa de formar un pueblo grande e incontable, como la arena o las estrellas, ha sido cumplida, Israel es un pueblo grande, pero aun más, el nuevo pueblo de Dios, la iglesia, cada día es más numerosa.

Vv. 11-13. Aquí Moisés muestra su amor por su pueblo al desearles tanta prosperidad y grandeza. Aunque nuevamente refleja su impotencia para juzgarlos a todos al pedir ayuda para que hombres idóneos juzguen a sus propias tribus. Moisés espera que los elegidos tengan ciertas cualidades: sabios, entendidos y experimentados.

Vv. 14, 15. *Esta bien hacer lo que has dicho.* Esta es la aceptación del pueblo de la idea de Moisés. Con esto aceptaban jefes sobre ellos. Estos jefes debían ser de su propia tribu, asimismo debían ser sabios y experimentados.

V. 16. La idea de tener jueces no era para que se sometieran a la esclavitud, sino para que fueran libres y su juicio fuera justo. Debían administrar la justicia con equidad, esto significaba castigar al culpable y proteger al justo. **V. 17.** La justicia es un atributo divino, y éste era un pueblo formado por voluntad divina, por lo tanto, la justicia tendría que ser recta, sin acepción de personas, pero sobre todo evitar la presión de la gente poderosa, y ejercer la justicia con todos por igual. Aquí en contramos un claro reflejo de la justicia de Dios. El es justo y espera que de manera natural los dirigentes de su pueblo también sean justos. **V. 18.** Moisés ha dado todas las instrucciones de lo que el pueblo debe hacer para prosperar y recibir las bendiciones prometidas, sin embargo, el pueblo decidirá su futuro al obedecer o desobedecer. Constantemente nos veremos expuestos a esta verdad que es céntrica en la Biblia: Dios nos da la libertad de escoger entre el bien y el mal. Entre adorarle a él como el único Dios verdadero o a las riquezas u otros ídolos modernos. Así recordamos que en última instancia, nosotros decidimos lo que pasará eternamente con nuestra vida.

Aplicaciones del estudio

1. La autoridad de Moisés se basó en que todo lo que hizo y dijo era de Dios. Nunca habló de sus propias ideas ni inventó las leyes que promulgó, todo lo hizo por Dios y en el nombre de Dios. La autoridad sólo la da Dios. Cuando hablamos y actuamos de acuerdo con su voluntad, esta autoridad se refleja en el trabajo, los negocios, la familia etc.
2. Si hay alguien en quien podemos confiar es en Dios. Moisés recuerda a la nueva generación, que las promesas de Dios son fieles porque Dios siempre cumple lo que promete.
3. Hay momentos cuando debemos reconocer nuestras limitaciones. Tenemos que darnos cuenta de que no lo podemos hacer todo, es entonces cuando debemos recurrir a gente idónea para que nos auxilie.

Prueba

1. ¿Cómo demostró Dios su fidelidad con Israel en los acontecimientos que vimos en el estudio? _____

_____

2. ¿Afectó esto su convicción hacia Dios? _____
¿Cómo?_____

_____

Lecturas bíblicas para el siguiente estudio

Lunes: Deuteronomio 1:26-33   **Jueves:** Deuteronomio 2:1-15
Martes: Deuteronomio 1:34-40   **Viernes:** Deuteronomio 2:16-25
Miércoles: Deuteronomio 1:41-46   **Sábado:** Deuteronomio 2:26-37

La infidelidad del pueblo

Contexto: Deuteronomio 1:26 a 2:37
Texto básico: Deuteronomio 1:26-46
Versículo clave: Deuteronomio 1:43
Verdad central: El pueblo de Dios demostró su infidelidad al no creer en las promesas divinas.
Metas de enseñanza-aprendizaje: Que el alumno demuestre su: (1) conocimiento de la infidelidad del pueblo de Dios, (2) actitud de confianza en las promesas de Dios.

Estudio panorámico del contexto

Horeb. Era un territorio realmente desértico, las montañas parecieran haber sido quemadas con fuego. No obstante, hay algunos oasis, pozos y manantiales. Desde aquí fueron enviados los espías para que conocieran y trajesen informes sobre la tierra que Dios les había preparado. Todos esperaban que los espías vinieran con buenas noticias y alentaran al pueblo para entrar y poseerla. Sin embargo, ellos no cumplieron con las expectativas del pueblo ya que al volver solamente vieron obstáculos, las murallas y los gigantes, pero se olvidaron de ver a Dios. Esto desanimó al pueblo y lo desalentó excepto a dos hombres llenos de fe: Josué y Caleb. Evidentemente suceden dos cosas: (1) Dios siempre dará el galardón a quienes son obedientes a su plan como lo hizo con Josué y Caleb. (2) El plan de Dios se cumplirá a pesar de las circunstancias adversas.

Dios, sin embargo, esperaba otra reacción del pueblo, lo que aparentemente lo disgustó por lo que dictó una sentencia: ninguno de esa generación incrédula, excepto Josué y Caleb entraría a la tierra prometida, y vagarían por el desierto cuarenta años. El pueblo no escuchó la voz de Moisés y quisieron iniciar la conquista por sus propios medios, pero Dios se alejó de ellos y los dejó solos lo que ocasionó su derrota en Horma.

Dios ordena al pueblo que no ataque a Hair, Moab y Amón. Pudiera ser que por una antigua alianza entre los patriarcas y la desendencia de este pueblo Dios no permite ninguna asechanza contra ellos. Al llegar a Hesbón el pueblo quería mantenerse en paz, evitar la guerra. Quisieron hacer las cosas bien, comprar todo a precio justo. Sin embargo, Sejón se negó a permitirles realizar ese anhelo. Dios ordenó entonces al pueblo ir contra Sejón y así Israel tuvo su promesa cumplida: victoria y posesión de la tierra.

Lea su Biblia y responda

1. ¿Por qué desfalleció el corazón del pueblo de Israel? _____

_____

2. Los inicios de esa generación que entraría a la tierra prometida fueron:

_____

_____

3. ¿ Por qué permitió Dios la derrota de Israel? _____

_____

Lea su Biblia y piense

1 La incredulidad del pueblo, Deuteronomio 1:26-33.
Vv. 26, 27. El pueblo se rebeló contra Dios, puesto que vieron primero los obstáculos y no recordaron todos los portentos que Dios había hecho por ellos. Dios toma como rebeldía del pueblo el que ellos no quisieron subir a tomar la tierra. Más bien el pueblo murmuró contra Dios y blasfemó, lo que trajo contra ellos el enojo del Señor. Siempre debemos recordar que Dios es amor, pero también es justo. Nos equivocamos cuando pensamos que Dios no puede experimentar enojo.
V. 28. El mal informe de los espías provocó desaliento en el corazón de los israelitas quienes desfallecieron. Era común que las ciudades se protegieran de las invasiones levantando muros altos y cavando fosas alrededor de ellos. Sin embargo, los habitantes de este pueblo parece ser que eran gentes muy grandes y fuertes.
Desgraciadamente las actitudes negativas siempre encuentran eco en otras personas. Era más fácil poner atención al informe negativo que al positivo. Los anaquitas, eran descendientes de un cierto Anac.
Vv. 29, 30. El desaliento llevó al pueblo a cometer el pecado de incredulidad, pero allí surge la voz de Moisés haciendo un llamado para animar al pueblo. Este les recuerda lo que Dios ha hecho por ellos en Egipto. Dios había peleado por ellos en Egipto y podría hacerlo nuevamente.
V. 31. El cuidado de Dios hacia Israel había sido como el de un padre hacia su hijo, daba lo mejor de él: protección, alimento y bienestar en ese desierto. De manera fehaciente se mostró el amor de Dios y su capacidad absoluta para satisfacer las necesidades básicas de su pueblo. De esa manera estaba facilitando el cumplimiento del plan que se había trazado desde el momento que el hombre cayó en la trampa del pecado.
Vv. 32, 33. Dios amaba tanto a sus hijos, que hasta les indicaba dónde debían acampar, les daba lugar para resguardarse del sol y del calor del día y del

frío por las noches. Una de las características de Dios que más pudieron ver a través de su peregrinaje en el desierto, fue precisamente su capacidad de providencia. El llamado de Moisés es impresionante: *Aun con esto, no creísteis a Jehovah vuestro Dios.*

2 Dios castiga la incredulidad, Deuteronomio 1:34-40.

Vv. 34, 35. Definitivamente la incredulidad seguida de rebelión del pueblo dio lugar a la ira santa de Dios. En el justo juicio de Dios fueron condenados a ser errantes por los próximos cuarenta años en el desierto, hasta que toda la generación adulta desapareciera. Dios es paciente, pero el hombre se aprovecha de esa paciencia y hasta interpreta mal esa parte del carácter de Dios.

Vv. 36, 37. Solamente dos personas de la generación anterior pudieron entrar a la tierra prometida: Caleb y Josué. Este último fue quien sucedió a Moisés en la tarea de dirigir al pueblo. Moisés no fue castigado por el pecado del pueblo sino por su propia desobediencia.

Vv. 38, 39. La tarea de Moisés ahora era la de preparar a su sucesor, Josué, quien tomaría la dirección y aunque pareciera duro, Moisés tendría que capacitar a quien ocuparía su lugar en llevar al pueblo a conquistar la tierra.

V. 40. La sentencia de Dios para su pueblo era que vagarían por el desierto. No se puede negociar con Dios lo que representa la base para formar un pueblo misionero que sea obediente y capaz de llevar las buenas nuevas de salvación a todas ias naciones de la tierra.

3 Consecuencias de la infidelidad, Deuteronomio 1:41-46.

V. 41. Luego de la sentencia de Dios el pueblo reconoce que ha pecado. Como una muestra de su arrepentimiento dicen: *Hemos pecado contra Jehovah.* De allí en adelante, estaban dispuestoa a obedecer. Vez tra vez Dios les había demostrado que era mejor ser obedientes que rebeldes.

V. 42. El Señor les advierte que si el pueblo sube y pelea, lo hará con sus propias fuerzas y solo. Dios los ha dejado y no peleará por ellos. La ausencia de Jehovah en el campo de batalla es la declaración lógica de una derrota inminente. El pueblo de Dios sistemáticamente olvidaba que el plan de salvación tiene como una parte fundamental la obediencia incondicional de los llamados.

V. 43. *"Yo os hablé, pero no escuchasteis..."* No sólo habían pecado al dudar y desfallecer, ahora agravaron su pecado con desobediencia y arrogancia. Parecería que no les importaba el hecho de que Dios no estaría con ellos, simplemente subieron *a la región montañosa* y pelearon, confiando en ellos mismos.

V. 44. Esperaban ganar, pero fue al contrario, los amorreos, también identificados como los cananeos, los esperaban y luego los persiguieron atacándolos hasta destruirlos. La derrota de los hijos de Dios sucede para enseñarnos que apartarse de Dios es fatal.

V. 45. Su pecado los había alejado de Dios. Volvieron derrotados delante del Señor, pero el Señor no los oyó. Dios les había hablado y advertido que no subieran a pelear; ahora las consecuencias sólo eran responsabilidad del pueblo desobediente. Una y otra vez olvidaban las consecuencias de no seguir los lineamientos que ya se habían establecido. Dios concede muchas libertades a su pueblo, pero en relación con los asuntos del reino, hay principios que no se pueden negociar. **V. 46.** Permanecieron muchos días en Cades-barnea y después partieron hacia el desierto, entendieron así que Dios hablaba en serio cuando los condenó. De esa manera, nos damos cuenta de que Dios es amor, pero también es justo. Hay un pacto que se ha establecido entre él y su pueblo. Ese pacto tiene dos partes: la parte que le corresponde cumplir a los hijos de Dios, y la parte que le corresponde cumplir a Dios. Fallar en cumplir trae consecuencias.

Aplicaciones del estudio

1. Debemos ver las bendiciones en vez de los obstáculos. El pueblo sólo vio la ciudad amurallada y los gigantes y se olvidaron de ver a Dios. Muchas veces somos como este pueblo, vemos los obstáculos y nos olvidamos de llegar a Dios.

2. Tenemos grandes retos en el camino del reino. Israel tenía un gran reto también de Dios: subir y tomar la tierra prometida, pero dudaron y luego, queriendo rectificar su pecado, no oyeron la voz de Dios y desobedecieron. Esto les trajo consecuencias dolorosas. La desobediencia a Dios siempre traerá resultados duros, regularmente serán consecuencias negativas en nuestra vida.

Prueba

1. Dios esperaba una respuesta del pueblo de Israel. Les había dado todo lo necesario para que no dudaran, sin embargo, el pueblo respondió de otra manera. ¿Cuál fue la respuesta? _____

_____

_____

2. Dios nos llama hoy también a la obediencia como al pueblo de Israel. ¿Ha visto el poder de Dios en su vida? _____ Entonces, ¿cómo responderá a la voz de Dios? _____

_____

_____

Lecturas bíblicas para el siguiente estudio

Lunes: Deuteronomio 3:1-11
Martes: Deuteronomio 3:12-22
Miércoles: Deuteronomio 3:23-29

Jueves: Deuteronomio 4:1-14
Viernes: Deuteronomio 4:15-31
Sábado: Deuteronomio 4:32-49

Las victorias son de Dios

Contexto: Deuteronomio 3:1 a 4:49
Texto básico: Deuteronomio 3:12-22; 4:1-4, 29-31
Versículo clave: Deuteronomio 3:22
Verdad central: Moisés y el pueblo comienzan a disfrutar de las primeras victorias porque Dios intervino con amor y poder.
Metas de enseñanza-aprendizaje: Que el alumno demuestre su: (1) conocimiento de la ubicación geográfica de las primeras victorias de Israel, (2) actitud de valorar las victorias que Dios le ha dado en su vida.

─────────── *Estudio panorámico del contexto* ───────────

Parece ser que el rey de Hesbón ataca a los israelitas sin provocación alguna, quizá por querer vengar a sus amigos que habían sido derrotados por el pueblo judío. Sin embargo, aun cuando era un pueblo grande, Dios ordena que ataquen ya que él ha entregado a los enemigos en manos de los israelitas. Es evidente que Dios está dispuesto a usar a un rey pagano para dar una lección a su pueblo. La historia está llena de situaciones semejantes. Es relativamente fácil percibir que el plan de Dios tiene que seguir adelante a pesar de la infidelidad del pueblo.

Seguidamente avanzaron contra Og rey de Basán y ocuparon la tierra, ampliando su posesión al este del Jordán hasta el norte de Hermón.

Este territorio conquistado fue designado a las tribus de Rubén, Gad y a la mitad de la tribu de Manasés (Núm. 32), con la condición de que se unieran al resto de la nación en el momento de conquistar la tierra prometida al oeste del Jordán.

Moisés pierde la oportunidad de entrar en la tierra prometida como consecuencia de la rebeldía del pueblo y el enojo de Moisés (Núm. 20:12). Moisés trata de convencer a Dios de que le permitiera entrar, pero solo se le permite ver la tierra desde una cumbre. Entonces exhorta al pueblo para que se mantenga fiel a Jehovah y les da a conocer las consecuencias que vendrán si se convierten en idólatras. Se debe aclarar que el pecado de Moisés consistió en no tratar a Dios como santo a los ojos del pueblo.

Moisés tendrá que animar a Josué para que dirija al pueblo a la conquista de las metas que Dios trazó para ellos desde un principio. Un buen líder siempre estará dispuesto a aceptar y apoyar la participación de otra persona. Moisés es un buen ejemplo en ese sentido.

Lea su Biblia y responda

1. Deuteronomio 3:12-22.
¿Cómo distribuyó Moisés la tierra conquistada?

_____

_____

_____

2. Deuteronomio 4:1-4.
Responde correctamente las siguientes preguntas:
a. ¿Cómo podrían entrar a la tierra y tomarla? _____

_____

b. ¿Cuál era la recompensa por ser fieles a Jehovah? _____

_____

3. Deuteronomio 4:29-31.
¿Cuál es la idea de este pasaje? _____

_____

_____

Lea su Biblia y piense

1 Dios entrega las primeras tierras, Deuteronomio 3:12-22.
Vv. 12, 13. Rubén y Gad, tribus pastorales, recibieron el territorio comprendido en *Aroer en el río Arnón, hasta la mitad de la región montañosa de Galaad.*
Vv. 14-17. Para Moisés era muy importante establecer los lugares en los cuales el pueblo de Israel habitaría y toda la tierra que les estaba entregando. Esta vez era como recompensa a la obediencia y la convicción de que Dios les estaba dando la tierra, para su descanso. Gesur era una ciudad al noroeste de Basán, se menciona también en Josué 12:5 y 13:11, y Maaca era una región situada al sureste de Hermón el cual estaba bajo control arameo.
Quinéret, fue llamada luego Genezaret, el mar de Galilea, el mar Salado o mar Muerto.
Parece ser que Pisga no es un lugar específico, sino que se refiere a cualquier elevación que corone una cadena, una colina o una montaña y que presente un perfil muy irregular, por lo tanto parece que se está refiriendo a las laderas sureñas de Jebel Osha, que dominaron el mar Muerto.
V. 18. Moisés dirige en este momento la toma de la tierra por medio de la

conquista. Los primeros que tomaron la tierra fueron las tribus de Rubén, Gad y media tribu de Manasés a quienes les habla en este momento.

V. 19. Las mujeres y los niños se quedaron en la tierra conquistada mientras los hombres continuaron su trabajo en la conquista de nuevos territorios. El ganado también se quedaría para que no fuera estorbo a los hombres. Moisés les reitera que a pesar de andar en el desierto, Dios les ha bendecido y les ha multiplicado sus posesiones, principalmente el ganado: *Yo sé que tenéis mucho.*

V. 20. Después de haber participado en la conquista de todos los territorios para poder establecerse permanentemente, lo primero que el pueblo necesitaba era reposo. Habían vagado por cuarenta años en el desierto y necesitaban tener una tierra propia. Esto significaba estar libres de los enemigos y de la esclavitud tanto física como espiritual.

V. 21. Josué es el único testigo de todas las maravillas y del cuidado que Dios ha tenido con su pueblo en la generación anterior. Cómo los ha cuidado de los pueblos que los han querido destruir. Dios promete a Josué que el cuidado lo seguirá teniendo siempre.

V. 22. No temáis, no tengas miedo, el cuidado de Dios se mantiene, es Dios quien siempre peleará por su pueblo.

2 Moisés exhorta al pueblo a obedecer, Deuteronomio 4:1-4.

V. 1. Moisés llama al pueblo para que sean obedientes a las *leyes y decretos* para que sean bendecidos y su vida sea prosperada en la tierra prometida. Pero para disfrutar de los beneficios era necesario obedecer para vivir y tomar posesión de la tierra.

V. 2. Era obvio que Dios se constituyó en el soberano y su pueblo en vasallo, de tal forma que las leyes no se discuten, son perfectas y no se necesita añadirles ni quitarles nada. Además, si Dios la instituyó, es obvio que es perfecta. El salmista más tarde podrá decir: "La ley de Jehovah es perfecta" (Sal. 19:7).

V. 3. Moisés se encarga de recordarle a esta generación lo que había sucedido con el pueblo cuando se decidió a honrar a Baal de Peor, y se olvidaron de Dios. En aquella ocasión murieron miles de judíos como consecuencia de su desobediencia (Núm. 25:1-9).

V. 4. En esta oportunidad la fidelidad del pueblo provocó la bendición de la vida. Moisés les hace notar que la obediencia a Dios siempre se revelará como vida en abundancia.

3 Dios promete cuidar a su pueblo, Deuteronomio 4:29-31.

V. 29. ¿Dónde esta Dios? Pareciera que Moisés responde a esta interrogante, él les profetiza lo que les sucederá si son infieles a Dios. Sin embargo, si con su corazón buscan a Dios, entonces él estará dispuesto a escucharles y darles su protección.

V. 30. *Cuando estés en angustia... volverás a Jehovah.* Parece ser que solamente cuando las personas están en problemas se vuelven a Dios. El pueblo de Israel se distinguía por esta actitud, solamente cuando estaban en angustia se volvían a Dios y estaban dispuestos a obedecer sus preceptos. Cualquier parecido con nuestra realidad actual no es una coincidencia, sino la ratificación de la naturaleza humana. **V. 31.** Dios es fiel a su pacto, por lo que no los abandonará y en el momento que ellos lo busquen él estará allí para salvarlos. Su misericordia es tan grande que aun y cuando su pueblo fuera desobediente Dios permanecía fiel. Es la misma situación hoy.

──────────── *Aplicaciones del estudio* ────────────

1. Cuando el pueblo de Israel salió de Egipto parecía una empresa titánica llegar a la tierra prometida. Sin embargo, Dios permaneció fiel y cumplió su promesa de entregarles la tierra. La lucha del pueblo de Dios es lucha de Dios, no importa qué tan difícil o dura parezca, la victoria es segura, la victoria es de Dios.

2. La obediencia siempre traerá como resultado bendiciones de Dios. Dios espera obediencia y sujeción a él, lo que más odia es la idolatría, esto siempre traerá malos resultados en nuestra vida.

3. Dios se mantiene fiel a su palabra. Ha prometido cuidado y bendición a su pueblo, cuando éste esté dispuesto a volverse de todo corazón a Dios. Dios es fiel, Dios cumple, Dios bendice, pero es necesario obedecerle.

──────────────── *Prueba* ────────────────

1. Dios ha dado victoria al pueblo de Israel y cumplió con darles lo ofrecido. ¿Cómo cumplió su promesa al pueblo? _____

_____

_____

2. ¿En qué circunstancias podría aplicar estas victorias del pueblo de Dios en su propia vida? _____

_____

3. ¿Cómo piensa que se puede dar la idolatría en el pueblo de Dios hoy en día?

_____

_____

Lecturas bíblicas para el siguiente estudio

Lunes: Deuteronomio 5:1-10   **Jueves:** Deuteronomio 5:23-32
Martes: Deuteronomio 5:11-15   **Viernes:** Deuteronomio 6:1-9
Miércoles: Deuteronomio 5:16-22   **Sábado:** Deuteronomio 6:10-19

El gran mandamiento

Contexto: Deuteronomio 5:1 a 6:19
Texto básico: Deuteronomio 6:1-19
Versículos clave: Deuteronomio 6:4, 5
Verdad central: Para que Dios se manifieste en la vida del hombre y derrame bendiciones sobre la nación, es necesario considerar las demandas de Jehovah de obediencia y adoración exclusiva.
Metas de enseñanza-aprendizaje: Que el alumno demuestre su: (1) conocimiento del gran mandamiento de Dios para su pueblo, (2) actitud de obediencia a las demandas que Dios le hace.

Estudio panorámico del contexto

El pacto en este momento lo debemos entender como un tratado de vasallaje, en donde Dios es el Señor y el pueblo el vasallo. Este pacto se repite en Bet-peor. Moisés lanza un recordatorio de todo lo que implica este pacto. Todavía están al otro lado del Jordán en la tierra que han conquistado (4:44-49). Para Moisés los Diez Mandamientos constituyen la esencia de la revelación de Dios en Horeb.

Todas las demás añadiduras se le revelaron a los profetas las cuales se basaron en la primera revelación hecha a Moisés. Jesús, en el Nuevo Testamento, le dio énfasis a estos mandamientos de carácter obligatorio para la conducta de los creyentes.

Moisés tiene la obligación como mediador entre Dios y el pueblo de Israel de enseñar la ley. A su vez, ellos serán responsables de enseñar a las nuevas generaciones la importancia del pacto.

Esta mediación de Moisés había sido pedida por el mismo pueblo por temor a Dios. Si este pueblo quería ser obediente y vivir vidas realmente prósperas y de acuerdo con los principios establecidos por Dios, lo primero que tenía que hacer era amar a Dios por sobre todas las cosas.

Amar significaba obediencia, sujeción a su Dios. Esto incluía el ruego de Moisés a una vida fiel. Así como Dios era fiel a su pacto y a sus promesas, ellos también deberían responder con fidelidad a Dios.

Los judíos estaban en un momento crucial para su vida, iban a tomar la tierra, pero también deberían tomar la decisión de obedecer o no a Dios, si su fe la centrarían o no en Dios para la dirección de su vida, como hombres en lo individual, como familias y como pueblo.

Lea su Biblia y responda

Escriba **V** si la declaración es verdadera o **F** si es falsa: Deuteronomio 6:1-9.

a. ____ Los mandamientos de Dios se pueden desobedecer.

b. ____ Los mandamientos no incluyen a la familia.

c. ____ Al cumplir la ley había bendición.

d. ____ Sólo hay un Dios.

e. ____ La ley debe estar en todas partes para que se pueda ver.

Conteste las siguientes preguntas según Deuteronomio 6:10-15.

1. ¿Qué les daría Dios que ellos no habían hecho?

a. _____ c. _____

b. _____ d. _____ y _____

2. ¿Cuál era el peligro de esto? (v. 12) _____

_____

3. ¿Cuál sería el resultado de la idolatría? (v. 15) _____

4. Deuteronomio 6:16-19.

Haga una paráfrasis del v. 18: _____

_____

_____

Lea su Biblia y piense

1 La importancia de una buena base para comenzar, Deuteronomio 6:1-9.

V. 1. Las leyes y decretos tienen una razón de ser, no son solo para oírlos o que sean escritos en algún libro. Moisés procede a instruirlos para que no los olviden en el momento de tomar *la tierra* prometida. El hecho mismo de establecerse como una nación sedentaria implicaba la existencia de una estructura legal y política apta para una existencia pacífica.

V. 2. *Son para que temas a Jehová,* temor no es miedo, sino más bien Moisés espera una respuesta de amor y respeto a Dios. La idea era conocer la ley para transmitirla a las generaciones jóvenes. Moisés espera respuesta de amor y fidelidad a Dios. Si quieren disfrutar de las bendiciones de Dios la obediencia debe ser una práctica continua, puesto que la fidelidad a Dios está relacionada muy íntimamente con su posesión de la tierra.

V. 3. La observancia de la ley nuevamente debe ser una práctica diaria del pueblo, no fue dada sólo para ser oída. La promesa por cumplirla es prosperidad, y lista para ser derramada si el pueblo le obedecía.

V. 4. Moisés excluye la idea de la existencia de otros dioses. Dios es único.

Vv. 5, 6. *Estarán en tu corazón.* Cuando el individuo reconoce que Dios es único, tiene que reconocer también que debe someterse a la soberanía de Dios y asumir las obligaciones de los mandamientos. El amor a Dios debe ser real, tanto como la obediencia y la determinación de someterse a su voluntad.

V. 7. Era necesario hablar de Dios a los hijos en cada oportunidad que se tuviera. Todos los días deberían repetirlo constantemente a sus hijos para no olvidar lo que Dios esperaba de ellos como pueblo.

Vv. 8, 9. La enseñanza no sería tan solo oral, sino también escrita en todas partes. Los israelitas tenían muchos objetos externos, los que usaban como señales en sus manos, frontales etc. También tenían versículos de las Escrituras en los postes de las casas, o en sus vestimentas, todo esto les recordaría su responsabilidad de amar a Dios sin la menor reserva.

2 La importancia de la fidelidad, Deuteronomio 6:10-15.

V. 10. Era un hecho que entrarían a la tierra prometida. Aunque la promesa fue hecha a los patriarcas, ellos recibirían en este momento el cumplimiento.

V. 11. Los judíos no habían trabajado para edificar nada de lo que estaba construido en aquella tierra, tampoco sembraron lo que les daría el fruto para vivir, todo lo recibieron como parte del cumplimiento de la promesa y las bendiciones de Dios. Serían prósperos en aquella tierra de descanso.

V. 12. La tentación, cuando hay prosperidad, es olvidarse de Dios puesto que todo va bien y parece como que no lo necesitaran. Dios les había dado lo mejor además de sacarlos de la esclavitud y era necesario que no lo olvidaran.

V. 13. En el Nuevo Testamento vemos nuevamente este pasaje. El Señor Jesús lo utilizó cuando fue tentado por Satanás, solamente cambió la palabra temer, por adorar (Mat. 4:10). Sólo Dios merece ser servido y adorado porque sus bondades han sido grandes.

V. 14. Cuando Moisés habla de otros dioses, no es que reconozca la existencia de dioses fuera de Jehovah Dios. Sencillamente Moisés les advierte que no vuelvan a ser idólatras y que no antepongan sus propios deseos a Dios.

V. 15. Dios odia la idolatría, espera que sus hijos, su pueblo, le respondan con obediencia y con amor. Su celo es Santo porque lo ha dado todo, espera entonces todo de los suyos. Su sentencia también es clara, el resultado de la infidelidad será la destrucción total y completa. Cuando Dios promete, él cumple.

3 La importancia de no repetir los errores, Deuteronomio 6:16-19.

V. 16. Moisés recuerda al pueblo lo que habían hecho en el pasado sus padres (Exo. 17:2-7). Los antepasados llegaron al grado de probar a Dios. *Masá* significa poner a pueba y aquí Moisés le prohíbe al pueblo probar a Dios cuestionando su protección, su provisión o su poder.

V. 17. Para Moisés es sumamente importante recalcarle a la nueva generación que debe guardar todos los mandamientos que Dios les da. Agrega Moisés los testimonios de Dios y sus leyes. Estas no son de cumplimiento voluntario, son órdenes para la vida. **Vv. 18, 19.** La promesa de Dios era darles la tierra como descanso, darles la tierra para que se formaran como pueblo, como nación. Ahora se los recuerda y confirma, Dios sacará a todos sus enemigos para que ellos tengan paz.

Aplicaciones del estudio

1. El pueblo de Israel, siendo una nueva generación, tendría que tener una buena base para entrar a la tierra prometida. La iglesia hoy necesita esa misma base, que son las Escrituras, para llevar adelante la obra de Dios y tomar la tierra prometida. La iglesia sin las Escrituras no es nada, puesto que estas son sus cimientos, son su base para la vida. **2. Dios espera que su pueblo se mantenga fiel.** Las Escrituras no son tan solo teoría o un libro de historias, es la norma de vida para el creyente. Por lo tanto, es necesario que el hombre de Dios sea hallado fiel, sin la fidelidad no se puede conocer a Dios. **3. Un axioma de la historia es: La historia es el conocimiento del pasado para entender el presente y mejorar el futuro.** Moisés esperaba que el pueblo no repitiera los errores del pasado sino que entendiera que Dios lo castigaría igual que a sus antepasados si no actuaban con rectitud.

Prueba

1. ¿Cuál es el mayor mandamiento de Dios para los hombres? _____

_____

2. Hay una condición para recibir las bendiciones de Dios, esto es: ser obedientes y fieles a su palabra. ¿Qué áreas de su vida cree usted que todavía no ha entregado a Dios, en obediencia y fidelidad?

_____

_____

¿Cree que vale la pena entregar esas áreas a Dios? ___ ¿Cómo se las entregará? _____

Lecturas bíblicas para el siguiente estudio

Lunes: Deuteronomio 6:20-25
Martes: Deuteronomio 7:1-6
Miércoles: Deuteronomio 7:7-16

Jueves: Deuteronomio 7:17-26
Viernes: Deuteronomio 8:1-6
Sábado: Deuteronomio 8:7-20

Resultados de la obediencia

Contexto: Deuteronomio 6:20 a 8:20
Texto básico: Deuteronomio 8:1-20
Versículos clave: Deuteronomio 8:5, 6
Verdad central: Dios, como Padre amante que nos ha reconocido como hijos, corrige nuestras desobediencias pero también nos recompensa cuando en obediencia andamos por su camino.
Metas de enseñanza-aprendizaje: Que el alumno demuestre su: (1) conocimiento de las consecuencias que tendría que enfrentar el pueblo de Dios si no le obedecía, (2) actitud de sumisión y obediencia a las demandas que Dios le hace.

Estudio panorámico del contexto

Las instrucciones de Dios para el pueblo eran muy claras, tenían que destruir los pueblos paganos, incluyendo los dioses que éstos adoraban. No se podía permitir la permanencia de ritos extraños. El pueblo de Dios a través de la historia había demostrado la facilidad con que se dejaba influir por los paganos. Un pueblo santo no puede convivir con los paganos.

Asera, por ejemplo, era la diosa femenina de la fertilidad cananea, era esposa de Baal y su imagen era venerada cuando fue tomada la tierra.

La tierra a conquistar era habitada por los heteos, a quienes se les llamaba también hijos de Het, pero realmente eran descendientes de Cam; los gergeseos quienes eran descendientes de Canaán fuertes y numerosos; los amorreos, este era un pueblo semita.

Los otros pueblos como los cananeos, ferezeos, heveos y jebuseos, fueron pueblos igualmente poderosos descendientes de Cam, a los cuales era difícil derrotar. Sin embargo, Dios promete entregarlos a los israelitas para que tomen la tierra prometida. El mandamiento de Dios era destruir totalmente todo, que no se tomara botín, sino que fuera dedicado a Jehovah. Era el anatema o *herem*, el botin de guerra es propiedad de Jehovah, por lo tanto no puede ser usado ni tomado por el humano.

Para la nueva generación era importante conocer la historia para que mediten en ella y vivieran mejor que sus antepasados. Aunque los pueblos eran fuertes, Dios lucharía por ellos, por lo tanto era necesario mantener la disciplina y la obediencia a Dios.

Lea su Biblia y responda

1. ¿Cuál fue la razón por la que Dios los condujo por el desierto? (v. 2).

_____

_____

2. ¿Por qué razón Dios los sustentó en el desierto? (v. 3).

_____

_____

3. ¿Cómo sería la tierra que Dios les daría? (vv. 7-14).

_____

_____

4. ¿Cuál era el peligro de que lo tuvieran todo? (v. 17).

_____

_____

5. ¿Cuál sería el resultado si se apartaban de Jehovah? (vv. 19, 20).

_____

_____

Lea su Biblia y piense

1 La corrección de Dios es por amor, Deuteronomio 8:1-6.

V. 1. *Cuidaréis de poner por obra.* Entrar a la tierra era importante, sin embargo, también era fundamental cumplir la ley. Este cumplimiento les llevaría a tomar la tierra y ser prosperados.

V. 2. *Acuérdate.* Era básico tomar en cuenta esta palabra para que el pueblo no olvide todo lo que Dios ha hecho por ellos. Moisés les recuerda su experiencia en Egipto y todos los momentos difíciles que tuvieron que vivir allá, pero también los buenos; durante los cuarenta años Dios estuvo presente para cuidar a su pueblo.

V. 3. Dios quiso que su pueblo aprendiera a depender de él. La comida les vino literalmente del cielo, un alimento desconocido para ellos pero les sustentó. La razón fue para que ellos entendieran que la vida del hombre está en las manos de Dios y no se sustenta solo con pan. Este pasaje fue utilizado por el Señor en el Nuevo Testamento, en el momento de su tentación (Mat. 4:4).

V. 4. Si había algo que demostraba el sustento y el cuidado de Dios hacia su pueblo era el vestido, que nunca se envejeció, ni sufrieron problemas por la caminata.

V. 5. La disciplina era un factor importantísimo en la vida del pueblo judío. Todas las humillaciones que sufrieron en el desierto representaron la disciplina de Dios; esto significó reforma y justicia para el pueblo de antaño y para la nueva generación que tomaría la tierra.

V. 6. Nuevamente el llamado a la sujeción, obediencia a los mandamientos divinos y respeto a sus determinaciones basadas en su soberanía.

2 El secreto para evitar la corrección, Deuteronomio 8:7-14.

Vv. 7, 8. Moisés establece en este momento un gran contraste entre el ayer y el hoy del pueblo. El pueblo judío conocía hasta el momento puro desierto, sed, hambre, cansancio. Sin embargo, ahora podrían entrar a una buena tierra, una tierra rica en minerales y fértil. Los judíos tendrían la oportunidad de disfrutar las bendiciones y la generosidad de la tierra prometida.

Vv. 9, 10. Los minerales se recogerían en abundancia; aunque el hierro estaba en el valle de Arabá y en el monte Hermón, y el cobre por todo el Sinaí, el versículo literal se cumple, puesto que ambos minerales se extraían de una sola región cerca de Ezión-geber. La comida sería abundante, pero es necesario ser agradecidos con Dios por esta provisión.

V. 11. *Cuídate de no olvidarte.* Aquí reaparece la advertencia de Moisés que hemos visto en el capítulo 6. Mantenerse siempre bajo la soberanía de Dios, cumpliendo sus demandas.

Vv. 12, 13. Obviamente Moisés da por sentado el hecho que Israel será próspero, habrá multiplicación de todo cuanto ahora tienen, animales y pertenencias materiales, plata y oro.

V. 14. Otra vez, Moisés les recuerda que aun y cuando tengan toda la prosperidad del mundo y sean una nación grande y rica, no se desvíen de los caminos de Dios. El dinero y las posesiones no los deben llevar hacia caminos de oscuridad. No habrá corrección si no hay desviación.

3 No se debe olvidar la historia, Deuteronomio 8:15-20.

V. 15. Moisés no puede permitir que la historia se olvide puesto que en ella encontrarán la razón de estar allí, y los milagros que Dios ha hecho para sostenernos. En este versículo destaca la extracción de agua de una roca firme, se dio en dos ocasiones: una en Horeb (Exo. 17:6) y otra en Cades (Núm. 20:8).

V. 16. ¿Cuál era la razón por la cual el pueblo estaba vagando en el desierto? Primero, por el pecado, por él no habían entrado a la tierra prometida. Sin embargo, Moisés destaca que hay otra razón: que valoraran la tierra que Dios les daría. El desierto era el contraste total de lo que recibirían, y además como Dios los había sustentado en el desierto, los sustentaría en la tierra que ahora iban a poseer.

Vv. 17, 18. Todo viene como un don de Dios. La habilidad, la energía y la salud. Moisés les declara que todo lo que tienen y poseen es un regalo de Dios y no deben olvidarlo. No llegaron allá por su propia fuerza, si así hubiera sido habrían sido destruidos. Nunca deben olvidar que el poder sólo viene de Dios, así él cumple la promesa hecha a los patriarcas y a ellos mismos. **V. 19.** Moisés demuestra que conoce a su pueblo. Hay debilidad y esto los puede llevar a adorar dioses de otros pueblos y rendirles culto, por lo tanto, él es testigo y declara la sentencia: si esto serán destruidos totalmente. **V. 20.** Entrarán y tomarán la tierra. Para tomarla deben arrasar con todos los pueblos que allí habitan y destruirlos. Ese tenebroso ejemplo les pone Moisés a ellos: en el momento que se olviden de Dios así perecerán como aquellos pueblos que hoy destruyen.

Aplicaciones del estudio

1. Dios es un Dios de amor. Todo lo que hace es dictado por su naturaleza amante, de tal manera que la corrección del pueblo es para que sus hijos comprendan que les ama. Dios nos corrige para perfeccionarnos y que nuestra vida sea diferente y mejor. **2. Hay una sola manera para que evitemos ser corregidos.** Está es siendo obedientes a los mandatos de Dios. Dios espera fidelidad de su pueblo, en las situaciones prósperas y en las situaciones malas. **3. La historia debe servirnos para no caer en los mismos errores del pasado, sino al contrario, evitarlos.** El presente y el futuro deben ser diferentes al pasado y esto sólo se logra cuando Dios es el centro de nuestra vida.

Prueba

1. ¿Cuáles son algunos resultados de ser obedientes a Dios, según el estudio de hoy? _____

_____

2. ¿Cree usted que vale la pena ser obedientes a Dios? _____ ¿Por qué?

_____

_____

¿Cómo puede usted ser obediente y recibir sus bendiciones? _____

_____

_____

Lecturas bíblicas para el siguiente estudio

Lunes: Deuteronomio 9:1-21
Martes: Deuteronomio 9:22-29
Miércoles: Deuteronomio 10:1-11
Jueves: Deuteronomio 10:12-22
Viernes: Deuteronomio 11:1-31
Sábado: Deuteronomio 12:1-32

Dónde y cómo adorar a Dios

Contexto: Deuteronomio 9:1 a 12:32
Texto básico: Deuteronomio 12:1-28
Versículo clave: Deuteronomio 12:5
Verdad central: Dios demanda un lugar único y adecuado para que su pueblo le rinda sincera y ferviente adoración.
Metas de enseñanza-aprendizaje: Que el alumno demuestre su: (1) conocimiento de la demanda de Dios a su pueblo a tener un lugar especial para adorarle, (2) actitud de fidelidad en la adoración a Dios.

Estudio panorámico del contexto

La necesidad de erradicar la idolatría. La orden de Moisés era que todo lugar y forma de adoración idólatra tenía que ser destruida. En el capítulo doce son mencionadas muchas formas paganas de adoración las cuales eran una abominación para Jehovah, por lo tanto tendrían que destruirse. Se mencionan los montes altos, piedras rituales, árboles de Asera, la ofrenda alzada y otras. Estos eran cultos a dioses propios de esa región con los cuales el pueblo de Israel no debía contaminarse.

Una lección objetiva sobre la necesidad de ser fieles. Moisés le hace un recordatorio penoso pero real al pueblo: el becerro de oro, lo que les provocó un fuerte enojo de Dios. Moisés destruyó las tablas de la ley que Dios les había dado, como simbolizando la ruptura del pacto por parte de Israel. Dios demanda del pueblo básicamente fidelidad, la fidelidad significa adoración única y una comunión real con él.

Símbolos para recordar la persona y la obra de Dios. Ahora el arca les recordará y les demostrará la presencia de Dios en medio de ellos, y en el arca están las nuevas tablas que Dios dictó a Moisés. Ellos saben hoy que habrá tanto bendiciones como maldiciones en el pacto con Dios, sin embargo, decidirán qué quieren de Dios, mediante su obediencia o su rechazo a los preceptos divinos.

Dios quiere estar en medio de su pueblo. Una de las bendiciones más grandes de la relación que Dios tiene con su pueblo es que él se hace presente de diferentes maneras. Está mediante el arca y los elementos que ella contiene, elige un lugar especial para su presencia, en el santuario. Su habitación en la tierra en medio del pueblo estará en ese lugar. Esto le asegura al pueblo bendición y prosperidad siempre y cuando no se vuelvan a dioses ajenos.

Lea su Biblia y responda

1. ¿ Qué debían cuidar para tomar posesión de la tierra? (Deut. 12:1-3).

_____

2. Resuma lo que ellos tendrían que hacer con los lugares de adoración pagana. _____

_____

3. Deuteronomio 12:4-19.
   Explique brevemente el v. 13: _____

_____

_____

4. Deuteronomio 12:20-28.
   Haga una paráfrasis del v. 28: _____

_____

_____

Lea su Biblia y piense

1 Destrucción de los altares idólatras, Deuteronomio 12:1-3.
V. 1. Moisés, en este versículo estipula las leyes y decretos que regirán la vida religiosa, social y civil los cuales el pueblo debe aceptar para poder vivir en la tierra prometida.
V. 2. Esta tierra debe quedar totalmente limpia de toda evidencia de idolatría. En estos lugares la adoración era sumamente depravada, razón por la cual Moisés legisla contra estos lugares.
V. 3. Absolutamente todo aquello que tuviera el menor indicio de la existencia de dioses paganos tenía que ser destruido. Altares y piedras, que regularmente representaban a Baal y los árboles que representaban a Asera, todo tendría que ser arrasado por el pueblo para borrar su memoria.

2 Preservación del lugar de culto a Jehovah, Deuteronomio 12:4-19.
V. 4. Dios instruirá al pueblo sobre los lugares en los cuales darían adoración a Jehovah su Dios. El es el único merecedor de toda honra, gloria y honor.
V. 5. Dios escogió varios lugares en donde se le adorara. Entre otros, se designaron Siquem en el monte Ebal y el monte Gerizim. Es interesante que Moisés los menciona como morada de Dios y el pueblo tenía que ir a estos lugares para adorar.

Vv. 6, 7. La adoración a Dios sería manifestada por medio de holocaustos o sea sacrificios quemados, diezmos, ofrenda alzada. Ofrendas votivas, eran ofrendas llevadas por motivo de algún voto hecho a Dios, y los primogénitos del ganado. Al llevar sus ofrendas había regocijo porque era señal de que Dios les había bendecido. Toda la casa, hijos, esclavos y hasta levitas debían compartir esta bendición espiritual. Estas reuniones propiciaban la unidad del pueblo y de las familias.

V. 8. Moisés prohíbe aquí la utilización de altares privados, para la adoración. Los israelitas estaban en una desorganización tal, que la adoración la hacía cada uno como bien le parecía.

Vv. 9, 10. El reposo era lo que el pueblo esperaba. La tierra que fluía leche y miel, el cumplimiento de la promesa. Moisés se encarga de asegurarles que cruzarían el Jordán y tomarían la tierra. La tierra era de ellos y allí con el favor de Dios habitarían seguros.

V. 11. Dios ha escogido un lugar especial para hacer habitar allí su nombre. El tabernáculo era el lugar para hacerse representar en la tierra. En ese lugar se llevarían todo tipo de ofrendas, holocaustos y sus diezmos.

V. 12. Los levitas fueron los llamados para enseñar la ley y mantener el fervor religioso dentro del pueblo. No recibieron tierra para habitar, sino estarían diseminados por toda la nación para regocijarse con todo el pueblo.

Vv. 13, 14. Estaba terminantemente prohibido adorar a Dios en cualquier lugar. No se podría ofrecer holocausto en cualquier lugar, sino solamente en aquel que Dios indicara. Este lugar sería en alguna de las tribus de Israel.

V. 15. La carne no era parte regular de la dieta judía. Sin embargo, Moisés les concede matar y comer todo tipo de carne en sus ciudades. Parece que la gacela y el venado abundaban en ese momento, pero por no ser animales domésticos no se aceptaban como puros para sacrificios, solamente para comer.

V. 16. Al hablar de sangre en el Antiguo Testamento, se hablaba de la vida misma. Ella representaba el elemento vital para la vida y era relacionada con el pacto nuevo en el Señor Jesucristo.

V. 17. Había, en la legislación de Moisés también había ciertas observaciones en relación con los productos que resultaban del trabajo en el campo. Por ejemplo, no se podía comer el *diezmo* del *grano*, ni del *vino nuevo*, del *aceite*, de los *primerizos de las vacas*.

V. 18. *En el lugar que Jehovah tu Dios haya escogido.* Nuevamente Moisés establece forma y lugar donde se puede comer de todo lo que el Señor les ha permitido obtener como fruto de su trabajo. La comida de todos estos elementos debía hacerse en un ambiente de gozo por todo lo que el Señor les ha bendecido. Además, esta celebración debía incluir la participación de los hijos y aun los que administraban el culto en el lugar asignado, es decir, los levitas.

V. 19. *Ten cuidado de no desamparar al levita.* El levita ocupaba un lugar especial en el pueblo, por lo que debía recibir también un cuidado sumamente especial. Ya hemos citado varias ocasiones que los levitas no tenían tierras de labranza ni otro tipo de propiedades. Ellos estaban designados para administrar el culto público en sus múltiples facetas.

3 Normas para el culto a Jehovah, Deuteronomio 12:20-28.

Vv. 20-25. A medida que el pueblo vaya extendiendo sus territorios, se hará más difícil recurrir de manera sistemática a los lugares de culto asignados. Por tal motivo, Moisés dicta ciertas concesiones. Sin embargo, también hay algunas restricciones. En relación con la sangre de los animales dice: *No comerás de ella.* La bendición a la obediencia de esta ley se percibiría aun en la tercera generación. Es necesario hacer lo recto delante de Dios.

Vv. 26, 27. Cuando se realicen o se cumplan las ofrendas y los sacrificios entonces es necesario hacerlo en el lugar que Jehovah halla escogido. La sangre nuevamente tenía que ser derramada, esta vez sobre el altar, pero la carne sí podía comerse con agrado y manteniendo la comunión.

V. 28. Cuando el pueblo está decidido a cumplir y observar todas las normas establecidas por Dios, entonces las bendiciones no se dejarán esperar sobre ellos, sus hijos y sus nietos para siempre.

Aplicaciones del estudio

1. Hay que aniquilar los factores que propician la idolatría. ¿Cuáles son los ídolos modernos que debiéramos estar eliminando de nuestra vida a fin de que se demuestre nuestra fidelidad a Dios?

2. Dios ha señalado un lugar específico para su adoración. Ese era el único lugar en el que se podría adorar. Todo hijo de Dios también ha recibido la orden de adorar y la adoración debe darse en el corazón para que dé fruto en el exterior.

3. Moisés establece las normas para adorar a Dios. Se incluyen los principios éticos y morales para ello. El cristiano también debe seguir normas éticas, morales y espirituales para que la adoración sea hecha de tal manera que sea calificada como real.

Prueba

1. ¿Cuál fue el requerimiento de Dios en cuanto al lugar, sacrificios y holocaustos? _____

_____

2. ¿Cree usted que es necesaria una vida fiel de adoración a Dios? _____
   ¿Cómo la puede usted realizar? _____

_____

Lecturas bíblicas para el siguiente estudio

Lunes: Deuteronomio 13:1-5 **Jueves:** Deuteronomio 14:1-10
Martes: Deuteronomio 13:6-11 **Viernes:** Deuteronomio 14:11-21
Miércoles: Deuteronomio 13:12-19 **Sábado:** Deuteronomio 14:22-29

Normas de vida para un pueblo santo

Contexto: Deuteronomio 13:1 a 14:29
Texto básico: Deuteronomio 14:1-29
Versículo clave: Deuteronomio 14:2
Verdad central: El pueblo de Dios ha sido llamado para ser un pueblo santo y para cumplir un propósito especial en el mundo. Para cumplir su misión debe obedecer las normas que Dios le ha establecido.
Metas de enseñanza-aprendizaje: Que el alumno demuestre su: (1) conocimiento de las leyes que Dios estableció para su pueblo, (2) actitud de obediencia a las leyes divinas, comprometiéndose a vivir de acuerdo con ellas.

Estudio panorámico del contexto

La influencia de la cultura. Era definitivamente obvio que los habitantes de Canaán eran gente extremadamente idólatra. Sus cultos eran degenerados y promiscuos, sus deidades simbolizaban tanto hombres como mujeres y la adoración se convertía en una depravación sexual. Asera, por ejemplo, tenía su propio templo y sus sacerdotisas eran rameras. Igualmente Baal, cuyo culto exigía sacrificios humanos para proveer de bendición y de fertilidad a la tierra o a los animales de aquellos que realizaban estos ritos.

Existían muchos templos y lugares de adoración pagana en el momento en que Israel tomó la tierra, lo que motivó que Moisés normara y estableciera principios y leyes contra aquellas abominaciones. Era necesario adoptar ciertas medidas contra cualquier persona que intentara promover la idolatría. Moisés advierte contra falsos profetas y visionarios satánicos. Aun cuando sus visiones y sus profecías fueran correctas, si estaban contra los principios divinos, entonces no eran de Dios y se debían castigar, puesto que su fin era descarriar al pueblo. Moisés hace notar que el castigo tanto para los falsos profetas, como para los miembros de la familia o ciudades completas que se volvieran a dioses falsos solamente se podía ser la pena de muerte. La tierra que ellos tomaban tenía que limpiarse totalmente de todo indicio de idolatría. Los templos y lugares especiales de adoración serían derribados, puesto que si los judíos los usaban podrían caer en la tentación del pecado de la inmoralidad pagana cananea.

Moisés enfatiza sobre aquellos animales considerados como limpios o puros para ofrecerlos a Dios y aquellos que Jehovah no aceptará en su santuario por considerarlos inmundos. Para Dios es sumamente importante que Moisés aclare al pueblo la necesidad del diezmo. De esto vivirán los levitas y ellos a su vez instruirán al pueblo sobre toda la ley y decretos divinos. Los levitas, por lo tanto, no podrán dedicarse a ningún oficio o trabajo secular, sino solamente a la instrucción del pueblo, por eso el pueblo como agradecimiento debía responder con amor dando su diezmo para sostenimiento del plan de Dios.

―――――――――― *Estudio del texto básico* ――――――――――

Lea su Biblia y responda

Deuteronomio 14:1-29.
1. Según Deuteronomio 14:1, 2, ¿cómo es el pueblo de Dios? _____

_____

2. Coloque **Sí** o **No**, en el espacio en blanco (vv. 3-21).
   Podéis comer: No podéis comer:

   Vaca ____; cerdo ____; venado ____; águila ____; íbice ____; cuervo ____; conejo ____; gacela ____; corvejón ____; oveja ____; cigüeña ____; insecto ____

3. Explique qué es diezmo. Puede preguntarle al maestro (vv. 22-29).

_____

_____

4. ¿Cómo se compartiría el diezmo? (v. 29) _____

_____

_____

Lea su Biblia y piense

1 La vida de un pueblo especial, Deuteronomio 14:1, 2.
V. 1. Moisés le recuerda al pueblo la gran bendición de haber sido hechos *hijos de Jehovah*. Por esta razón deben vivir como verdaderos hijos de Dios. Una evidencia sería el cuidado personal y la higiene del pueblo. No podían sajar su cuerpo, deformando su imagen, ni mutilar su cuerpo como los paganos. Estas eran prácticas ajenas totalmente a la moral del verdadero pueblo de Dios.

V. 2. Israel era un pueblo especial, apartado para Dios. Pueblo santo, un pueblo que tendría que dar evidencia de ser dedicado a Dios. La gran bendición de Israel fue el hecho que aunque había muchos pueblos Dios no vio a los demás para escogerlos como suyos, Dios escogió a Israel.

2 Comida para un pueblo especial, Deuteronomio 14:3-21.

Vv. 3-6. Dios espera que su pueblo coma las cosas mejores. Esto significa que no todo animal es bueno como alimento, menos aquellos prohibidos.

Aparentemente aquellos animales que son aceptables para comer son los domésticos. En el versículo 5 se mencionan animales de caza, cuya carne es de buen sabor y que abundaban en la región y su apariencia era agradable. Los rumiantes eran buenos para comer aunque no todos, pues Moisés señala algunos rumiantes no aptos para la comida (v. 6).

V. 7. Aquí se mencionan la liebre y el conejo, como rumiantes, pero no lo son, quizá por el movimiento de su hocico se les consideró como tales.

V. 8. El cerdo es una animal prohibido, posiblemente porque es el medio de transmisión de muchas bacterias productoras de afecciones serias que hasta pueden causar la muerte.

Vv. 9, 10. Moisés prohíbe todo crustáceo porque se alimentan de basura y deshechos, por lo que no son permitidos.

V. 11. Se define el tipo de ave que se puede dedicar al Señor. En el Nuevo Testamento al momento de dedicar a Jesús fueron ofrecidas dos tórtolas. Solamente aquellas aves consideradas como limpias se pueden ofrecer a Dios.

Vv. 12-18. Todas estas aves podemos llamarlas "aves que limpian", puesto que se alimentan de carroña, de todo lo podrido, por lo tanto también son prohibidas.

V. 19. Los insectos constituyen alimento para la mayor parte de aves y no son propios para ofrenda a Dios, también son prohibidos.

Vv. 20, 21. Otra vez, solamente aves limpias pueden darse al Santo Señor. Animal mortecino, es aquel que ha muerto por causas naturales, esta prohibido comerlo o venderlo, puesto que se considera como malo delante de Dios. El acto de hervir al cabrito en la leche de la madre era un rito en los lugares paganos que según la creencia proveería de mayor fertilidad y productividad.

3 El diezmo de un pueblo especial, Deuteronomio 14:22-29.

V. 22. El diezmo ya era una práctica del pueblo de Israel. Esta práctica era como reconocimiento a la prosperidad que Dios les había dado y también como una muestra de amor a Dios. Una parte de lo que habían recibido era dedicado a Jehovah.

V. 23. En relación con el diezmo, había una práctica que tenía como propósito de aprender a temer a Jehovah. Se designaba un lugar a donde acudían los adoradores para comer del diezmo de sus cosechas y de los primógenitos de sus animales.

Vv. 24, 25. Moisés define detalles para efectuar el pago del diezmo. Si se vivía muy lejos del lugar entonces era mejor vender el producto y luego llevar el dinero al lugar escogido por Dios. Ese dinero sería administrado por los encargados del culto.

V. 26. El regocijo era familiar y todos participarían de éste.

V. 27. El levita era parte importante en el pueblo de Israel. Era el encargado de enseñar a la gente, de asegurarse de que el pueblo se mantuviera en los caminos correctos, por lo tanto no podían olvidarse de él, por el contrario tomarlo en cuenta el día del regocijo.

Vv. 28, 29. El propósito de este diezmo era compartir con el pobre, ayudar al desamparado y a las viudas, pero sobre todo sostener al levita.

──────────── *Aplicaciones del estudio* ────────────

1. La iglesia es el nuevo pueblo de Dios. Debe manifestarse como un pueblo especial, real sacerdote y gente santa. Debe ser agente de transformación, para la renovación de los valores en una sociedad que cada vez más manifiesta su decadencia moral y espiritual.

2. Aun en lo que comemos debemos dar testimonio. El pueblo de Dios aún y cuando ha sido escogido, debe dar testimonio al mundo hasta de lo que come, puesto que su comida esta regida por todo aquello que es considerado por Dios como limpio. No que sea impuro lo que Dios ha creado, sino que lo hace por la conciencia y testimonio al mundo.

3. El diezmo es parte fundamental de la vida del pueblo de Dios. Dar diezmo esa parte de la vida religiosa. Hoy el diezmo sigue vigente puesto que sugiere un acto de fe y confianza en la provisión de Dios, además de ser el medio que Dios usa para sostener su obra. Negar la vigencia del diezmo en el aquí y ahora es negar la posibilidad de cumplir la tarea misionera.

──────────── *Prueba* ────────────

1. ¿Cuál cree usted que fue la razón por la cual Dios estableció leyes?

_____

_____

2. ¿Cree que esas leyes le sirven para dirigir su vida hoy? _____
   ¿Cómo? _____

_____

_____

Lecturas bíblicas para el siguiente estudio

Lunes: Deuteronomio 15:1-18
Martes: Deuteronomio 15:19-23
Miércoles: Deuteronomio 16:1-8

Jueves: Deuteronomio 16:9-21
Viernes: Deuteronomio 17:1-13
Sábado: Deuteronomio 17:14-20

Normas para elegir líderes

Contexto: Deuteronomio 15:1 a 17:20
Texto básico: Deuteronomio 16:18-20; 17:8-20
Versículo clave: Deuteronomio 16:19
Verdad central: Dios escoge a los líderes que deben dar dirección a su pueblo y guiarles con justicia y rectitud.
Metas de enseñanza-aprendizaje: Que el alumno demuestre su: (1) conocimiento del plan de Dios para ofrecerles dirección a través de los líderes que él elige, (2) actitud de apoyo y colaboración a sus líderes como siervos de Dios.

Estudio panorámico del contexto

En la legislación mosaica imperaba la justicia, y la libertad en el pueblo de Dios. Se daba el caso de que alguna persona quisiera venderse como esclava para que el dueño no abusara de aquel que voluntariamente estaba perdiendo sus derechos de libertad. Se decretaron formas de remisión de las deudas contraídas, y en ese tiempo de la remisión el amo debía conceder al esclavo, la libertad y lo necesario para que comenzara una nueva vida.

Se establece también la ofrenda llamada de los primerizos, en la cual Dios requería que todo primogénito de animal le fuera dado en sacrificio. Este no tenía que ser mayor de un año y perfecto, sin mancha, ni defecto físico. Dios les hace ver que él es el dueño de la vida y quien ha dado el don precioso a sus criaturas.

Se establecen fiestas solemnes que tenían una íntima relación con sucesos importantes en la vida de Israel. Una de ellas es la Pascua que recordaba la liberación de Egipto. La segunda gran fiesta de los judíos era la de Pentecostés, la que se celebraba a las siete semanas o cincuenta días después de la Pascua. A esta fiesta se le conoce con tres nombres en el AT, estos son: fiesta de las semanas, por lo antes dicho, y de ahí su nombre de Pentecostés, la fiesta de la cosecha, porque se celebraba exactamente al final de ésta y el día de las primicias porque en esa fecha se ofrecían los panes del trigo nuevo. Todo hombre del pueblo debía dar ofrenda a Dios por la cosecha recibida en recordatorio de su liberación de Egipto.

La fiesta de los Tabernáculos era también una fiesta muy importante. Esta consistía en que todas las familias de Israel, debían habitar en tabernáculos o tiendas hechas con hojas o ramas, recordando el peregrinaje en el desierto.

Todos tenían que gozarse porque durante todo este tiempo Dios los protegió y los cuidó y por la cosecha que ahora tenían.

Moisés establece el primer gobierno civil, puesto que nombra jueces y oficiales, éstos deberían ser justos en su dictamen, sin hacer acepción de personas sino juzgar con imparcialidad. Nunca debían usar ningún símbolo que recordara alguna adoración pagana, ni estatuas que sugirieran dichas prácticas. Dios decide que el futuro tendrán un rey, que sustituirá en un determinado momento al juez, quien ahora es la máxima autoridad. Sin embargo, el rey nunca estará sobre la ley, sino siempre sujeto a ésta. Dios no está estableciendo un rey, sencillamente lo permite.

--------------------- *Estudio del texto básico* ---------------------

Lea su Biblia y responda

1. Escriba **V** si la declaración es verdadera o **F** si es falsa según Deuteronomio 16:18-20.
   En la administración de la ley debían:
   a ____ Poner jueces y magistrados.
   b ____ No hay necesidad de jueces.
   c ____ Solamente en algunas ciudades.
   d ____ A veces es bueno un pequeño soborno.

2. Subraye la respuesta que complete la oración (17:8-13):
   a. Cuando te sea difícil decidir en un juicio en tus tribunales:
      1) Irás a los sacerdotes y jueces.   2) Mejor olvidarlo.
      3) Quien pague más fianza ganará el juicio.
   b. No te apartarás de la sentencia que te indiquen:
      1) a menos que tengas influencias; 2) ni a la derecha ni a la izquierda.
      3) hasta que se olviden de lo indicado.

3. Quien proceda con soberbia y no obedezca al sacerdote:
   a. es mejor huir.   b. morirá.   c. tiene oportunidad de huir.

4. Responda correctamente (17:14-20):

   a. ¿Quién era el único candidato a rey? _____

   b. ¿Qué debía hacer con la ley? _____

Lea su Biblia y piense

1 Jueces y magistrados, Deuteronomio 16:18-20.
V. 18. *Jueces y magistrados.* Moisés inicia la organización de un gobierno civil ordenado. Una característica de este gobierno es que su juicio tendría que ser justo. Estos jueces y magistrados impartirían la justicia en cada ciudad para que no tuvieran que ir hasta la capital esperando recibir juicio.

V. 19. *No tuerzas el derecho.* La justicia tendría que darse con equidad, sin tomar en cuenta clases sociales, o influencias, mucho menos aceptando sobornos. La justicia sería sin acepción de personas. Moisés trata de dejar sentada la importancia de no caer en la corrupción. Si un magistrado acepta soborno, nunca podrá dictaminar un juicio justo.

V. 20. *Para que vivas y tengas en posesión la tierra.* Tendrán que ejercer un juicio justo, impartir la justicia con responsabilidad y honestidad, entonces se harán de un nombre entre la nación.

2 Sacerdotes y levitas, Deuteronomio 17:8-13.

V. 8. También fue instalada una corte central a la cual debían llevarse los casos difíciles de resolver para los jueces locales.

V. 9. *Ellos te indicarán la sentencia.* El sacerdote o el juez tenía la autoridad decisiva, dada por Dios. Entonces tomarán la decisión que crean pertinente, dirigidos por Dios, para resolver aquellos casos.

V. 10. *Harás según la sentencia.* Todo israelita estaba obligado a cumplir con la decisión o dictamen del juzgado, puesto que el tribunal central tenía todo el poder para hacer cumplir sus juicios.

La sentencia o la palabra dictada por los jueces y magistrados representaba el juicio de Dios, por lo que el pueblo no podía ser desobediente a la voz de Dios en el juicio librado.

Vv. 11, 12. *Quien proceda con soberbia y no obedezca al sacerdote... ni al juez, morirá.* Definitivamente, la desobediencia al dictamen del tribunal, era equivalente a desobedecer la voz de Dios, la voluntad de Dios era violada. Por lo tanto, todo aquel que rehusaba cumplir con el veredicto dictaminado en el santuario escogido, se arriesgaba a la pena de muerte. Dios define a través de esta ley, su demanda sobre el ser humano, si el hombre desea ser bendecido, necesita obedecer la ley de Dios.

V. 13. *El pueblo lo oirá y temerá.* Dios no quiere tener un pueblo sojuzgado por el miedo, sino más bien que le obedezca por amor.

3 El rey designado por Jehovah, Deuteronomio 17:14-20.

Vv. 14, 15. *Constituiré rey sobre mí.* La monarquía en Israel más que establecida por Dios era tolerada por él. En esta sección se establecen las cualidades y deberes de un rey. Moisés se da cuenta de que el juez será substituido por el rey. El rey solamente podía ser un israelita, escogido por Dios. Nunca se esperaba que el rey fuera un extranjero, puesto que ellos ya habían experimentado lo que significaba estar subyugados por reyes paganos. Esta experiencia no podía repetirse, así que solamente aquel que Dios llamara para ser rey y podría ser ungido como tal.

V. 16. *No ha de acumular caballos.* El problema para el rey si comenzaba a acumular caballos significaba poderío militar. El rey tendería a confiar en su fuerza y no en Dios. Su corazón podría alejarse de Dios. Los egipcios habían tenido mucho apego hacia carros y caballos como armas militares, así que el rey no debía igualarse a ellos y no dar mal ejemplo a su pueblo.

V. 17. *No sea que se desvíe.* El problema mayor de Salomón fue el tener muchas mujeres. Esto lo llevó a buscar su propia satisfacción en los placeres olvidándose de Dios.

V. 18. *Una copia de esta ley.* Sin duda alguna que la aplicación y el estudio de la ley ayudarían al rey para que aprendiera a vivir de acuerdo con los principios y las normas de Dios. Los levitas y los sacerdotes jugaron un papel muy importante en la vida del pueblo judío. En esta oportunidad se les menciona como los custodios de la ley.

V. 19. La ley no fue dejada solamente para ser leída, sino también para ser vivida, el rey deberá dar el ejemplo a los demás, para que caminen bien por el camino designado por Jehová.

V. 20. *Para que no se enaltezca.* Sin duda alguna, el rey estaba llamado para servir, no para maltratar al pueblo. El llevar la ley enseñaría al rey a temer a Dios y no tratar orgullosa y despóticamente a su pueblo. Además, Moisés sugiere la posibilidad de que el reinado tendría una sucesión dinástica.

─────────── *Aplicaciones del estudio* ───────────

1. La ley fue dejada por Dios con el propósito de que fuera cumplida sin distinción de personas y justamente. Dios espera de la misma manera que cada hijo suyo viva y se rija por las normas de justicia divinas, siendo equitativo para servir y para dar.

2. El sacerdote y el levita fueron personajes muy importantes en la vida del pueblo judío. Ellos eran quienes guardaban y enseñaban al pueblo lo que Dios esperaba de ellos. De igual manera, hoy Dios ha dejado líderes los cuales deben ser respetados y estimados, puesto que también fueron llamados a dirigir al pueblo de Dios para que éste no se desvíe sino que viva de acuerdo con lo que Dios pide de ellos.

─────────── *Prueba* ───────────

1. ¿En qué consistía el sistema de gobierno en Israel antes de que hubiera reyes? _____

_____

2. Quizás usted valora el trabajo del pastor, pero no se lo ha demostrado, ¿estaría dispuesto a demostrárselo? _____ ¿cómo lo hará?

_____

Lecturas bíblicas para el siguiente estudio

Lunes: Deuteronomio 18:1-14   **Jueves:** Deuteronomio 20:1-20
Martes: Deuteronomio 18:15-22   **Viernes:** Deuteronomio 21:1-21
Miércoles: Deuteronomio 19:1-21   **Sábado:** Deuteronomio 21:22 a 22:12

Normas para los líderes religiosos

Contexto: Deuteronomio 18 a 22:12
Texto básico: Deuteronomio 18:1-8, 15-22
Versículo clave: Deuteronomio 18:18
Verdad central: Los líderes elegidos por Dios para servir en medio de su pueblo, deben ser reconocidos por aquellos a quienes sirven con un sustento digno que responda adecuadamente a todas sus necesidades.
Metas de enseñanza-aprendizaje: Que el alumno demuestre su: (1) conocimiento de las demandas de Dios a su pueblo para que retribuyan adecuadamente a sus ministros, (2) actitud de apoyo a sus líderes sosteniéndoles dignamente.

Estudio panorámico del contexto

El Señor espera que todo Israel funcione como una gran familia, en la cual todos tengan las mismas oportunidades. Por estas razones, legisla para que los levitas que están sirviendo en el santuario, sean reconocidos con derechos y privilegios de sacerdotes.

Moisés se encarga de legislar también contra la hechicería. Toda superstición debía ser abandonada. Se llegaba al extremo de sacrificar niños en el fuego, la adivinación a través de las vísceras de animales, como el hígado, el bazo o el corazón, encantamientos, magia, buscar consejo de los muertos etc. La voluntad de Dios se haría sentir y se escucharía entre ellos, por medio del profeta que Dios levantaría en el pueblo.

Dios promete continuar con el testimonio profético, a través de aquellos que hablarían en su nombre. La idea de estas ciudades, eran para que todos aquellos que cometieran algún crimen por accidente tenían la oportunidad de acudir a cualquiera de estas ciudades instaladas en diferentes lugares en las cuales podían esconderse para evitar ser asesinados por venganza o revancha. Dios dicta esta ley para que no se derrame sangre inocente.

Cambiar linderos de los terrenos era considerado como robo. El derecho de propiedad era protegido por la ley, contra desposeimientos injustos.

El fundamento del testimonio en un juicio era que los testigos actuaran con honestidad. Se trataba de evitar falsos testimonios, acusar falsamente a otro con el afán de condenarlo o achacarle un crimen que no había cometido o del que nunca fueron en realidad testigos. El hombre que tal cosa hacía estaba violando la verdad y se convertía en reo por acusar falsamente a un prójimo.

La meta era detener las venganzas extremas y los juicios equivocados contra hermanos inocentes.

El último recurso contra ciudades enemigas era la guerra, antes se debía ofrecer la paz y buscar formas para evitar matanzas y destrucciones sin sentido. En el caso de aquellos asesinatos que no se descubría el asesino, era necesario ofrecer un sacrificio, según las especificaciones, para buscar perdón. Si más adelante el asesino era descubierto, entonces era necesario que todo el peso de la ley cayera sobre él por homicida y por no descubrir el hecho a tiempo. Moisés establece también una sección sobre los derechos de aquellos que eran tomados como prisioneros de guerra.

Con el ánimo de mantener buenas relaciones entre el pueblo y la vecindad de cada uno, se establecen leyes para protegerse entre ellos mismos y cuidar de sus pertenencias. Cualquier animal que escapara del corral del vecino, debía cuidarse y darle de comer hasta que llegara el vecino y devolverlo. La exhortación va también en la dirección de ayudar a aquel que está en problemas para que salga de ellos. La idea básica y central del pasaje, es que ninguno se oculte de las necesides del vecino sino actuar como en el Nuevo Testamento, en la parábola del buen samaritano.

Estudio del texto básico

Lea su Biblia y responda

1. Coloque la letra correcta en la declaración de la derecha (18:1-8):
   a. espaldilla, las   ___ No tendrán parte ni heredad
   quijadas y estómago
   b. sacerdotes levitas.   ___ se darán al sacerdote
   c. sus hijos   ___ Le ha escogido entre todas las tribus
   d. Jehovah tu Dios   ___ Servirá él y ...para siempre.

2. Según Deuteronomio 18:15-22:
   1) ¿Cuál fue la promesa de Dios en cuanto a la profecía?
   _____

   2) ¿Cuál es la pena contra profetas falsos? _____

   3) Según el v. 18 ¿cómo se comunicaría Dios con el pueblo?_____
   _____

Lea su Biblia y piense

1 La porción de los levitas, Deuteronomio 18:1-8.

V. 1. Debido a que los levitas, no tendrían heredad, vivirían de la porción, recibida en las ofrendas del pueblo. Los levitas funcionaban también como sacerdotes, ya que no existía ninguna ley que limitara el trabajo de ambos.

Vv. 2, 3. *Jehovah es su heredad.* La parte perteneciente al sacerdote estaba establecida, todos aquellos que ofrecieran sacrificio, darían al sacerdote oficiante una parte del sacrificio. El pueblo colaborando en el sostenimiento del culto a Jehovah, sosteniendo a los sacerdotes y los levitas.

V. 4. Dios espera que ninguno sea excluido de las bendiciones que ha dado al pueblo, por lo tanto todo sacerdote recibirá una parte de la cosecha y del ganado de las once tribus restantes, esto era la primicia.

V. 5. *Para que esté dedicado a servir en el nombre de Jehovah.* El servicio que éstos hacían, era de acuerdo con los principios y la voluntad de Dios. En su plan de preparar a Israel para ser de bendición a todas las naciones de la tierra, Dios estableció que los de la tribu de Leví se dedicaran a la administración del culto público.

Vv. 6, 7. Evidentemente había momentos en que se establecerían en otros lugares nuevas comunidades de judíos que necesitarían ser ministrados por los levitas. Cuando algún sacerdote sentía en su corazón que debía ir a otro lugar a servir en el culto, serviría en el nombre de Jehovah como todo levita.

V. 8. *Y tendrá igual porción.* Si el levita llegaba a ministrar a una ciudad donde hubiera otros levitas ya ministrando, esto no sería obstáculo, para que recibiera su paga igual que los demás.

2 Dios elige y usa a sus siervos, Deuteronomio 18:15-22.

Vv. 15, 16. *Como yo.* Esta expresión se entiende mejor en su traducción "como yo en Horeb." Cuando llegamos al Nuevo Testamento encontramos el cumplimiento de esta promesa, en el Señor Jesucristo (Mat. 21:11; Luc. 7:16; Heb. 3:2-6 y otros pasajes nos ilustran que la promesa se cumplió en el Señor). Moisés fue un tipo de Cristo en su vida y en su obra. En su vida, porque estuvo dispuesto a sacrificar lo que pudo ser y lo que era para que su pueblo saliera de la esclavitud; en su obra, porque se distinguió como el libertador y redentor del pueblo en angustia.

Vv. 17, 18. Obviamente el profeta que Dios levantaría hablaría todo lo que Dios le dijera, era el mensajero y el representante de Dios en la tierra. El pueblo había pedido que Dios se manifestara y les hablara a través de Moisés en Horeb y ahora, Dios les promete que este principio continuará en el nuevo profeta que levantará para dirigir a su pueblo y traerle las buenas nuevas.

V. 19. Este nuevo profeta traería consigo la libertad, el amor y la salvación completa para los hombres. El pueblo tendría que escucharle si en verdad quería ser libre, vivir bajo la voluntad de Dios y recibir sus bendiciones. Sin embargo, aquel que no se dignara escucharle recibiría su recompensa, la cual no será buena ni agradable, sino juicio para pedirle cuentas.

V. 20. El Señor está dando por sentado el hecho que se levantarán entre el pueblo falsos profetas, pero se distinguirán porque sus profecías serán falsas y no habrá cumplimiento. Cualquier individuo, que surgiera y fuera conocido por falso, porque sus profecías no se cumplían, y solamente servían para descarriar al pueblo de Dios era digno de muerte. También moriría todo aquel profeta que hablara en nombre de otros dioses, porque Jehovah no compartiría su gloria con dioses falsos.

V. 21. La pregunta del pueblo parece razonable. ¿Qué evidencias habría de que el profeta era de Dios y no falso?, ellos querían estar seguros de que aquel que les hablara de la voluntad de Dios y tratara de llevarles por el camino correcto era realmente profeta de Dios. **V. 22.** Cuando el profeta de Dios habla al pueblo, su profecía debe cumplirse totalmente, no debe fallar en el más mínimo detalle. Dios es veraz en un ciento por ciento, por lo tanto la profecía debe cumplirse en un ciento por ciento, ni siquiera en un noventa o un noventa y nueve por ciento. Si tal situación se da, el profeta no es de Dios.

————————— *Aplicaciones del estudio* —————————

1. Dios estableció el método para el sostenimiento de sus siervos. Hoy en día aquellos que se dedican a la obra de Dios y ministran al pueblo de Dios, son merecedores de aprecio y de sostenimiento digno.

2. Todo aquel que ministra debe hacerlo con la dirección y guianza del Espíritu Santo. Esto significa mantener comunión constante con Dios, en su Palabra y en oración. El ministro de Dios debe tener llamamiento para cumplir con la delicada tarea que tiene ante el pueblo de Dios.

3. Se puede reconocer a los falsos profetas. La Palabra nos manda que probemos los espíritus pues no todos son de Dios. Si el tal profeta no cumple en un ciento por ciento su profecía definitivamente no es de Dios.

———————————— *Prueba* ————————————

1. Recuerde y enliste por lo menos tres requisitos que Israel debía cumplir con sus líderes (sacerdotes levitas)

   a _____ b _____

   c _____

2. A la luz de este estudio, ¿cree usted que el actual pueblo de Dios (la iglesia) debe tener las mismas consideraciones con sus líderes (pastores)? _____ Explique su respuesta. _____

   _____

   Si su iglesia no lo hace, ¿cómo podría usted iniciar una labor de concientización en su iglesia para que sostenga decorosamente a su pastor?

   _____

   _____

Lecturas bíblicas para el siguiente estudio

Lunes: Deuteronomio 22:13-21   **Jueves:** Deuteronomio 23:9-25
Martes: Deuteronomio 22:22-30   **Viernes:** Deuteronomio 24:1-22
Miércoles: Deuteronomio 23:1-8   **Sábado:** Deuteronomio 25:1-16

Normas para la buena vecindad

Contexto: Deuteronomio 22:13 a 25:16
Texto básico: Deuteronomio 22:22-30; 23:21-23; 25:13-16
Versículo clave: Deuteronomio 25:15
Verdad central: Dios exige de su pueblo una conducta digna. Sus leyes y amonestaciones tienen como finalidad la buena vecindad entre los hombres y la complacencia de Dios sobre su pueblo.
Metas de enseñanza-aprendizaje: Que el alumno demuestre su: (1) conocimiento de las leyes y amonestaciones de Dios para una buena vecindad, (2) actitud responsable de actuar en su comunidad conforme a las normas dadas por Dios.

─────────── *Estudio panorámico del contexto* ───────────

La vida familiar y las relaciones conyugales. En 22:13-30, se establecen principios para salvaguardar la vida matrimonial. Si después de haberse casado, un hombre acusaba a su esposa de no ser virgen, tenía que ser oído por los ancianos y establecer un juicio. Si la acusación no era razonable, el marido tendría que pagar una multa al suegro; sin embargo, si resultaba real entonces la mujer tendría que ser apedreada para purgar el pecado de la comunidad.

Legislación contra delitos sexuales. Si acaso un hombre y una mujer cohabitaban siendo ella casada ambos serían lapidados. Si una muchacha era deshonrada, y estaba comprometida para matrimonio, el culpable sería ejecutado pero la muchacha no. Sin embargo, si una jovencita era sorprendida en el campo y un hombre la violaba, si no estaba comprometida el varón tendría que pagar una dote al padre de la joven y hacerla su esposa, sin tener derecho de despedirla. El objetivo de estas y otras leyes semejantes era que el pueblo mantuviera la santidad de la vida familiar y del hogar.

El matrimonio levirático. Se estableció también un tipo de matrimonio llamado levirático, el cual reglamentaba que el hermano del muerto que no dejaba descendencia, debía casarse con la viuda a fin de de proveer un heredero. Este tipo de matrimonios aunque no eran obligatorios en todos los casos, sí eran muy comunes y la idea era de formar una descendencia y perpetuar el nombre del primer esposo.

Un pueblo santo para un Dios santo. La santidad de Dios obligaba al pueblo a ser santo. Esto los motivaba a establecer ciertas normas y reglas para aquellos que vivirían en sus comunidades. Los eunucos, por ejemplo, no eran aceptados debido a que era terminantemente prohibido que los israelitas se mutilaran cualquier parte del cuerpo. Estas mutilaciones eran normales en los pueblos paganos como votos a deidades paganas. El cuerpo era santo y no se le debía dar mal uso en la prostitución.

Leyes sobre el divorcio (c. 24). Sin embargo, es necesario comprender que Dios no está proveyendo una ley que instituya el divorcio, sino más bien una regulación a la costumbre ya existente.

Cuando la Biblia habla de encontrar alguna cosa vergonzosa en la mujer, la expresión en realidad es vaga y no hay acuerdo en cuanto a su significado. Sin embargo, más adelante la escuela rabínica de Shamai permitió el divorcio si la esposa era culpable de falta de castidad, o por adulterio, dándose carta de divorcio, o sea anulación del contrato matrimonial.

Dios trata de establecer un estado justo en Israel, por lo tanto la justicia debe manifestarse en la exactitud de la pesa en el momento de ejercer una compra o una venta. La medida debe ser cabal, o exacta, porque esto es considerado como robo y como tal debe ser juzgado aquel que se encuentre culpable; asimismo pagará la pena establecida.

─────────── *Estudio del texto básico* ───────────

Lea su Biblia y responda

1. ¿Qué se debe hacer en los siguientes casos, según Deuteronomio 22:22-30?
   a. Si se sorprende a un hombre cometiendo adulterio.
   _____

   _____

   b. Si un hombre se encuentra a una mujer virgen desposada con otro hombre y adultera con ella. _____

   _____

   c. Si un hombre viola a una joven en el campo. _____

   _____

   d. ¿Qué sucede con el que viola a una virgen no desposada? _____

   _____

   _____

2. Según Deuteronomio 23:1-3 y 25:13-16 ¿qué debe hacerse?
   a. Con los votos a Jehovah. _____

   _____

   b. Con las medidas. _____

   _____

Lea su Biblia y piense

1 Leyes contra el adulterio y la violación, Deuteronomio 22:22-30.

V. 22. La pena de muerte era el castigo para los que cometían adulterio. El matrimonio es sagrado, es un compromiso tanto con la mujer como con Dios, puesto que él ha sido testigo y originador de esta unión.

V. 23. Una *virgen desposada;* en este caso no se entiende todavía como un matrimonio consumado, sino que la joven está comprometida para casarse.

V. 24. En este caso se dan dos posibilidades de castigo, dependiendo de los hechos. Si un hombre la encuentra en la ciudad y adultera con ella, teniendo su consentimiento, igualmente se tomará como pecado de adulterio, puesto que la joven estaba comprometida, y el matrimonio era inminente. En este caso el castigo es contra el adulterio, la muerte es el castigo para ambos.

V. 25. *Pero si un hombre halla en el campo a una joven desposada, y la fuerza.* Este es otro caso, o sea que la joven fue violada en el campo, sin que ella consintiera en el hecho, además no hubo quien la auxiliara por estar fuera de la ciudad. En este caso la joven no es culpable sino solamente el hombre, así que sólo el hombre morirá.

Vv. 26, 27. A esta joven se le compara con el hombre que se levanta contra su prójimo, sin que éste tenga posibilidades de defensa y lo mata. De igual manera, la joven violada no tendrá culpa y no debe morir. La joven no tuvo posibilidad de defensa como el otro, ni tampoco auxilio de ningún vecino por estar en el campo en sus asuntos normales de una ama de casa.

Vv. 28, 29. Moisés plantea otro asunto muy diferente a los anteriores. En este caso es una joven virgen no desposada, pero que fue violada en el campo. Si son descubiertos, el hombre está obligado a casarse con la joven. Previo al matrimonio, deberá pagar al padre una dote. Una vez casados este matrimonio no tiene ninguna posibilidad de divorcio, y la unión es para toda la vida.

V. 30. *La mujer de su padre;* esto es la madrastra, el hombre no puede unirse a ella ni tener relaciones sexuales con ella. Estos son pecados, que se consideran dignos de muerte, puesto que atentan contra la imagen y la santidad de Dios. Dios estableció el hogar con un orden de santidad.

2 Amonestación a cumplir lo que se promete, Deuteronomio 23:21-23.

V. 21. *Cuando hagas un voto.* Esto nos puede referir a Números 30, específicamente al versículo 2. Moisés advierte al pueblo para que cuando hagan un voto, o dediquen algo a Dios voluntariamente, el cumplimiento es un deber insoslayable, no puede ser descuidado puesto que ya es santo para Dios.

V. 22. Dice Moisés que es mejor no prometerle nada a Dios si no se está en posibilidades de cumplirlo. Si no se ofrece nada a Dios entonces no tiene nada especial que cumplir y no es culpable de pecado.

V. 23. *Cumplirás lo que tus labios pronuncien;* absolutamente todo lo que se ofrezca a Dios tiene que cumplirse. Estos votos regularmente eran voluntarios, sin que Dios los hubiera exigido, por lo tanto el hombre era mucho más responsable de su cumplimiento.

3 Amonestación a ser honesto y justo, Deuteronomio 25:13-16.

V. 13. Antiguamente las pesas eran hechas de piedra y regularmente los comerciantes las mantenían en sus bolsas, al momento de usarlas las sacaban y las ponían en la balanza. La idea era que la balanza no fuera puesta a favor del comerciante sino justa para él y para el comprador.

Vv. 14, 15. Dios, siendo justo, interviene aun en las transacciones comerciales esperando que los suyos sean justos. La justicia es un atributo de Dios, pero su pueblo la ha heredado para dar testimonio de la naturaleza de él.

V. 16. Todo aquel que es injusto con su prójimo, también lo esta siendo con Dios. El hombre fue creado a imagen del Creador, por lo que al ser injusto con el hombre se está violando la imagen del Creador. El segundo mandamiento consignado en la ley de Dios era amar al prójimo como a sí mismo.

Aplicaciones del estudio

1. El hogar es el medio que Dios quiere utilizar para dar a conocer su poder y su misericordia. Por lo tanto debe manifestarse el amor entre la pareja para cumplir con la meta divina de ser bendición a todas las familias de la tierra.

2. Si no puede cumplir con una promesa a Dios es mejor no hacerla. Si se hace una promesa a Dios se deberá cumplir al pie de la letra. Dios espera que su pueblo le cumpla sus promesas así como él ha cumplido las suyas.

3. Dios es justo, y ha formado un pueblo que pueda demostrar sus dones y atributos. El pueblo de Dios debe actuar con justicia, y efectuar todas sus negociaciones con honradez. La balanza y la medida deben ser las correctas, porque Dios bendice al que es correcto en todo, pero maldice al que roba.

Prueba

1. A la luz del estudio de hoy, escriba a continuación algunas normas que se establecen para mantener la buena vecindad.

_____   _____

_____   _____

2. Ahora piense en algunas normas, que cree no se cumplen en su vecindad, y que no ayudan a mantener la buenas relaciones entre los vecinos, pueden ser de otros o suyas.

_____   _____

_____   _____

Lecturas bíblicas para el siguiente estudio

Lunes: Deuteronomio 25:17 a 26:11
Martes: Deuteronomio 26:12-19
Miércoles: Deuteronomio 27:1-15

Jueves: Deuteronomio 27:16-26
Viernes: Deuteronomio 28:1-26
Sábado: Deuteronomio 28:27-68

Primicias y diezmos

Contexto: Deuteronomio 25:17 a 28:68
Texto básico: Deuteronomio 26:1-19
Versículos clave: Deuteronomio 26:12, 13
Verdad central: Adorar a Dios con los diezmos y las primicias, sin olvidarnos de nuestro prójimo, es el estilo de vida que Dios exige de su pueblo.
Metas de enseñanza-aprendizaje: Que el alumno demuestre su: (1) conocimiento de las normas señaladas por Dios para las primicias y los diezmos, (2) actitud de fidelidad en ofrendar a Dios y ayudar a los necesitados.

Estudio panorámico del contexto

Los amalecitas eran hostiles; en Exodo 17:8 dice que este pueblo le hizo la guerra a Israel en un intento por destruirlo. Eran una rama de la raza edomita, descendientes de Esaú.

Dios tampoco había olvidado el agravio que cometieron contra el pueblo y contra él. Así que serían destruidos cuando el pueblo entrara a la tierra.

Moisés instruye a la nación sobre cómo deberían reconocer y adorar a Dios, luego de haber ocupado la tierra. Las primicias y los diezmos son elementos clave para un modelo de oración y alabanza.

Por medio de los actos de dedicación y de adoración mantendrían la conciencia de que Dios era su redentor y sustentador. Tendrían, además, que dedicar una parte para subsanar la necesidad de los pobres para reforzar la idea de un Dios misericordioso y piadoso que se acuerda de la necesidad de los suyos.

En relación con las primicias de los frutos entregados a Dios, algunos piensan que Moisés estaba refiriéndose a la fiesta de los panes, o de las semanas, en la cual se dedicaban panes reconociendo que vivían realmente en la tierra que Dios había prometido a los padres.

Hay, además en este relato, insertada la confesión judía de una reafirmación del pacto. Esta aparece en el capítulo 26:5-10; aquí se menciona a Jacob como el arameo errante; dicha declaración se sobrentiende puesto que Jacob escapó de Beerseba, anduvo por Siria hasta llegar a Mesopotamia, en donde vivió con Labán.

Moisés termina este segundo discurso exhortando al pueblo a la obediencia y pidiendo la bendición para ellos y sus familias. El pueblo ha ratificado el pacto y demuestra su dependencia total de Dios como Señor del pueblo. El tercer discurso de Moisés se inicia mostrándoles la necesidad de escribir la ley y que todo el pueblo sea obediente a ésta. Solamente así podrán seguir gozando de todas las bendiciones prescritas. Sin embargo, en ella también se muestran las maldiciones a las cuales el pueblo tendrá que enfrentarse, si decide desobedecer la ley.

Moisés muestra a Dios bondadoso, misericordioso y fiel al pacto y a las promesas que ha decidido dar al pueblo, pero también a un Dios celoso que no compartirá su gloria con nadie, y todo aquel que se le enfrente sencillamente recibirá las maldiciones de la ley.

––––––––––––––– *Estudio del texto básico* –––––––––––––––

Lea su Biblia y responda

Responda las siguientes preguntas según Deuteronomio 26:1-11:
1. ¿Qué debía hacer la persona con las primicias de la tierra?, resuma:

_____

_____

2. ¿Con quiénes debían regocijarse? _____

3. Haga una paráfrasis del versículo 15: _____

_____

_____

Según Deuteronomio 26: 16-19:
1. ¿Qué proclamó el pueblo? _____

_____

2. ¿Qué proclamó Jehovah? _____

_____

Lea su Biblia y piense

1 Adorar a Dios con las primicias, Deuteronomio 26:1-11.
V. 1. Es obvio que la tierra les sería dada, entrarían a ella, y la tomarían porque Dios es fiel a su palabra. La tierra de Canaán era un don de Dios para su pueblo, la promesa hecha a los padres estaba lista para ser cumplida.
V. 2. *Tomarás de las primicias de todos los frutos;* Esto es un modelo de alabanza a Dios. Esta era una ocasión para darle gracias a Dios por su misericordia y sus bondades. Dios merece lo mejor de la tierra, porque él es el dueño y ha permitido la bendición de hacerla productiva para beneficio de sus hijos.

Vv. 3, 4. El judío debía manifestar todos los años que realmente vivía en la tierra que Dios le prometió, y esta manifestación ser realizaría llevando al lugar señalado una canasta llena de las primicias de sus frutos. *Tomará la canasta... y la pondrá delante del altar de Jehovah;* el contenido de la canasta estaría demostrando que Israel era el poseedor de la tierra, y que Dios estaba cumpliendo con lo prometido al darles suficiente fruto de la tierra.

V. 5. Aquí Moisés establece una confesión interesante: U*n arameo errante...* probablemente se refiera a Jacob, quien desde su juventud tuvo que huir de su hogar, luego de la casa de su suegro, y más tarde de su tierra, debido al hambre, hasta llegar a Egipto en donde creció numéricamente la familia, y sufrieron esclavitud.

V. 6. Deben reconoce que en Egipto sufrieron y los hicieron esclavos, denigrándolos como pueblo.

Vv. 7, 8. Cuando Moisés tiene la visión de Dios en el desierto, el Señor le hace ver que había oído el clamor de su pueblo. *Con señales y prodigios;* Dios le demostró a Faraón, que no había otro Dios como él. Demostró su poder y su amor hacia un pueblo que sustentó por su misericordia.

V. 9. *Nos trajo a este lugar y nos dio esta tierra;* Es hermosa la confesión del pueblo, que reconoce que no llegaron a ese lugar por su propia iniciativa, sino que Dios los llevó con su protección y su cuidado; tampoco tomarían la tierra por su fuerza, sino porque Dios les permitiría entrar a ella.

V. 10. Los israelitas se hicieron deudores de Dios, por lo tanto tendrían que darle a Dios lo que le correspondía del fruto de la tierra, y reconocer que todo había venido de él. Al postrarse delante de Jehovah, reconocieron sus bondades y que sólo él es merecedor de adoración.

V. 11. *Te regocijarás;* todo esto era motivo de gozo y de fiesta. Aquellos que festejarían con el israelita, eran el levita, quien siempre era parte de las celebraciones religiosas, y el forastero.

2 Provisión especial para los necesitados, Deuteronomio 26:12-15.

V. 12, 13. Parece que había dos clases de diezmo entre los hebreos, uno que se daba en el templo, o en el lugar escogido por Dios, y el otro que se compartía con los pobres, el huérfano, la viuda y el extranjero. Este era un diezmo dado cada tres años. El v. 13 es una declaración solemne de que todo lo que debía ser pagado a Dios ya se había entregado, y nada había quedado para uso personal.

V. 14. En la declaración del reconocimiento de su condición, el adorador debe incluir esta declaración: *No he comido de ello estando en luto.* Una de las partes de la adoración era el reconcocimiento de que el israelita tenía como predecesor a "un judío errante". Además, al ofrecer su ofrenda, hacía un recuento de los actos portentosos de Dios en la historia.

V. 15. Ahora una súplica; que como consecuencia de haber cumplido a cabalidad con todo lo que Dios había establecido sobre las primicias y los diezmos, derramará sobre ellos, sus familias y sus tierras, todas las bendiciones ofrecidas.

3 Jehovah demanda un pueblo santo, Deuteronomio 26:16-19.

V. 16. En este último momento del discurso, Moisés llama a los hijos de Dios a la reflexión en cuanto a sus obligaciones del pacto.

V. 17. *Tú has proclamado hoy...* El pueblo había aceptado todas las condiciones del pacto, por lo tanto eran responsables de cumplirlo. Todas las leyes, y decretos eran para ser cumplidos y para dirigir a su pueblo por el camino correcto. Esta leyes servirían para manifestar la gloria de Dios y su voluntad para ellos.

V. 18. Dios los ha escogido, y los ha hecho una nación especial, apartada para su gloria. Dios se manifestará en ellos en todos los momentos de su vida, siempre y cuando ellos cumplan con la parte que les corresponde.

V. 19. El propósito de haber formado esa nación desde el principio fue de ser bendición a todas las familias de la tierra; ahora tenían la oportunidad de hacerlo, cumpliendo aquellas leyes y decretos para que este propósito se cumpliera y así todas las naciones supieran que Jehovah es Dios.

—————— *Aplicaciones del estudio* ——————

1. Hoy también hay formas de mostrar gratitud. El pueblo de Dios hoy en día debe demostrar su amor y su confianza en Dios entregando las primicias de su vida, sus diezmos sus ofrendas, sus dones y talentos.

2. Compartir con otros es una manera de mostrar el carácter providente de Dios.

3. Dios es santo, por lo tanto espera que su pueblo sea como él. La santidad del pueblo de Dios se debe demostrar, en todas las áreas de la vida de cada uno de los miembros del pueblo de Dios.

—————— *Prueba* ——————

1. Explique:
A la luz del estudio de hoy, ¿cómo demostró el pueblo de Israel su gratitud a Dios? _____

_____

2 .¿Cree usted que en la misma forma podemos hoy, como pueblo de Dios, mostrar nuestra gratitud a él? _____ ¿Está usted demostrando su gratitud a Dios con sus diezmos y primicias? _____

¿Cómo? _____

Lecturas bíblicas para el siguiente estudio

Lunes: Deuteronomio 29:1-19
Martes: Deuteronomio 29:20-29
Miércoles: Deuteronomio 30:1-20

Jueves: Deuteronomio 31:1-13
Viernes: Deuteronomio 31:14-23
Sábado: Deuteronomio 31:24-29

Arrepentimiento y restauración

Contexto: Deuteronomio 29:1 a 31:29
Texto básico: Deuteronomio 30
Versículo clave: Deuteronomio 30:14
Verdad central: Para el adorador arrepentido Dios promete restauración completa y nueva vida en comunión con él.
Metas de enseñanza-aprendizaje: Que el alumno demuestre su: (1) conocimiento de la promesa de restauración que Dios cumple en quien se arrepiente, (2) actitud de valorar el arrepentimiento como medio para su restauración.

Estudio panorámico del contexto

Moisés advierte contra la idolatría, y la infidelidad del pueblo, puesto que esto es abominable para Dios. El pueblo tendrá que dedicar su vida a honrar al único Dios, Jehovah. La idolatría significaba para Israel la destrucción y la muerte, puesto que la maldición del pacto caería sobre él. El hombre tiene la gran responsabilidad de responder a Dios con amor y obediencia porque Dios los ha tratado con amor.

En el capítulo 30 encontramos la esperanza de restauración que Dios provee al pueblo para que mantengan su visión del pacto. Más adelante Israel sería deportado, al volverse a sus propias pasiones y a dioses ajenos; así que Moisés quería abrirles los ojos para que no cometieran los mismos errores dos veces. El líder no podía tomar la decisión de amar o no a Dios por ellos, puesto que cada uno respondería por sí mismo delante de Dios.

La vida y el ministerio de Moisés habían sido completados. Por orden de Dios Moisés no cruzaría el Jordán. Sin embargo, el plan no se había afectado, pues Dios nombró otro dirigente que sucedería a Moisés. Este sucesor era Josué, el que había sido espía y que supo depositar su confianza en Dios.

Moisés hace responsables a los levitas de custodiar y de guardar la ley. Ellos serían los depositarios, y los encargados de transmitirla regularmente al pueblo para que no se apartara de los deseos de Dios. Estaría junto al arca en donde se guardaban las cosas sagradas y donde estaría la presencia de Dios. Los israelitas, sin embargo, según la profecía de Moisés, se apartarían de la ley de Dios y serían desterrados y llevados a otras naciones como esclavos nuevamente, perdiendo el descanso que hoy les era dado por Dios. Esta profecía se cumplió tiempo más tarde, Israel por su desobediencia fue castigado duramente, sirviendo a otras naciones como esclavos.

Lea su Biblia y responda

1. ¿Cuál era la condición para que Dios los restaurara de la cautividad? Deuteronomio 30:1-5. _____

_____

2. ¿Qué era mejor, circuncidar el cuerpo, o circuncidar el corazón? Deuteronomio 30:6-14.

_____ ¿por qué? _____

_____

3. ¿Qué pasaría en el momento en que el pueblo volviera a escuchar la voz de Dios? _____

_____

Lea su Biblia y piense

1 Promesa de restauración, Deuteronomio 30:1-5.
Vv. 1-3. *Si consideras en tu corazón.* Era muy obvio el amor de Dios para su pueblo. Si estando en cautividad, volvían su corazón a Dios, su misericordia no se haría esperar. Nuevamente hay un si condicional. Si vuelven su corazón, ellos y sus hijos. La consideración de la ley tenía que involucrar a la familia, puesto que el mandato era para los hijos también. *Dios también te restaurará de tu cautividad.* La condición para volver a su país y estar en comunión con Dios es el arrepentimiento. Los dos versículos anteriores nos muestran que la familia se debe volver a la ley de Dios; si vuelven a obedecerla, entonces volverán a gozar de la presencia de él y de los beneficios de su propia tierra. Recordemos que para los judíos estar fuera de la tierra les recordaba toda la tragedia de la esclavitud y el éxodo. Jesús usó esta profecía también uniéndola a otras al referirse a su segunda venida (Mar. 13:26, 27).
Vv. 4, 5. Cuando Israel más adelante fue conquistado y desterrado, fueron dispersos hasta los confines de la tierra. Sin embargo, la promesa era que no importaría de dónde tuvieran que regresar, Dios los traería. Cuando ellos volvieran a su tierra, Dios no los dejaría solos, sino que los prosperaría nuevamente para que se distinguieran como nación. *El te hará bien y te multiplicará más que a tus padres.*

2 Circunsición del corazón, Deuteronomio 30: 6-14.
V. 6. La circuncisión era la señal exterior de pertenecer al pueblo de Dios. Sin embargo, en esta oportunidad está hablándonos de una señal interior, que garantizaría la unión con su Señor.

V. 7. *Dios pondrá estas maldiciones sobre tus enemigos.* Dios ama a su pueblo, y todos aquellos que le hacen mal merecen las maldiciones de Dios. Los enemigos del pueblo de Israel también son enemigos de Dios, por lo tanto Dios actuará contra ellos. **Vv. 8-10.** *Pero tú.* Esto indica responsabilidad en relación con un mandato, una orden. Nuevamente Moisés se encarga de hacerle ver al pueblo la necesidad de estar dentro de la voluntad divina, obedeciendo y practicando la ley de Dios en todas sus formas, sin excepción alguna. Todo el trabajo y toda la tierra abundará sobremanera. El ganado y las siembras serán abundantes, y la experiencia de la cautividad nuevamente será cambiada en gozo. El llanto y el sufrimiento serán llevados hacia una nueva dirección en la presencia de Dios y él se gozará con ellos para siempre. En esta renovación de la ley Moisés hace hincapié en que es inspiración divina. *Si escuchas.* Moisés declara la autoridad de esta ley, para que el pueblo la obedezca con todo su corazón y con toda su alma.

Vv. 11, 12. *No es demasiado difícil para ti.* La palabra de Dios no permaneció oculta ni tampoco inaccesible. Dios había provisto para ellos todas las bendiciones y cuidados necesarios para la vida, así que no podían alegar desconocimiento o ignorancia puesto que el amor de Dios se había manifestado en ellos, y la respuesta a Dios tenía que ser también con amor. Pablo, en Romanos 10:5-8 menciona estas mismas palabras, añadiendo que la palabra de Dios no permaneció inaccesible en los cielos, sino que fue dada a los hombres de una manera sencilla y comprensible, a través del Señor Jesucristo.

V. 13. *Al otro lado del mar.* Si la palabra no se quedó en el cielo, tampoco estaba más allá del horizonte, buscándola en otros pueblos o naciones, buscando culturas y dioses ajenos, sino que estaba muy cerca de ellos.

V. 14. ¿Cuál es la manera en que el pueblo puede recibir las bendiciones de Dios? Sencillamente obedeciendo su ley. Moisés apela a la voluntad y la inteligencia. Estas deben estar sujetas a la voluntad de Dios y estar constantemente en disposición de someterse a lo que él quiera.

3 Entre la vida y la muerte, Deuteronomio 30:15-20.

Vv. 15, 16. *Pongo hoy delante de ti la vida y el bien.* Moisés expone delante de ellos las alternativas de una vida abundante y feliz, o una vida miserable e infeliz. Todo esto va en dirección a la obediencia o desobediencia del pueblo hacia la ley de Dios. El único medio para asegurar las bendiciones de Dios es someterse a la voluntad divina. Solamente viviendo vidas que demuestren la grandeza y la misericordia de Dios, sometidas a los estatutos divinos, es como se puede asegurar la prosperidad y las bendiciones del Creador.

V. 17. Las alternativas están en las manos del pueblo. Ellos son quienes pueden optar por una vida llena de bendiciones o por una vida llena de infelicidad. Moisés les reitera que lo que más aborrece Dios es la idolatría, y que se olviden de Dios y se vuelvan a otros dioses para rendirles culto.

V. 18. La paga del adulterio espiritual es la muerte. Ellos no pueden volverse otra vez a buscar el paganismo, la prosperidad y la vida en otro que no sea Jehovah. Si lo hacen, entonces morirán. La tierra que tienen, y que recuperarán, la pueden perder de nuevo y pagar las consecuencias de su desobediencia, sus días serán cortos en la tierra que Dios les había dado para siempre. **V. 19.** Los testigos de esta confrontación son los cielos y la tierra. El cosmos, lo inmutable, lo grandioso de la creación, aquello que sobrevive a los términos humanos, será considerado como el testigo veraz e imparcial de esta renovación de votos que Moisés establece hoy con el pueblo de Israel. *Escoge pues la vida.* Si hay bendiciones más grandes que otras, tenemos que contar con el hecho de que Dios ha dejado o ha permitido que el hombre sea quien escoja: la libre elección humana. **V. 20.** Sobre todas las cosas Dios espera fidelidad de su pueblo. Amor en reciprocidad al amor de Dios, esto lo demostrarían siendo obedientes y escuchando su voz. Dios es el dador de la vida, del descanso y de la prosperidad prometida a los patriarcas, Abraham, Isaac y Jacob.

─────────── *Aplicaciones del estudio* ───────────

1. Dios cumple su palabra y es fiel a su promesa. El amor de Dios siempre estará listo para permitirnos arrepentimiento del pecado y volvernos a él para gozar de sus promesas, sus riquezas y sus bendiciones.

2. Dios no ha negociado su soberanía. Todas las fuerzas humanas y los principios emocionales y éticos deben ser sometidos a la voluntad de Dios para que el poder y la misericordia se manifiesten sin reservas sobre cada uno de nosotros.

3. El hombre siempre tendrá la oportunidad de elegir entre el bien y el mal. Puede decidir servir a Dios o apartarse de él. Solamente el hombre es responsable de las decisiones que toma. Si decide obedecer a Dios será prosperado, si no recibirá la condenación y la muerte.

─────────── *Prueba* ───────────

1.¿Cree usted que Dios puede perdonar a cualquier pecador para restaurarlo y darle nuevamente la vida y el gozo del evangelio? _____ ¿Cómo?

_____

2. ¿Cuál es el requisito para que Dios obre, en la restauración del hombre?

_____

(compare con 1 Juan 1:9).

Lecturas bíblicas para el siguiente estudio

Lunes: Deuteronomio 32:1-18 **Jueves:** Deuteronomio 33:1-17
Martes: Deuteronomio 32:19-42 **Viernes:** Deuteronomio 33:18-29
Miércoles: Deuteronomio 32:43-52 **Sábado:** Deuteronomio 34:1-12

Moisés: un estilo de vida fiel a su Dios

Contexto: Deuteronomio 32:1 a 34:12
Texto básico: Deuteronomio 34:1-12
Versículo clave: Deuteronomio 34:10
Verdad central: Dios honra a sus siervos fieles y les reconoce sus méritos a pesar de sus fallas humanas.
Metas de enseñanza-aprendizaje: Que el alumno demuestre su: (1) conocimiento del motivo por el cual Moisés sólo contempló desde lejos la tierra prometida, (2) actitud de fidelidad en su servicio a Dios.

Estudio panorámico del contexto

Josué fue una de las personas que formó el equipo de reconocimiento de la tierra prometida. Este era hijo de Nun de la tribu de Efraín. Fue uno de los que confiaron en Dios y quisieron tomar la tierra en el momento en que Dios lo indicó. Aquella generación murió en el desierto porque no quiso oír la voz de Dios y el aliento de Josué y Caleb, siendo éstos los únicos de aquella generación a los que se les permitió entrar. Ni siquiera Moisés, el líder, entró en la tierra prometida debido a su desobediencia.

A Moisés se le permitió observar la tierra desde el monte Nebo pero no entraría en ella.

El canto que Moisés dedica al Señor en el capítulo 32, se refiere al éxodo y la tierra prometida como el triunfo de Dios y su pueblo Israel. El tema del canto es el nombre del Señor, su amoroso cuidado por el pueblo que ha formado, su justicia y su misericordia. Sin embargo, lo contrasta con un Israel que desobedece y se rebela contra Dios, siendo sumamente ingrato.

El monte Nebo era la cumbre más alta de la cordillera conocida como Abarim. Moisés es advertido de que al subir allí su muerte es inminente.

La bendición de Moisés al pueblo es una oración profética y llena de alabanza. Moisés realza su último acto de obediencia, sube al lugar que Dios le ha señalado para que vea la tierra y para morir. Moisés termina su vida siendo un modelo, porque aun en el momento de morir obedeció la voz de Dios. Más tarde le vemos hablando cara a cara con el Señor en el monte de la transfiguración.

Es muy impresionante el hecho de que Dios mismo tomó su cuerpo y le dio sepultura, sin dejar rastro ni señalar la tumba de Moisés.

Lea su Biblia y responda

1. ¿Cómo se sentiría Moisés por no poder entrar en la tierra prometida?
_____ ¿Por qué? _____
_____ (Deut. 34:1-4).

2. ¿Quién conoce el lugar de la sepultura de Moisés? ¿Por que? ¿En qué versículo se menciona este asunto? _____
_____
_____

3. ¿Cómo fue el liderazgo de Josué? (34:9). _____
_____

4. Describa dos razones por las cuales se dijo que no hubo otro profeta como Moisés (34:10-12).

   a. _____

   b. _____

Lea su Biblia y piense

1 Moisés contempla la tierra, Deuteronomio 34:1-4.
V. 1. Moisés subió a la montaña como Dios se lo había ordenado, y Dios *le mostró toda la tierra* prometida. El escritor de esta cita registra como un último acto de obediencia el que Moisés subiera al monte Nebo. Antes de morir Moisés quería ver esta tierra, y su ruego fue cumplido por el Señor. **Vv. 2, 3.** La vista que se describe en este pasaje ha sido puesta en tela de juicio por algunos expertos. Sin embargo, desde el Jebel Osha, en un día claro, puede observarse exactamente todo como se describe aquí, desde el nevado Hermón hasta el mar Muerto. **V. 4.** *Jehovah le dijo.* Dios estuvo con él hasta el momento en que lo llamó a su presencia, lo dirigió y lo guardó hasta mostrarle la promesa hecha a sus antepasados. Esta era la tierra prometida a Abraham, Isaac y Jacob (Exo. 33:1; Deut. 1:8); Moisés la vio, pero no entraría en ella.

2 Muerte y sepultura de Moisés, Deuteronomio 34:5-8.
V. 5. *Siervo de Jehovah,* esta es una linda descripción de la vida y la obra de Moisés, siempre actuó como siervo del Dios altísimo y en consecuencia Dios lo guardó hasta el último momento de vida en esta tierra. Dios también fue fiel a su promesa de que Moisés no entraría a la tierra prometida. Moisés murió en Moab, de acuerdo con la palabra de Dios. Así terminó la extraordinaria vida de un hombre que supo ubicarse en el momento histórico que Dios le indicó.

El es el prototipo de lo que le puede pasar a una persona que se somete al plan de Dios.

V. 6. *Y él lo sepultó en el valle.* La ubicación exacta del lugar en donde fue enterrado Moisés es totalmente desconocida. La personalidad del hombre Moisés es borrada totalmente de la faz de la tierra para que la gloria sea dada solamente a Dios y no al hombre.

V. 7. *Moisés tenía 120 años cuando murió.* Es impresionante el hecho de que Moisés no murió de ancianidad o de enfermedad, sino porque Dios quiso que muriera. Esta es una experiencia que sólo Dios puede dar, además se constituyó en un triunfo para la posteridad y la descendencia judía. La razón de mencionar la edad de Moisés al morir le daba un carácter sobresaliente, porque esto significaba que Moisés había tenido una vida muy rica, productiva y benéfica gracias a la misericordia de Dios.

V. 8. *Hicieron duelo por Moisés... durante treinta días.* Se repite la historia de Aarón (Núm. 20:29), el período de lamento por Aarón fue el que hoy se daba por Moisés. El pueblo que había sido dirigido tan atinadamente por Moisés podía tener un momento de objetividad, dejando a un lado aquellos momentos cuando se quejaban con él y le exigían que los regresara a Egipto. En ese momento podían dedicar un tiempo de duelo sincero por su líder de tantos años y de tantas victorias.

3 Josué sucede a Moisés, Deuteronomio 34:9.

V. 9. El espíritu de sabiduría que tenía Josué era un don que Dios le había concedido. Moisés no le transmitió ninguna vocación, sino solamente la bendición; la comisión y los dones los recibió de Dios, y simbólicamente, para que el pueblo siguiera a Josué, Moisés impuso sus manos sobre él. La imposición de las manos era sinónimo de sancionar públicamente la posición que una persona iba a tener de allí en adelante.

Aunque el caudillo había muerto Dios levantó otro siervo, porque hay algo más importante que un caudillo, y esto es que la obra del Señor debe proseguir sin importar con quién Dios quiera hacerlo. Moisés dio muestras claras de su grandeza de espíritu al imponer sus manos sobre otra persona que de allí adelante sería su substituto.

Asimismo es bueno hacer notar que Josué ya había demostrado en varias ocasiones su idoneidad para ocupar el puesto tan importante, que en este momento tan especial de la vida del pueblo de Dios estaba quedando vacante.

4 Un estilo de vida ejemplar, Deuteronomio 34:10-12.

V. 10. *Nunca... se levantó otro profeta como Moisés.* Cualquier profeta antes de Moisés y otro después de él no pudo ser igual, hasta que llegó aquel de qiuen Moisés profetizó. Moisés condujo al pueblo, les dio la revelación divina, y les enseñó acerca del futuro Mesías.

V. 11. Dios obró a través de su siervo, no sólo de palabra sino con hechos y obras portentosas. Moisés no sería olvidado por estos hechos sobresalientes en su vida por la misericordia de Dios. Egipto es el gran testigo del poder de Dios y cómo, por medio de su siervo Moisés, destruyó a todos los dioses de los egipcios.

V. 12. Todo Israel fue testigo de la sorprendente actuación de Moisés. Moisés el gran siervo de Dios terminó su ministerio con triunfo, fue obediente y cumplió hasta lo último la voluntad de Dios para su vida y la vida del pueblo de Israel.

Aplicaciones del estudio

1. El líder es siervo de Dios, y solo Dios merece la honra. Moisés fue un siervo utilizado por Dios para llevar adelante su obra. Sin embargo, su liderazgo nunca le robó la gloria a Dios. Lo mismo debe pasar en la iglesia, nuestro trabajo no es para buscar la alabanza de las personas, es para darle la gloria a Dios.

2. Hay momentos en que debemos dejar nuestro lugar a otro. Debe hacerse sin celos ni contiendas, puesto que el ministerio realizado no ha sido perdido, sino que al contrario será reconocido a su tiempo por la obra que deje, y será continuado por el siguiente líder.

3. Todos somos útiles en la obra de Dios, pero no indispensables. Dios tiene trazado un plan que llevará a cabo a pesar de que muchas veces nosotros que formamos parte de ese plan no nos ubicamos en el lugar correcto. Ese lugar es someternos a la voluntad divina y constituirnos en elementos clave para que él nos use.

Prueba

1. Escriba un breve relato de la razón por la cual Moisés no entró a la tierra prometida: _____

_____

_____

2. Dios puede hacer lo mismo con cualquiera que no obedece su voz y trata de hacer su propia voluntad. ¿Qué cree usted que Dios espera de su liderazgo, y cómo debe actuar usted en relación con las demandas de Dios?

_____

_____

Lecturas bíblicas para el siguiente estudio

Lunes: Juan 1:1-3
Martes: Juan 1:4, 5
Miércoles: Juan 1:6, 7

Jueves: Juan 1:8, 9
Viernes: Juan 1:10, 11
Sábado: Juan 1:12-18

PLAN DE ESTUDIOS
JUAN

Escriba antes del número de cada estudio, la fecha en que lo usará

Fecha

Unidad 5: Dios se hace hombre en Cristo
_____ 14. El Verbo se hizo carne
_____ 15. Juan testifica de Jesús
_____ 16. Jesús inicia su ministerio público

Unidad 6: Comenzando en Galilea
_____ 17. Es necesario nacer otra vez
_____ 18. Jesús, el agua de vida
_____ 19. Señales de la divinidad de Jesús

Unidad 7: Después Judea
_____ 20. La autoridad de Jesús
_____ 21. Jesús, el pan de vida
_____ 22. Jesús enfrenta la oposición
_____ 23. Jesús testifica de sí mismo
_____ 24. Jesús causa controversia
_____ 25. Jesús es el Cristo
_____ 26. Victorioso sobre la muerte

Unidad 8: Jesús termina su ministerio público
_____ 27. Acuerdo para matar a Jesús
_____ 28. Jesús confronta la incredulidad
_____ 29. Jesús anuncia la traición de Judas
_____ 30. Jesús, el camino al Padre
_____ 31. Jesús promete enviar al Consolador
_____ 32. Jesús, la vid verdadera
_____ 33. Jesús ora por sus discípulos

Unidad 9: Pasión y resurrección de Jesús
_____ 34. Jesús es arrestado
_____ 35. Jesús es negado por Pedro
_____ 36. La crucifixón de Jesús
_____ 37. Jesús consuma su tarea
_____ 38. Jesús resucita victorioso
_____ 39. Sígueme tú

JUAN
Una introducción

Escritor. Hay evidencias externas que afirman que fue Juan quien escribió el cuarto evangelio: El "Prólogo antimarcionita a Juan" y el "Canon Muratori" documentos de mediados del siglo II; lo mismo Ireneo, quien fue discípulo de Policarpo, que a su vez fue discípulo de Juan. Las evidencias internas nos llevan a la misma conclusión. El escritor se llama a sí mismo el "discípulo amado" (21:20-24) quien es un testigo ocular de los hechos (1:14, 19:35, 21:24).

Fecha. La mayoría de los estudiosos de la Biblia concuerdan en que fue escrito entre los años 85 y 95 d. de J.C., posiblemente desde la ciudad de Efeso.

Ambiente de Efeso. A fines del primer siglo Efeso se había convertido en un sitio en donde el gnosticismo se desarrollaba, principalmente por la influencia de Cerinto, quien afirmaba que el mundo no fue creado por el Dios principal, sino por un poder emanado de él; además, defendía la existencia de una dualidad entre la materia y el espíritu, es decir que todo lo material era en sí mismo malo. También se desarrolló un sincretismo de todas las filosofías de esa época. Esto explicaría por qué Juan usaba cierta terminología que los gnósticos también usaban, pero con ciertas diferencias y nuevas connotaciones. Juan posiblemente decidió usar este vocabulario para poder llegar con mayor facilidad a quienes manejaban estas palabras.

Propósito. En 20:30-31 se declara en forma específica el propósito del libro. Presenta siete señales (1. convierte el agua en vino 2:1-11; 2. sana al hijo de un noble 4:46-54; 3. sana a un paralítico 5:1-9; 4. alimenta a cinco mil 6:1-14; 5. camina sobre el agua 6:16-21; 6. sana al ciego de nacimiento 9:1-12, 41; 7. resucita a Lázaro 11:1-46). Estas señales no están dadas aquí solamente para hacer sobresalir la grandeza de Jesús sino con un propósito pedagógico y teológico. Juan quiso enseñar asuntos concretos relacionados con la vida misma. Estas señales fueron hechas para "creer", que no es una simple aceptación intelectual, ni tampoco cualquier clase de creencia, sino de confiar y entregar completamente la vida en algo concreto: Jesús como el Mesías y el Hijo de Dios.

El fin del creer es "tener vida", que en Juan es mucho más que vitalidad animal o existencia humana. La vida según Juan (17:3) es conocer a Dios y a Jesús; entendiéndose por conocer una relación íntima, completa, consciente, continua y que implica desarrollo. "En las señales aparece la revelación de Dios; en la fe, la reacción que deben provocar; en la vida, el resultado que trae la fe" (Tenney).

Es importante notar que el evangelio repite una misma idea por dos ocasiones (17:18, 20:21). Esto nos puede dar una pista de otro propósito que tenía en mente Juan: nuestra tarea debe tener como único modelo a imitar la misión de Jesucristo. En la encarnación tenemos el modelo para nuestra misión.

El Verbo se hizo carne

Contexto: Juan 1:1-18
Texto básico: Juan 1:1-18
Versículo clave: Juan 1:14
Verdad central: Dios se hizo hombre en la persona de Jesús para cumplir así su promesa de un Mesías que vendría para salvar al hombre de sus pecados.
Metas de enseñanza-aprendizaje: Que el alumno demuestre su: (1) conocimiento de la encarnación de Dios en la persona de Jesús, (2) actitud de compartir a Jesús como el Salvador con quienes no son salvos.

─────────── *Estudio panorámico del contexto* ───────────

La promesa de un Mesías en el AT. El pueblo judío, debido a su situación de opresión de parte de los romanos, vivía bajo la expectativa de la venida de un Mesías para que los liberara. Esta expectativa tenía sus raíces en varias enseñanzas del AT. Resumiendo lo que dice el AT, el Mesías debía ser una persona elegida por Dios, designada para cumplir su propósito redentor, que vendría para juzgar a todos los que se oponen a él y a su pueblo, además tendría dominio sobre todas las naciones y, finalmente, sería una persona por la que Dios actuara directamente.

Este Mesías había sido prefigurado por medio de ciertos personajes del AT, por ejemplo: "descendencia de la mujer" (Gén. 3:15), en el que sobresale su don de gracia en medio del pecado. Otra figura es presentada por el llamado "Siervo Sufriente" (Isa. 40—55), quien como ungido de Jehovah ejerce funciones de rey administrando justicia sobre todas las naciones para redimir a su pueblo. El "Hijo del Hombre" (Dan. 7) es también otra manera como se presenta al Mesías en el AT, este es humano pero no tiene origen entre los hombres pues viene "con las nubes del cielo". Hay otras dos figuras que explican cómo debía ser el Mesías: "el Rey", que tenía a David como ejemplo, y el "Segundo Moisés" que debía dar el verdadero significado a la ley.

El concepto de verbo en la filosofía del tiempo de Jesús. El término "verbo" (el vocablo usado en el texto griego original es "logos", que también ha sido traducido en otras versiones bíblicas como "palabra") fue relativamente conocido en la época de Juan, y especialmente en la ciudad donde él desarrolló su trabajo pastoral, la ciudad de Efeso. Juan desea usar palabras conocidas por la gente con quien se interrelacionaba, pero sin duda les da un significado mayor, a la luz de su experiencia cristiana y del conocimiento de las enseñanzas del AT.

Algunos griegos enseñaban que el "logos" era un principio que había puesto orden en el universo, mientras que otros pensaban que era la mente de algún dios que controlaba todo. El filósofo Filón lo describía como el intermediario entre Dios y los hombres.

Por otro lado el AT indica que la "palabra de Jehovah" tiene algunas características como son las de dar vida, o ser luz y aun tiene poder creador. No es extraño encontrar paralelos en los que la "sabiduría" es personalizada, especialmente en el libro de Proverbios. Juan debe haber tomado de todo esto para indicar que Jesucristo es el Verbo de Dios.

─────────── *Estudio del texto básico* ───────────

Lea su Biblia y responda

1. Juan 1:1, 14. Enumere cuatro cosas que dicen estos textos en cuanto al Verbo:

a. _____ b. _____

c. _____ d. _____

2. Juan 1:7. ¿Cuál fue el propósito por el que Juan testificó acerca de Jesús?

_____

3. En Juan 1:12, ¿con qué frase se explica lo que significa "le recibieron"? __

_____

Lea su Biblia y piense

1 El Verbo es Dios, Juan 1:1-5.

Esta sección se conoce como el "prólogo" y en ella se hace la presentación de Jesús, esta presentación es muy especial pues lo describe como "el Verbo".

Vv. 1, 2. *El Verbo* tiene dos relaciones, en primer lugar se relaciona con el tiempo, y se dice que ya existía *en el principio,* posiblemente el principio se refiere a la creación, lo que significa que el Verbo es eterno. En segundo lugar se relaciona con Dios de dos maneras: es diferente a él, pero guardando una estrecha relación personal, y por otro lado se identifica completamente con Dios, pues es Dios mismo.

V. 3. Para descartar cualquier idea de que es un ser creado Juan plantea que todo ha sido creado por el Verbo, y para enfatizar lo enfoca de una manera negativa al decir que nada de lo creado pudo haber existido sin la participación de él.

Vv. 4, 5. Juan desea hacer sobresalir la capacidad de comunicación del Verbo, y esto la hace por medio de dos palabras muy frecuentes en todo su evangelio: vida que se traduce en luz, una luz que ya ha vencido pese a la oposición de la cual es objeto.

2 El Verbo y Juan, Juan 1:6-8, 15.

Debido a la expectativa mesiánica, y para que no haya ninguna clase de equivocaciones, el evangelista Juan hace un paréntesis para explicar cuál es el papel de Juan el Bautista en la misión de Jesús.

Vv. 6-8. La responsabilidad fundamental de Juan el Bautista es la de ser un heraldo, es decir un anunciador temporal de quien es eterno. Se marca entonces el contraste entre el Verbo que es eterno y Juan que es limitado, el uno que es Verbo y otro que es un hombre, el uno Dios mismo y el otro enviado por Dios, el uno luz y otro testigo de la luz, el primero objeto de fe, el otro instrumento que apunta al verdadero objeto de fe.

V. 15. Este testimonio del puesto secundario de Juan el Bautista es dado por su misma boca, quien reconoce que el Verbo le sobrepasa en todo.

3 El Verbo y el hombre, Juan 1:9-13.

Vv. 9, 10. La tarea del Verbo es en el mundo, es decir en su creación. El no es un Dios que abandona a los suyos sino que decide acercarse, estar con ellos. Lastimosamente los suyos no le aceptan y lo rechazan.

V. 11. El desconocimiento al Verbo ahora se individualiza, y se hace sobresalir que que él está llegando a su "propiedad personal", sin embargo, esta "propiedad personal" le ha rechazado.

Vv. 12, 13. No obstante el panorama no es tan desolador, pues hay algunas personas que sí lo reciben, es decir que han depositado su confianza plena en él. El resultado de una identificación completa es que se llega a ser "hijo de Dios", lo cual es un privilegio que se obtiene solamente por la buena voluntad y soberanía de Dios, sin intervenir ninguna obra meritoria del hombre.

4 El Verbo se encarna, Juan 1:14, 16-18.

V. 14. Sin lugar a dudas este es el versículo sobre el cual gira toda nuestra lección, y responde a la inquietud de cómo se relacionó el Verbo con su creación. La declaración es sencilla y directa: se hizo carne. Para poder entender las implicaciones de todo el pasaje se debe cotejar el primer versículo del capítulo con éste, es decir notar que el verbo que es eterno, que se halla en intimidad con Dios, y que es Dios mismo se ha hecho hombre, y ha decidido hacer su habitación entre la humanidad. Esto implica que no se ha hecho solamente algo semejante al hombre, sino que ha decidido tomar todas las características de un hombre, pero sin pecado (Heb. 4:15). Tal fue la gracia de Dios al hacerse hombre que condujo no solamente a ver, sino a contemplar y admirar su grandeza como algo único.

Vv. 16, 17. La encarnación no es un concepto filosófico o puramente teórico, sino que fue algo que tuvo sus implicaciones en la vida misma de Juan. Ahora todos podemos disfrutar de la gracia que hay en la encarnación, gracia que es explicada con la terminología "gracia sobre gracia" que quiere decir que cuando un aspecto de la gracia "ha terminado", entonces se hace presente otro aspecto de ella. Pero la gracia no se halla sola, sino que también la verdad, es decir la fidelidad a sus promesas son ahora una realidad. En este punto ya se puede identificar claramente al verbo, se trata de Jesucristo. Nótese que se usan los dos nombres para él: Jesús y el Cristo o Mesías.

V. 18. La conclusión al pasaje que estudiamos es una especie de recopilación de lo que ya se ha dicho. En primer lugar que a Dios nadie puede ver, es decir que Dios no está al alcance del hombre por sus propios méritos, y luego que por medio del "unigénito Dios" es la única manera como se lo puede conocer y entender. La razón es sencilla: solamente quien ha estado en completa intimidad con el Padre, como ya se dijo en el v. 1, es el único capaz de revelarlo.

———————— *Aplicaciones del estudio* ————————

1. La grandeza de Dios. Dios es grande y eterno y aun así ha decidido acercarse al ser humano como un simple ser humano.

2. Un Dios conocible. Dios se ha hecho conocer no por medio de filosofías o nueva clase de sabiduría, sino por medio de Jesucristo quien se pone de esta manera al alcance de cada uno, sin importar sus limitaciones personales.

3. La encarnación. Muchas veces pensamos que Dios desecha la naturaleza del ser humano, es decir que él por ser espíritu es incompatible con los asuntos del ser humano, pero cuando el Verbo se hace carne entonces se puede identificar con el ser humano en su totalidad, en sus necesidades espirituales como físicas. Nuestro Dios es un Dios que nos comprende porque ha vivido como nosotros.

———————— *Prueba* ————————

1. ¿Cómo explicaría si alguien le preguntara el significado de "el Verbo se hizo carne?" _____

_____

2. Luego de comprender qué es la encarnación de Dios en Jesucristo, enumere dos actitudes concretas que usted va a tomar durante esta semana con aquellos que no han confiado en él como el Señor de sus vidas.

_____

_____

Lecturas bíblicas para el siguiente estudio

Lunes: Juan 1:19-23   **Jueves:** Juan 1:35-42
Martes: Juan 1:24-28   **Viernes:** Juan 1:43-47
Miércoles: Juan 1:29-34   **Sábado:** Juan 1:48-51

Juan testifica de Jesús

Contexto: Juan 1:19-51
Texto básico: Juan 1:19-34
Versículo clave: Juan 1:29
Verdad central: Juan el Bautista dio testimonio de que Jesús era el Mesías prometido por Dios, cuando se refirió a él como "el Cordero de Dios que quita el pecado del mundo".
Metas de enseñanza-aprendizaje: Que el alumno demuestre su: (1) conocimiento del testimonio de Juan acerca de Jesús, (2) actitud de gratitud a Dios por proveer el medio de salvación para su vida.

Estudio panorámico del contexto

El sistema de los sacrificios. En el AT hay todo un sistema de sacrificios. Hay desde los sacrificios diarios de alabanza, el holocausto; hasta sacrificios propiciatorios por el pecado, que tienen una función expiatoria. Hay sacrificios de animales como el sacrificio por la culpa o reparación por el pecado, hasta ofrecimiento del resultado de la cosecha como es el caso de la ofrenda vegetal de gratitud por la abundancia en los cultivos. Cada sacrificio tiene un significado especial, pretendiendo ser un instrumento de enseñanza para el pueblo de Israel. Atrás de cada símbolo hay una realidad. De allí que los sacrificios tienen su importancia en la medida que el sacrificante en primer lugar se ofrezca primero él a Dios. El sacrificio solamente tiene valor en cuanto está acompañado de conversión.

El cordero para el sacrificio. El cordero, un símbolo de mansedumbre y pureza, era usado para ser presentado en algunos de los sacrificios. Juan usa el término "cordero de Dios" recogiendo la idea del cordero sacrificial del AT, del cordero pascual en recuerdo de los actos liberadores de Dios, o también pensando en el Siervo Sufriente que lleva los pecados del hombre.

El concepto de eternidad en el AT. En el pensamiento hebreo la eternidad no era un asunto de duración, sino fundamentalmente ellos pensaban en la eternidad como algo que implicaba calidad. Por ejemplo, la vida eterna para ellos era una calidad de vida, más que una cantidad de años. El "Dios eterno" (Gén. 21:33) significaba básicamente el Dios que no se halla sometido a las variaciones del tiempo, es un Dios inmutable.

Los "cristos" que aparecían de vez en cuando. Los término Mesías (transliteración del hebreo) y Cristo (transliteración del griego) son equivalentes.

Siendo que el pueblo de Israel vivía bajo la expectativa mesiánica, es decir que estaba a la espera de un Mesías, a lo largo de su historia se han presentado varias personas que han pretendido ser el "Cristo". La mayoría de veces estas personas procuraban cumplir los requisitos de un Mesías mayormente rey y conquistador. El Señor Jesucristo nos advierte que debemos tener cuidado, pues muchas personas pretenderán ser "Cristos" (Mat. 24:5, 23). Se debe estar alerta, y a la luz del AT darnos cuenta de que solamente Jesús cumplió con todos los requisitos que debe tener el Cristo.

El bautismo de Juan. Fundamentalmente el "bautismo de Juan" era un bautismo que requería el arrepentimiento, y es también un precursor del "bautismo de los cristianos". Siempre significa una señal de lo que había sucedido en el interior: un verdadero arrepentimiento que debía hacerse palpable en hechos.

──────────── *Estudio del texto básico* ────────────

Lea su Biblia y responda

1. Juan 1: 20, 21. Enumere las tres negaciones que hace Juan en cuanto a sí mismo:

   a. _____

   b. _____

   c. _____

2. Juan 1:27 y 30. ¿Qué dicen estos versículos acerca de Jesús?

   a. _____

   b. _____

3. Juan 1:23, 29, 34. ¿Cuáles títulos da Juan a Jesús?

   a. _____

   b. _____

   c. _____

Lea su Biblia y piense

1 El testimonio de Juan, Juan 1:19-23.

V. 19. Un hombre que vive de una manera diferente, que cuestiona la forma de actuar de los grupos religiosos, lo mismo que la moralidad de los gobernantes indudablemente que causaba conmoción. Los líderes religiosos quieren saber quién es él. Parece que algunos tienen la sospecha de que se puede tratar del Mesías. Debido a esto deciden enviar un grupo de personas para hacerle algunas preguntas directas.

Vv. 20, 21. En primer lugar aclara de forma muy especial que él no es el Mesías. Sin embargo, los interrogadores parece que querían estar completamente seguros de que así era. Por esto hacen dos preguntas relacionadas con el Mesías. La primera si era o no Elías, pues había algunos que entendían literalmente las palabras de Malaquías 4:5. Juan entendía bien este asunto y pudo decir claramente que no se trataba de Elías. Tampoco era el Profeta-Mesías de quien se habla en Deuteronomio 18:15.

Vv. 22, 23. El asombro permanece, si no es el Mesías, ¿quién es? La respuesta de Juan está basada en un pasaje de Isaías: El es el precursor del Mesías. Su misión era la de preparar el camino del Señor, como se hacía ante la venida de un rey en aquellos tiempos. Ante la presencia de Jehovah todos debían corregir sus vidas. En los otros Evangelios se simplifica esta demanda con la exigencia de "arrepentíos".

2 El bautismo de Juan, Juan 1:24-28.

V. 24. El interrogatorio prosigue. Los fariseos son los que toman la iniciativa y sus preguntas seguramente van mucho más en detalle. Se nota también el deseo de cuidar la ortodoxia. ¿Con qué autoridad está bautizando Juan a judíos?

Vv. 25-27. En primer lugar se debe decir que el bautismo era una costumbre bastante difundida en la época de Jesús. Por lo general se lo aplicaba a la persona que se había convertido al judaísmo, y era una señal de una realidad interna; lastimosamente se había perdido este significado y muchos se bautizaban solamente como un acto ritual sin mayor significado. Solamente se bautizaban los no judíos. El bautismo de Juan respondía a un nuevo orden, ya no era solamente el acto proselitista sino que implicaba un cambio del individuo por la vía del arrepentimiento.

Sin embargo, este bautismo era también diferente porque se constituía en una antesala de la tarea del Mesías. Juan logra desviar la atención de su persona hacia el Mesías, de tal manera que él (Juan) no merece ni siquiera la posición de esclavo.

V. 28. Juan, el escritor del Evangelio, en varias oportunidades hace aclaraciones geográficas. El lugar donde bautizaba era Betania, que no es la misma aldea de los amigos de Jesús: Marta, María y Lázaro. Es difícil ubicar el sitio con precisión, pero es al otro lado del río Jordán.

3 "¡He aquí, el Cordero de Dios!", Juan 1:29-34.

V. 29. El texto comienza con una palabra que nos invita a prestar atención a lo que se dice. El título que se le da a Jesús es muy importante y nos hace recordar la imagen de un cordero que lleva nuestro pecado en forma expiatoria, lo mismo que lo hace en forma paciente y humilde como el Siervo Sufriente, y también nos hace pensar en el cordero pascual: un recuerdo de los actos de liberación de Dios, lo mismo que de la presencia protectora de él. La tarea específica de este cordero es "quitar el pecado del mundo", es decir esta actitud de rechazo a la presencia de Jesús como el Dios encarnado. No quita "nuestros pecados" en plural, sino "nuestro pecado" en singular, es decir la negación de Jesucristo como Señor y Salvador (Juan 16:9). **Vv. 30, 31.** Juan no desea que todo se centre en él, al contrario quiere que la mirada se torne hacia Jesucristo. Es curioso que él usa el tiempo pasado para referirse a cierta situación: "no le conocía". Esta palabra no significa una percepción física, sino que debe ser algo mucho más de fondo. **Vv. 32-34.** El bautismo del Mesías sería algo más profundo. Por primera vez se menciona la presencia del Espíritu Santo en el Evangelio. El Mesías no puede cumplir su tarea si no recibe la unción del Espíritu (Luc. 4:18-21). Un nuevo orden se hace presente: el bautismo en el Espíritu Santo. No puede terminar el testimonio de Juan sin decir algo que para los oídos judíos era importantísimo y significaba sin lugar a dudas el identificarse con el Mesías: Jesús es el Hijo de Dios (Juan 1:49; 10:36; 11:27; 20:31).

──────────── *Aplicaciones del estudio* ────────────

1. Seamos lo suficientemente humildes. Juan supo hacerse a un lado para que Jesucristo brillara en plenitud. Superó las tentaciones de identificarse con alguna característica mesiánica para dar lugar al único Mesías. Dejemos que la gente pueda ver a Jesucristo en nuestras vidas.
2. Escudriñemos en la Palabra. ¡Qué desafío se nos presenta!: identificar, a la luz de la Biblia, cuál es nuestra resposabilidad en el plan de Dios. No nos podemos quedar quietos, indaguemos y actuemos.
3. Seamos agradecidos. La ingratitud es una de las manifestaciones que Jesucristo siempre rechazó. Toda nuestra vida debe ser una respuesta de gratitud por la gracia de Dios.

──────────────── *Prueba* ────────────────

1. Señale por lo menos dos elementos sobresalientes en el testimonio de Juan el Bautista sobre Jesús. (a) _____

 (b) _____

2. Indique tres cosas que usted va a realizar durante la semana, que demostrarían su gratitud hacia Jesús por ser el "cordero de Dios que quita el pecado del mundo". (a) _____

 (b) _____

 (c) _____

Lecturas bíblicas para el siguiente estudio

Lunes: Juan 2:1-5   **Jueves:** Juan 2:13-16
Martes: Juan 2:6-10   **Viernes:** Juan 2:17-21
Miércoles: Juan 2:11,12   **Sábado:** Juan 2:22-25

Jesús inicia su ministerio público

Contexto: Juan 2:1-25
Texto básico: Juan 2:1-12
Versículo clave: Juan 2:5
Verdad central: Jesús inició su ministerio público con un milagro con el que demostró su gloria y su poder, éste enseñó a sus discípulos a creer en él como enviado de Dios.
Metas de enseñanza-aprendizaje: Que el alumno demuestre su: (1) conocimiento de los sucesos ocurridos en el inicio del ministerio terrenal de Jesús, (2) actitud de confianza en el poder de Jesús para salvar y cambiar la vida de los hombres.

———————— *Estudio panorámico del contexto* ————————

Ubicación de Caná. Esta aldea es solamente citada por el evangelista Juan (2:1-10; 4:46-54; 21:2). No se ha podido ubicar con la debida precisión el sitio exacto donde se hallaba. Hay dos posibilidades de ubicarla: en la actual Kefr Kenna, a 6 kilómetros al noreste de Nazaret, o tal vez en la actual Jirbert Kaná a 14 kilómetros al norte de Nazaret.

El vino. El pasaje que estamos estudiando ha servido para decir muchas cosas, justificando el uso de bebidas alcohólicas, o por el otro lado ha sido pretexto para decir cosas que realmente no están en la Biblia, ni eran costumbre del primer siglo. Hay muchos nombres que se han dado a los diferentes tipos de bebidas: sidra, vino nuevo, mosto; la más común es vino. Esta siempre era una bebida fermentada y nunca sólo un jugo de uva.

Tanto el AT como el NT usan al vino para ilustrar cosas buenas, como las bendiciones de Dios; como también cosas malas, como la falta de juicio. No hay pasaje bíblico que prohíba su uso, lo que sí se prohíbe es la embriaguez, y más de una vez el uso no mesurado de él. Mucho tiene que hacer para su uso el aspecto cultural. Sin embargo, de esto hay un factor más importante, que según Pablo debe ser el amor, por el que si es necesario se debe dejar de consumir bebidas alcohólicas para no causar ningún tropiezo.

El rito judío de la purificación. La purificación se la obtenía por medio de una serie de lavamientos que debían ser de acuerdo con ciertas tradiciones y reglamentaciones (Lev. 15). El ideal del rito de la purificación era que el acto externo correspondía a una ética consecuente, lastimosamente esto se había perdido en muchas ocasiones; Jesús en más de una oportunidad fue un crítico de los reglamentos legalistas que se habían impuesto.

Construcción del templo. Tres templos ha tenido Israel en su historia: el original o de Salomón, el construido por Zorobabel en el año 515 a. de J.C., y el reconstruido por Herodes, que respondía más que a un acto de dedicación a Dios, a un acto político para ganarse la amistad de los judíos. Esta reconstrucción se inició en el año 19 a. de J.C. La primera parte de ella se terminó unos diez años más tarde, pero la mayor parte terminó en el año 64 d. de J.C. En la construcción usaron una gran cantidad de obreros de todos los oficios, muchos de los cuales debía ser sacerdotes, para no quebrantar la ley. Los materiales que usaron fueron muy ostentosos, por ejemplo, se dice que la fachada del templo estaba forrada de oro, algunos de los muebles eran de oro macizo, las piedras que se usaron fueron de cinco metros de largo, etc. El pueblo de Jerusalén se levantó en rebeldía contra Roma en el año 64 d. de J.C., año que estaba por iniciarse una nueva reconstrucción del templo. En el año 70 d. de J.C., después de un sitio que duró mucho tiempo el templo de Jerusalén fue tomado por Tito, quien destruyó toda la ciudad y los muebles del templo fueron llevados a Roma como botín de guerra.

—————————— *Estudio del texto básico* ——————————

Lea su Biblia y responda

1. Enumere los personajes del relato. Indique quién es el personaje central, y por qué.

   a. _____ b. _____ c. _____ d. _____

   e. _____ f. _____ g. _____

   Personaje central _____ Porque _____

   _____

2. En los versículos 3 y 5, ¿qué responsabilidad se le otorga a la madre de Jesús? _____

3. Según el versículo 11, ¿en qué tres elementos resume Juan el relato?

   a. _____

   b. _____

   c. _____

Lea su Biblia y piense

1 No ha llegado la hora de Jesús, Juan 2:1-4.

Vv. 1, 2. La primera señal que hace Jesús sucede después de tres días del llamamiento de los primeros discípulos. Jesús, juntamente con ellos, acude a la fiesta con motivo de un matrimonio. Jesús es una persona que no rehúsa estar con la gente, de ninguna manera se trata de un asceta, alejado de las actividades sociales. La presencia de María en la fiesta es siempre una interrogante: ¿es una invitada?, ¿es pariente de los novios? No sabemos con certeza, pero sí se sabe que Dios permitió que ella estuviera allí para que nos enseñara la centralidad que debe tener Jesús en todos los actos.

V. 3. Los matrimonios en esa época, para los temerosos de Dios, eran no solamente un motivo de alegrarse, sino de pensar en las promesas que Dios había hecho a su pueblo. De allí que había un responsable, el encargado del banquete, para que todo saliera de la mejor manera y evitara toda clase de excesos, que eran comunes en fiestas como ésta.

El vino se terminó, en este punto interviene María. Posiblemente hace un pedido un tanto indirecto a Jesús, pero jamás en forma de demanda.

V. 4. La respuesta de Jesús de ninguna manera implica ninguna descortesía, todo lo contrario, la palabra *mujer* es usada muchas veces para indicar respeto. Lo cierto es que no se dirige a ella como "madre", sino indicando que empezaba una nueva clase de relación, ya no de madre a hijo, sino de Señor a criatura. Ella, siendo una vez más ejemplo para nosotros, reconoce esta situación y pide que sea obedecido en todo. Jesús es para María la persona a la que hay que obedecer.

La frase de Jesús: *¿Qué tiene que ver eso conmigo y contigo...?*, nos señala que no es que Jesús se niegue a intervenir, sino que desea que todos, incluyendo María, puedan conocer que la solución que él dará no es las común, sino que saldrá del ámbito de lo natural. El milagro que hará no será por pedido de nadie, habrá un tiempo cuando todo será revelado y manifestado.

2 Poder sobre los elementos, Juan 2:5-10.

V. 5. María sabía quién era Jesús, pero las otras personas no. Debido a esto pide al resto que se sometan a la voluntad de Jesús. Ella es un ejemplo para seguir: la obediencia es solamente a Jesús. Las miradas en este milagro, siguiendo lo que ya había hecho Juan el Bautista, no eran para ningún ser humano, toda la atención y la gloria en el milagro solamente es para Jesús.

Vv. 6-8. El milagro se va a realizar partiendo del agua para la purificación. La cantidad de agua era muy grande, pero no es un detalle por el que vale la pena detenerse, la mente debe ir para otro lugar. Se han dado muchos simbolismos al milagro, pero la mayoría de estudiosos concuerdan en que lo que hace Jesús es cambiar en forma radical el antiguo sistema de ritos, por una nueva realidad. Su presencia, a más de cambiar la esencia misma del elemento, y así demostrar su poder, cambia el sistema antiguo por un nuevo sistema que es traído por la presencia del Verbo hecho carne.

Vv. 9, 10. El milagro trae extrañeza del encargado del banquete, pues parece que se estaba rompiendo también una tradición: primero el mejor vino, para luego presentar un vino que es de inferior calidad. Jesús rompe una vez más una tradición, y enseña que los cambios que puede hacer él son mucho más significativos que las costumbres o tradiciones superficiales que pueden tener los hombres.

3 La gloria manifestada, Juan 2:11, 12.

V. 11. El milagro que hace Jesús, llamado aquí una señal, es una prueba de la autoridad y la majestad de Dios. Nuevamente el centro de todo el evento no es el milagro, sino el autor del milagro. Todo es secundario con relación al propósito de la señal: que los discípulos crean. De esta manera se inicia un peregrinaje por el camino de la fe de todos sus discípulos, una fe que comienza no en el milagro, sino en Jesús, pero incentivada por la señal en sí misma. Dios quiere una fe mucho más grande y madura, como le diría más tarde a Tomás (20:29).

Esta señal también es la manifestación de su gloria, aquella gloria que es la manifestación del Verbo encarnado.

V. 12. El Mesías se traslada ahora desde el sector de Galilea hacia Jerusalén. Sus acompañantes forman un grupo heterogéneo: su madre María, la persona que desea que Jesús sea el preeminente; los discípulos que sí creen en él; y sus hermanos que no creían (7:5).

——————— *Aplicaciones del estudio* ———————

1. La primera señal y usted. Podemos sencillamente escuchar y dar buenas o malas opiniones acerca de las señales de Jesús. Pero el propósito de que esta señal haya quedado escrita en la Biblia es que veamos a Jesús quien es el Señor sobre los elementos de la naturaleza.

2. Un nuevo orden. El Jesús presentado en la Biblia es uno que rompe las tradiciones para presentar un nuevo orden, un orden que lo tenga a él como el Señor absoluto de la vida.

3. El Señor es soberano. Reconocer la soberanía de Dios será el primer paso para poder entablar una relación que puede ser mucho más profunda con Cristo, y que tendrá un buen futuro de crecimiento y madurez.

——————————— *Prueba* ———————————

1. En el pasaje que se ha estudiado, ¿cuál cree usted que es el evento más importante, y por qué? _____

_____

2. ¿Cómo demostraría usted su confianza en el poder de Cristo para salvar y cambiar la vida de los hombres, y en particular su vida? _____

_____

Lecturas bíblicas para el siguiente estudio

Lunes: Juan 3:1-8   **Jueves:** Juan 3:19-21
Martes: Juan 3:9-15   **Viernes:** Juan 3:22-30
Miércoles: Juan 3:16-18   **Sábado:** Juan 3:31-36

Es necesario nacer otra vez

Contexto: Juan 3:1-36
Texto básico: Juan 3:1-21
Versículo clave: Juan 3:3
Verdad central: En su entrevista con Nicodemo, Jesús declara la importancia y la naturaleza del nuevo nacimiento.
Metas de enseñanza-aprendizaje: Que el alumno demuestre su: (1) conocimiento de las declaraciones de Jesús acerca del nuevo nacimiento, (2) actitud de valorar la trascendencia del nuevo nacimiento y el medio que Dios provee para alcanzarlo.

─────────── *Estudio panorámico del contexto* ───────────

Nicodemo. Es una persona que solamente la menciona Juan, así que todos los datos relativos a su personalidad y comportamiento los podremos obtener únicamente del cuarto Evangelio. Las cosas ciertísimas que podemos obtener de Juan (3:1-21; 7:45-52; 19:38-40) pueden ser presentadas así: Pertenece al grupo de los fariseos quienes fueron los promotores de una serie de leyes y tradiciones que obligaban a cumplir, tradiciones que no se hallaban en la Biblia; su religión mayormente ponía énfasis en lo externo. Nicodemo era parte del grupo de los gobernantes, es decir, aquellos que vigilaban el cumplimiento de las diferentes leyes. Nicodemo defendió la ley como instrumento de justicia, no como instrumento de opresión (7:45-52). Tenía suficiente dinero como para contribuir para el entierro de Jesús. Posiblemente fue, al igual que José de Arimatea, un "discípulo en secreto" (19:39).

Nacimiento de agua. Esta frase es la fuente para algunas interpretaciones que no están de acuerdo con el texto general de la Biblia. La principal de ellas afirma que, la frase en cuestión, significa el bautismo en agua con poder regenerador, y que causa la limpieza del pecado original. Esto no es así. El Evangelio de Juan es un libro lleno de simbolismos, por lo tanto parece pertinente acudir en busca del significado de este símbolo, en la manera más natural posible. Una clave para su entendimiento se halla en 1:33; en donde se contrasta el "bautismo en agua" con el "bautismo en el Espíritu Santo". No hay base, entonces para traducir la frase "nacer de agua" como "bautismo en agua", y peor afirmar que "bautismo en agua" es el "nuevo nacimiento". El pasaje indica que "nacer de agua" es un sinónimo de "nacer del Espíritu". En el v. 3 se usa "nacer de nuevo", término que no entiende Nicodemo; en el v. 5 se usa "nacer de agua y del Espíritu", que es la explicación. De allí en adelante solamente se usará "nacer del Espíritu" (Vv. 5, 8), pues ya no hace falta usar el sinónimo "agua".

La serpiente de bronce en el desierto. La mención de "la serpiente del desierto" nos lleva al libro de Números 21:4-9. Allí es presentada la serpiente levantada en medio del pueblo de Israel arrepentido, como un símbolo del medio de salvación. De esta manera Dios enseñó a su pueblo la necesidad de la obediencia; la serpiente fue un instrumento pedagógico, no un fin en sí misma. Más tarde fue convertida en un ídolo (2 Rey. 18:4). En la terminología de la iglesia del primer siglo, el término "levantada" significaba todo el acto de muerte, resurrección y ascensión de Jesucristo. Solamente al mirar esta obra de Dios en actitud de fe, se produce el nuevo nacimiento, requisito para disfrutar del reino de Dios.

————————— *Estudio del texto básico* —————————

Lea su Biblia y responda

1. Señale las tres frases, con su cita respectiva, que se usan en el pasaje introducidas por las palabras "de cierto, de cierto te digo".

   a. _____

   b. _____

   c. _____

2. ¿Qué se dice con relación al Hijo del Hombre y al Hijo de Dios? (Vv. 13, 14 y 18).

   a. _____

   b. _____

   c. _____

Lea su Biblia y piense

1 Un visitante singular, Juan 3:1-8.

Vv. 1, 2. Nicodemo era un fariseo y un gobernante, así empieza el relato. También buscó a Jesús en la noche, que es la manera como se le identifica en 19:39. La razón por la que se acerca a Jesús es que le considera un Maestro diferente, tal es así que reconoce que Jesús tiene una relación muy especial con Dios. Nicodemo está impresionado por las señales que ha hecho Jesús.

Vv. 3, 4. La charla de Jesús con Nicodemo es directa; Jesús no se queda en discusiones periféricas, va directamente a la esencia del diálogo. Introduce sus palabras con la frase *de cierto, de cierto te digo...,* frase propia de Jesús, que siempre que la usa es para hacer notar que lo que va a decir es sumamente importante y requiere la máxima atención. Sencillamente el Maestro plantea la necesidad de "nacer de nuevo", que podía ser traducida también "nacer de lo alto", implicando que en este nuevo nacimiento quien toma la iniciativa es Dios mismo, no depende de la voluntad del hombre (Juan 1:12). Esto, como era natural produce las preguntas de Nicodemo. El planteamiento de Jesús afirma la necesidad de "nacer de nuevo" como un requisito previo para disfrutar del "ámbito en que su dominio (de Dios) se reconoce y obedece, y en el que prevalece su gracia" (Hendriksen), el reino de Dios.

Vv. 5-8. Jesús actúa como un buen maestro, no criticándole, sino buscando la manera de que esté claro lo que pretende enseñar. Para él, "nacer de nuevo" (vv. 3, 7) es lo mismo que nacer *de agua y del Espíritu* (v. 5). Este nuevo nacimiento nada tiene que ver con el nacimiento biológico, es una acción del Espíritu por la que imparte una nueva naturaleza en el individuo que cree. Esta era una novedad para Nicodemo. Para Jesús el "nuevo nacimiento" es una obra completa de Dios por acción del Espíritu Santo, por lo tanto su forma de accionar es desconocida, como el caso del viento.

2 La importancia y naturaleza del nuevo nacimiento, Juan 3:9-15.

Vv. 9, 10. Nicodemo sigue intrigado, como buen fariseo desea saber los detalles literales; pero con las cosas de Dios no puede ser así. La respuesta de Jesús ahora es diferente, pues en cierta manera apela a la calidad de maestro de Israel que tiene Nicodemo, para hacer que reconozca sus limitaciones y le escuche, y así sucede en forma ininterrumpida hasta el v. 21. El diálogo se convierte en un discurso.

Vv. 11, 12. Nuevamente la expresión: *De cierto, de cierto te digo... nos* debe "poner en guardia" para escuchar lo que viene, sin duda es algo importante. Lo que Jesús está comunicando no es algo nuevo, es solamente parte del testimonio que ya se debía conocer, mensaje que fue presentado, en otros términos, por Juan el Bautista, entre otros profetas y autores bíblicos, este testimonio fue rechazado por parte de los judíos, entre los cuales se incluía a Nicodemo. Este fariseo Nicodemo no podía entender a cabalidad la necesidad de nacer de lo alto, asunto que estaba directamente relacionado con su experiencia humana, con cuánta mayor razón no podría entender, en la eventualidad que Jesús le explique, el "cómo sucede esto".

Vv. 13-15. La única persona que puede entender el "cómo" del plan eterno de redención es quien lo ha hecho, quien ha estado en la presencia misma de Dios: *el que descendió del cielo,* el Verbo hecho carne. Ahora usa el título de *Hijo del Hombre,* término que en la mentalidad judía se refería a la presencia misma de Dios (Dan. 7). Recorriendo las páginas de los otros Evangelios nos daremos cuenta de que este término lo usó Jesús en más de una oportunidad para referirse a sí mismo.

Este es el único camino señalado por el Padre, mirar a Jesús muerto y exaltado en actitud de fe, de igual manera como sucedió con la serpiente en el desierto. No hay otra posibilidad, hay que creer en Jesús, es la única manera para disfrutar en plenitud la vida diferente que Dios nos ofrece, una vida que se caracteriza por su calidad muy especial.

3 El Hijo: medio de salvación, Juan 3:16-21.

V. 16. Este es uno de los versículos más amados por los lectores de la Biblia. No explica el cómo, solamente nos indica que la salvación está a nuestro alcance, en virtud del amor que Dios nos tiene. **Vv. 17, 18.** Dios envió a su hijo para que el mundo sea salvo. Fíjense que dice el mundo, y no solamente los judíos. Hay dos clases de personas, las que disfrutan de la vida eterna y las que sufren desde ya la condenación, por haber rechazado al Hijo. **Vv. 19-21.** La condenación, en la cual viven quienes rechazan el don de Dios, es a su vez rechazar la luz y no exponerse para que sea Dios el que haga manifiestas las obras de cada uno.

————————— *Aplicaciones del estudio* —————————

1. La manera como enseñamos a nuestros hijos. Cuando hemos tenido la bendición de haber nacido de nuevo, y luego tener una familia, hay que recordar que el asunto de salvación no es algo hereditario. Es vital que enseñemos a nuestros hijos a que tengan una confrontación directa con Jesús. **2. ¿Debemos saber todo?** Tenemos que ser los suficientemente humildes para reconocer que no podemos explicar todo, que mucho, si no la mayoría de nuestra salvación, está bajo el control de Dios y solamente depende de su soberanía. Indaguemos, pero reconociendo que tenemos limitaciones. **3. No hay otra alternativa.** En un mundo donde se busca transitar por los caminos que resulten menos difíciles y que ofrezcan varias alternativas, los cristianos tenemos que ser radicales. Esa radicalidad consiste en que sostenemos que no hay otro camino para llegar al Padre sino por el sacrificio del Hijo en la cruz del Calvario.

————————————— *Prueba* —————————————

1. Según las palabras de Jesús, ¿el nuevo nacimiento es vital para qué dos cosas? _____

_____

2. ¿Qué está dispuesto a hacer, en relación con un amigo que no ha escuchado el evangelio, al saber la trascendencia del nuevo nacimiento y el medio que Dios ha provisto? _____

_____

Lecturas bíblicas para el siguiente estudio

Lunes: Juan 4:1-6
Martes: Juan 4:7-9
Miércoles: Juan 4:10-15

Jueves: Juan 4:16-24
Viernes: Juan 4:25-30
Sábado: Juan 4:31-42

Jesús, el agua de vida

Contexto: Juan 4:1-42
Texto básico: Juan 4:1-15, 28-30, 39-42
Versículos clave: Juan 4:13,14
Verdad central: Jesús en su entrevista con la mujer samaritana declaró ser el agua de vida, significando que él quiere y puede satisfacer las necesidades de quienes lo buscan solicitando su ayuda.
Metas de enseñanza-aprendizaje: Que el alumno demuestre su: (1) conocimiento del significado de las palabras de Jesús al declarar que él es el agua de vida, (2) actitud de dependencia total en el poder de Jesús para satisfacer todas sus necesidades.

--------------- *Estudio panorámico del contexto* ---------------

Las relaciones entre judíos y samaritanos. Muchas cosas se han dicho en torno a esta enemistad, pero la mayoría de ellas son muy difíciles de probar históricamente. Las relaciones ente los dos pueblos siempre fueron ensombrecidas por la lectura que se hacía de 2 Reyes 17 y Esdras 4. No existe base para afirmar que los samaritanos se originan después del cautiverio, como una raza mestiza. En el AT no aparece el término "samaritano", solamente se hace mención a "los que habitan Samaria", que eran personas que tenían una religión sincretista, traídos por los asirios para reemplazar a los israelitas llevados en cautiverio. Los samaritanos mencionado en el NT son los llamados "siquemitas", un pueblo que se origina en el siglo IV a. de J.C., y son un grupo de judíos que huyeron de Jerusalén, por los problemas que tenían con los griegos, para poder tener sus actividades religiosas sin mayor perturbación. Los judíos que se quedaron en Jerusalén les consideraban impuros y no ortodoxos, por pretender ciertas actividades que solamente se las podía cumplir en Jerusalén. En época de la revolución macabea, el templo de los samaritanos fue dedicado al dios Zeus, causando conflictos con los judíos. Estos se agravaron cuando Juan Hircano, gobernante de los judíos, destruyó el templo samaritano. Luego hubo una matanza en plena Jerusalén de parte de un grupo de samaritanos a unos judíos, para luego profanar el templo y esparcir sus huesos dentro de él.

Sin embargo, las páginas del NT presentan una imagen positiva de los samaritanos, quienes están prestos a recibir el mensaje del evangelio. Los escritores contemporáneos a Jesús, igualmente tratan a los samaritanos como un pueblo bastante cercano a los judíos, especialmente en lo teológico, marcando, eso sí, la diferencia difícil de superar por la presencia de dos templos.

El monte Gerizim. La teología samaritana y judía es bastante similar, por ejemplo aceptan la presencia de un Mesías, que para los samaritanos era el *Taheb,* quien era una especie de Moisés. La diferencia fundamental, y causante de más de un problema, era la presencia de un templo en el monte Gerizim. En este monte se debía hacer toda la adoración y la presentación de los sacrificios, lo que constituía el décimo mandamiento.

Según los samaritanos el monte Gerizim, que se encuentra a 4 kilómetros al noroeste de Siquem, es el mismo monte Moriah (Gén. 22:2). Allí se encuentra el templo samaritano que fue construido en el siglo IV a de J.C.

El pozo de Jacob. Es un gran pozo-manantial de 30 metros de profundidad, cerca de la ciudad de Siquem, a un kilómetro al sur de Sicar. No se sabe con precisión por qué se llama "pozo de Jacob", pues el AT no hace ninguna mención sobre el asunto, salvo la mención del sitio donde se produjo el encuentro con Rebeca (Gén. 29:2-10).

En la tradición judía la palabra pozo ha llegado a ser simbólica, significa todo lo relacionado con la ley, y en última instancia todas las instituciones judías. Esta interpretación puede adquirir cierta significación en el capítulo 4 de Juan, donde Jesús es el dador de agua viva, mejor que todas las tradiciones judías.

─────────── *Estudio del texto básico* ───────────

Lea su Biblia y responda

1. Conteste Verdadero (V) o Falso (F).

_____ a. Jesús bautizaba a sus discípulos.

_____ b. Jesús llegó a Judea.

_____ c. Los judíos no se trataban con los samaritanos.

_____ d. Muchos creyeron por causa de las palabras de la mujer.

2. ¿Cómo identifican la samaritana y los samaritanos a Jesús? (vv. 29 y 42)

a. _____   b. _____

Lea su Biblia y piense

1 Jesús, el agua de vida, Juan 4:1-15.

Vv. 1-3. Estos versículos expresan la honda preocupación de parte de los fariseos, pues el "movimiento" iniciado por la predicación de Juan el Bautista estaba creciendo. Esto causa que Jesús salga de la región de mayor predominio de los fariseos, seguramente Jesús estaba consciente de que el momento de su sacrificio todavía no había llegado.

Es interesante que el evangelista hace una distinción clara, Jesús no bautizaba, pero sí hacía discípulos.

Vv. 4-6. La región por la que va a pasar Jesús está bien identificada geográficamente. Por lo general los judíos no pasaban por aquí para evitar conflictos, preferían pasar por la costa o por el camino de Perea. A pesar de esto, Jesús considera que es necesario pasar por la tierra de los samaritanos, para él era necesario buscar un encuentro con esta mujer, y luego con la gente de esta aldea. El sitio ideal para tomar un descanso era un pozo. Según la forma de contar el tiempo de los romanos era cerca de las seis de la tarde, de esta manera se podría explicar más fácilmente el pedido que le hacen en 4:47-52.

Vv. 7-9. Jesús no se siente preocupado por "violentar" ciertas tradiciones culturales. Al menos dos de ellas: el que un varón hable con una mujer, lo cual se prestaría a comentarios negativos, y el que él siendo judío busque amistad con los samaritanos.

La mujer tenía que caminar un buen trecho para proveerse de agua. En esta situación el pedido de Jesús debe haber sido bastante raro. No es un mandato lo que él expresa, es un pedido con cortesía, el mismo que apela a la amabilidad de la samaritana, quien podía demostrar su hospitalidad. El Maestro se coloca sobre las divisiones causadas por las ideologías y los prejuicios raciales. Por otro lado, Jesús se identifica con las necesidades humanas, comprendiendo de esta manera el sentimiento de la mujer que acude en busca de agua.

Vv. 10-12. La manera cómo Jesús llega a la samaritana es apelando a su curiosidad, pues ahora invierte lo que había pasado en el v. 7: de ser una persona que tiene una necesidad, se convierte en la persona que puede satisfacer una necesidad mucho más grande. Esta satisfacción se va a lograr solamente por medio de conocer el "don de Dios", don que es identificado como el "agua viva", don que ha sido descrito ya en el capítulo anterior como el "Hijo unigénito" (Juan 3:16).

La experiencia de la mujer es solamente en cuanto a lo terrenal, solamente conoce el agua del pozo que se puede obtener por el esfuerzo humano. No hay posibilidad en la mente de la samaritana de un agua diferente, un agua que puede ser dada como un regalo de Dios.

Existe ya un crecimiento en la actitud de la samaritana. Se dirige a Jesús como "Señor", y da cabida a una pregunta que puede ser contestada de varias maneras. Jesús rompió la pared de la desconfianza.

Vv. 13-15. Las clarificaciones que hace Jesús son precisas: el agua que él puede dar es mucho mejor que el agua que le puede dar el pozo, pues es de calidad diferente para quitar la sed en forma definitiva. Pero hay más, el agua que él puede dar, a diferencia del pozo de Jacob, es un manantial, es decir una fuente de agua viva, que le conducirá a la vida eterna. El tomar del "agua viva" es un equivalente al nacer de nuevo.

La samaritana responde de una manera diferente a la de Nicodemo, ella actúa inmediatamente. Ha empezado a comprender el mensaje de Jesús, un mensaje que rompe las barreras del prejuicio. La mujer se acerca a Jesús para que él le revele sus obras. Esta fe en crecimiento llegará a una medida mayor cuando pueda reconocer que Jesús es el Cristo, el Mesías tan esperado (vv. 21-26).

2 Un poderoso testimonio, Juan 4:28-30.

Vv. 28, 29. La samaritana podía quedarse con Jesús para saber más acerca del "agua viva" pero no lo hace. Sencillamente deja el cántaro para que Jesús haga uso de él, y sale en busca de su gente para testificar. No tiene ningún mensaje complicado sencillamente dice lo que pasó en su vida. **V. 30.** La respuesta ante una vida cambiada es inmediata. "Ante un horizonte de salvación, todos responden" (Mateos).

3 Los resultados del testimonio, Juan 4:39-42.

Vv. 39, 40. Los samaritanos también experimentan un crecimiento en su fe. No se conforman con un conocimiento superficial de Jesús, quieren tener un encuentro muy íntimo con él, un encuentro que demanda compartir todo con el Mesías. **Vv. 41, 42.** Finalmente muchos creen, ya no por la palabra de la samaritana, sino porque ellos mismos han experimentado quién es el Mesías, un Mesías que no es de los judíos, ni de los samaritanos, es el "Salvador del mundo".

Aplicaciones del estudio

1. Una fe para compartirla. No podemos contentarnos con lo que somos y sabemos, se hace necesario que nos acerquemos a nuestra gente y podamos hablar de que hemos hallado al Mesías. No es una opción, es una responsabilidad.

2. Una fe que puede cambiar personas. La presencia de Jesús no es como el agua tranquila pero que no satisface, es como un manantial que brota, que salta para dar vida, una vida diferente, la vida eterna.

3. Cruzando fronteras. El ejemplo que nos deja Jesús es que debemos estar listos a cruzar las fronteras que se requieran, estar listos a dejar los prejuicios que sean necesarios para poder llevar el evangelio con la misma efectividad e impacto con que lo hizo Jesús.

Prueba

1. Explique en sus palabras qué es el "agua viva". _____

_____

2. Mencione algunos beneficios que usted ha tenido desde el momento en que "nació de nuevo", compártalos con alguien esta semana. _____

_____

Lecturas bíblicas para el siguiente estudio

Lunes: Juan 4:43-45   **Jueves:** Juan 5:1-9
Martes: Juan 4:46-48   **Viernes:** Juan 5:10-13
Miércoles: Juan 4:49-54   **Sábado:** Juan 5:14-18

Señales de la divinidad de Jesús

Contexto: Juan 4:43 a 5:18
Texto básico: Juan 4:46-54; 5:1-14
Versículo clave: Juan 4:48
Verdad central: Muchos de los que seguían a Jesús esperaban ver señales de su divinidad para creer en él.
Metas de enseñanza-aprendizaje: Que el alumno demuestre su: (1) conocimiento de cómo y por qué los primeros seguidores de Jesús querían ver señales de su divinidad, (2) actitud de aceptación a la divinidad de Jesús sin requerir manifestaciones espectaculares.

―――――――――――― *Estudio panorámico del contexto* ――――――――――――

Ubicación de Capernaúm. Este nombre significa "aldea de Nahúm". Los detalles que nos ofrece el NT, lo mismo que los descubrimientos arqueológicos, nos permiten ubicar a Capernaúm en un sitio preciso: cerca de la frontera, cerca de Genesaret, muy próxima al río Jordán, en la región de Galilea.

Desde el punto de vista arqueológico Capernaúm es conocida porque allí se han encontrado los restos de una inmensa sinagoga, ya que hasta el siglo IV era una colonia exclusiva de judíos. Luego de esta época se construyó allí un templo cristiano, sobre la posible casa de Pedro. Son originarios de este sector una secta, los *minim,* cristianos altamente judaizantes.

El concepto de "señales". Este es un término muy importante en el Evangelio de Juan, aparece 17 veces. De estas, 15 aparecen en la primera parte del libro, el llamado "libro de las señales". La señal "es una acción realizada por Jesús que, siendo visible, lleva de por sí el conocimiento de una realidad superior" (Mateos y Barreto). El propósito de estas señales es demostrar que Jesús es el Cristo.

Existe una relación íntima entre "señales" y "fe". Se afirma, en el cuarto Evangelio, que una fe basada en los milagros como tales, es una fe defectuosa y superficial. Jesús propone una señal por excelencia (2:19): su muerte y resurrección, las mismas que revelarán su gloria. Toda señal hecha por Jesús nos apunta a un cambio profundo: cambio de substancia, como el caso del agua en vino, o cambio a un mejor sistema de vida, como es el caso de la vida otorgada al hijo del oficial real.

El estanque de Betesda. Hay un problema textual para definir el nombre que debe ser usado: Betesda, Betsaida o Betzata. Los mejores manuscritos atestiguan que Betesda (casa de misericordia) es lo más probable. Su ubicación dentro de Jerusalén es también difícil de precisarla. Una posibilidad es la confirmada por el historiador Eusebio, quien afirma de la existencia de dos estanques gemelos; la otra ubica este estanque con sus cinco arcos en la actual capilla de Santa Ana, muy cerca del templo.

Las prohibiciones del sábado. Las prohibiciones en torno al sábado se originan en los Diez Mandamientos (Exo. 20:8-11), los mismos que toman su principio de la misma creación de Dios. La primera vez que aparece el término sábado es en Exodo 16: 21-30, antes de darse la ley, en donde es un don de Dios, jamás un día de penitencia o algo similar. Es el día de Dios por lo tanto hay que observarlo. Según Deuteronomio 5:12-15, tenemos una razón más para observar este día: recordando los actos liberadores de Dios. La razón de la severidad de penas por la "violación del sábado" es que han puesto a Dios a un lado, olvidaron que lo más importante de este día era Dios mismo, no el hombre. Los profetas dan el verdadero sentido del sábado, condenando el mal uso de él (Ose. 2:11; Isa. 56:2-4), pues se hacía énfasis en lo externo y superficial; resaltando las bendiciones en guardar el sábado de una manera auténtica (Isa. 58:13-14).

Jesús se identificó con el espíritu de las leyes acerca del sábado recordando a un Dios creador y liberador. Jesús se identificó como el "Señor de sábado" (Mar. 2:29), tomado el puesto que le correspondía como Dios. El sábado era el tiempo para hacer obras de misericordia.

───────── *Estudio del texto básico* ─────────

Lea su Biblia y responda

1. ¿Cuáles son las dos señales que Jesús ha hecho hasta el final del capítulo 4?

    a. _____ b. _____

2. ¿Quiénes creyeron después del milagro de sanidad del hijo del oficial del rey? _____

3. Luego del milagro al paralítico de Betesda, ¿en qué punto concentraron su atención los judíos? En pocas palabras exponga las razones por las que usted cree que hicieron esto. _____
_____

Lea su Biblia y piense

1 La necesidad de un padre, Juan 4:46-48.

Vv. 46, 47. Las noticias de que Jesús había hecho milagros en Jerusalén llegó a Capernaúm, en Galilea. Allí vive un representante del poder político, un oficial de Herodes Antipas. Este oficial tiene un problema serio: su hijo está a punto de morir. La comprensión que el oficial tiene de la personalidad de

Jesús es limitada, pues piensa que debe estar presente para poder realizar la sanidad, de allí su pedido a que descienda a Capernaúm. Posiblemente esperaba algún tipo de ceremonia o ritual de sanidad. El hombre necesita ayuda, pero que no sabe que Jesús está listo a brindar ayuda más allá de la necesidad del momento.

V. 48. Jesucristo va a obrar pero requiere empezar su tarea de maestro, por esto le llama la atención sobre su situación de demanda de una señal para poder creer. Es importante hacer sobresalir que Jesús usa el plural, incluyendo a todos sus oyentes en la reprensión. El Mesías se niega a hacer un acto público de alarde de poder.

2 Poder sobre la enfermedad y la distancia, Juan 4:49-54.

Vv. 49, 50. El oficial del rey, pese a la reprensión de Jesús, insiste en su petición. Su situación es desesperante. ¡Su muchacho necesita ayuda! Jesús no puede permanecer impasible. No necesita descender a Capernaúm, bastará su palabra para realizar el milagro. Frente a esta palabra el hombre reacciona con fe. Interesante que ahora ya no es descrito como "oficial", ahora es solamente un "hombre". Este "hombre" ya no necesita ver para poder creer.

Vv. 51-54. Mientras esto sucedía en Caná, en Capernaúm, en la casa del oficial del rey se daban cuenta de que el muchacho estaba vivo, por eso salen al encuentro de su amo para compartir la buena noticia. Este quiere comprobar lo que ha pasado, la fiebre se le quitó a la misma hora que Jesús dijo lo que dijo. A esa hora el muchacho recibió el don de la vida. Frente a la prueba del poder de Dios, toda su familia cree.

3 El paralítico de Betesda, Juan 5:1-9.

Vv. 1-4. Ahora Jesús está en Betesda. Allí no tendrá ninguna discusión de tipo teológico, el diálogo será más sencillo, pero no menos profundo. Las personas que están allí son las típicas representantes de Jerusalén. Los mendigos eran muchos, el ambiente se prestaba para hacer caridad, pero pocas veces se pensó en buscar verdaderas transformaciones en estas personas que son una carga para una sociedad guiada por el dios de la belleza física.

Vv. 5-9. En medio de la multitud de enfermos sobresale uno; ya ha pasado allí 38 años, ha estado viviendo su "no vida", su desesperanza. Jesús inicia el pequeño diálogo con una pregunta sencilla. Esta pregunta no va en busca de satisfacer la necesidad inmediata, la pregunta está orientada para producir una reacción en el hombre, para que surja inquietud de buscar la verdadera sanidad. El paralítico no podía depender de una ilusión popular. El hombre no se da cuenta de lo que puede tener, su respuesta es la propia de un oprimido que no sabe que hay posibilidad de una vida mejor, que puede salir aunque "nadie ayude". ¡Qué soledad la del hombre!

La sanidad que hace Jesús es integral, pues le da la capacidad de tomar decisiones por sí mismo. El puede ahora tomar su cama, el asume lo que le oprimía. No necesita consultar a los dueños de la fiesta para actuar. Pero hay un problema, es sábado...

4 Las prioridades de los religiosos, Juan 5:10-14.

Vv. 10-12. Jesús al liberar completamente al hombre se pone al margen de la religión oficial que no piensa en el hombre, sólo en el poder que ella les permite tener, el mismo poder que usan para oprimir. Lo importante no es que el hombre esté sano, sino que lleva su cama en sábado, quebrantando los mandamientos de la religión, no algún mandamiento bíblico.

Vv. 13, 14. Jesús cuando hace una obra no busca que "se la publiquen". El solamente desea que el hombre pueda caminar, sin recompensa a cambio, de allí que no se preocupa de que conozcan su nombre. Pero el relato no termina allí. El siguiente encuentro es en el templo, es el momento para pensar en las implicaciones éticas de la sanidad. Un encuentro con Jesús demanda cambio de vida, no solamente los actos religiosos externos, sino presentar una vida de arrepentimiento y fe. El mensaje de Dios libera al individuo de la esclavitud del pecado con todas las implicaciones.

─────────── *Aplicaciones del estudio* ───────────

1. Dios oye nuestras peticiones. No importa cuán complicadas o mal hechas sean nuestras peticiones, él desea que las hagamos. Dios nos escucha, pero, ¿estamos listos a que nuestras peticiones estén de acuerdo con Dios?

2. Un Dios que nos libera. Nuestro Dios desea actuar en cada faceta de la vida, y sobre todo desea quitarnos todo lazo de opresión. ¿Estamos listos para dejarnos cuestionar?

3. Vida libre de religiosidad. Los fariseos usaban la religión para someter, la usaban como la "aduana del pensamiento" (Juan Montalvo). ¿Cómo usamos nosotros la religión?

─────────────── *Prueba* ───────────────

1. ¿Qué señales de la divinidad de Jesucristo pudieron ver el oficial del rey y el paralítico de Betesda? _____

_____

2. Escriba por lo menos tres cosas, que sin ser espectaculares, en las cuales se manifiesta la divinidad de Jesucristo en su vida diaria. _____

_____

_____

Lecturas bíblicas para el siguiente estudio

Lunes: Juan 5:19-23   **Jueves:** Juan 5:31-35
Martes: Juan 5:24-27   **Viernes:** Juan 5:36-40
Miércoles: Juan 5:28-30   **Sábado:** Juan 5:41-47

La autoridad de Jesús

Contexto: Juan 5:19-47
Texto básico: Juan 5:19-40
Versículo clave: Juan 5:19
Verdad central: La relación de Jesús con el Padre es única, el Hijo no trabaja independientemente del Padre sino que recibe de él tanto la tarea como la autoridad para realizarla.

Metas de enseñanza-aprendizaje: Que el alumno demuestre su: (1) conocimiento de la manera como Jesús se somete a la dirección del Padre y recibe de él la tarea y la autoridad para realizarla, (2) actitud de confianza en la autoridad de Jesús para guiar su vida.

Estudio panorámico del contexto

Un solo Dios, ¿y Jesús? El judío de la época de Jesús era una persona que tenía muy grabada en su mente la idea de un Dios único. La enseñanza que recibía desde muy niño estaba centrada en este principio, en contraste con las enseñanzas que tenían los pueblos vecinos. Una de las partes fundamentales en su sistema educativo era el aprender el llamado "Shema Israel" (Deut. 6:4-9), cuya parte central enfatiza que Dios es UNO.

Bajo esta panorámica, era muy difícil para los judíos aceptar las palabras de Jesús que evidentemente señalaban que se identificaba con Dios. Para ellos fue sumamente claro que Jesús se atribuía igualdad completa con Dios; tenían que optar por dos caminos: lo que Jesús dijo era una blasfemia, o sencillamente era una verdad, la misma que debía ser aceptada por fe. Al aceptar que Jesús era Dios llevaba varias implicaciones. Una de las principales era que la ley dejaba de ser tan importante, dejaba de ser la mediadora entre Dios y los hombres, puesto que pasaría a ocupar Jesucristo, perdiendo así el poder de opresión sobre la gente.

Juan no encuentra ninguna contradicción entre Deuteronomio 6 con sus enseñanzas, afirmando que Jesús era "hijo de Dios" (Juan 20:30, 31), Dios mismo (Juan 1:1) o "Dios único" (Juan 1:18). La presencia de Jesús como Dios, confirma que Dios es lo que es, un Dios que es espíritu (4:24), pero que ha decidido revelarse entre los hombres como hombre.

Esta doctrina se halla resumida bajo lo que conocemos como "doctrina de la Trinidad", enseñanza que no descansa en pasaje explícito, sino que aparece a lo largo de toda la revelación bíblica. La doctrina de la Trinidad es importantísima, no sólo para la teología, sino para la experiencia y vida cristiana.

Normas para testificar. En manera figuráda Jesucristo (Juan 5:31) plantea la situación de un litigio ante los tribunales, en éste debe demostrar sus aseveraciones, para lo cual, siguiendo los principios enseñados en Deuteronomio 17:6; 19:15 y Números 35:30, afirma que para que el testimonio de una persona sea válido en la acusación de asesinato, se requiere la presencia de más de un testigo. Aunque aquí no se trata de un asesinato, sin embargo, Jesús siguiendo las costumbres de ese entonces, aplica este principio para demostrar sus argumentos y su ministerio.

--------------------- *Estudio del texto básico* ---------------------

Lea su Biblia y responda

1. ¿Cuáles son los testigos que menciona Jesucristo en los versículos 33, 36, 37 y 39?

   a. _____ b. _____ c. _____ d. _____

2. En los versículos 19-23 señale tres cosas que indican la identidad del Padre con el Hijo.

   a. _____

   b. _____

   c. _____

Lea su Biblia y piense

1 El que no honra al hijo, no honra al Padre, Juan 5:19-23.

Los judíos están acusando a Jesús de dos cosas: violación del sábado y el hacerse igual a Dios (v. 18).

Vv. 19, 20. Jesús jamás rechazó la acusación de que se hacía igual a Dios, todo lo contrario; él asumió el reto de demostrar que tenían razón en sus acusaciones, por lo tanto debían asumir las implicaciones de tal deducción. Su respuesta a la acusación va introducida por la frase *de cierto, de cierto...* para hacer sobresalir la importancia y centralidad de lo que va a decir. Su razonamiento se orienta a decir que él es diferente al Padre, pero hace lo mismo que hace el Padre, por lo tanto es una personalidad diferente, pero es Dios al mismo tiempo. La identidad de obras, entre las de Jesús y el Padre, y el hecho de que se realizaron en día sábado, llevan a la conclusión de que Jesús es Dios, pensando también que hará mucho más obras que demostrarán este punto.

V. 21. Una de las obras maravillosas que hacen en conjunto el Padre y el Hijo será la capacidad de dar vida. Esto ya lo dijo a Nicodemo al ofrecerle el nuevo nacimiento, a la samaritana al darle agua viva, o al sanar al hijo del oficial del rey, o cuando sana al paralítico de Betesda. Este don de vida es prerrogativa de Dios y no puede ser limitado por las tradiciones de los judíos.

Vv. 22, 23. La identidad entre el Padre y el Hijo no es completa, pues cada uno, siendo una personalidad diferente, ha asumido su papel en el plan de redención. El único que tiene autoridad sobre las tradiciones de los hombres es Jesús. No hay otra alternativa que seguir el camino señalado por Jesús, pues estar en contra de él es estar en contra de la voluntad del Padre, no honrarle es no honrar al Padre. "En sentido descendente, de Dios al hombre, la norma que el Padre propone es Jesús y sólo él; en sentido ascendente, del hombre a Dios, el honor tributado a Dios se identifica con el tributado a Jesús" (Mateos).

2 De la muerte a la vida, Juan 5:24-30.

V. 24. Las palabras *de cierto, de cierto...* nos hacen pensar en la importancia de las enseñanzas que vienen a continuación. La primera es el acto de "pasar" a la plenitud de vida, por lo cual ya no le afecta el juicio. Este "pasar" solamente se lo puede lograr por aceptar en fe la palabra de Jesús, que se convierte en sinónimo de aceptar a quien le envió.

Vv. 25, 26. La segunda frase introducida por *de cierto, de cierto...* enseña la relación que hay entre el poder sobre la muerte que tiene Jesús, hacia quienes oyen su voz. Nuevamente sorprende una nueva identidad entre el Padre y el Hijo, los dos tienen vida en sí mismos, vida que no ha sido otorgada por nadie, y tienen también poder para producir resurrección.

Vv. 27-30. La conclusión del hecho de que Jesús tiene vida en sí mismo, le da la capacidad de poder juzgar, así se identifica con el Hijo del Hombre, según lo que se enseña en Daniel 7. Este juicio determinará dos clases de personas, las mismas que se enfrentarán a dos clases de resurrecciones: una para vida y otra para muerte (Apoc. 20:4-6, 11-15).

Para terminar el argumento, Jesús regresa a las palabras del versículo 19. Sus obras son hechas en perfecta armonía con las obras del Padre, debido a que él, a diferencia de los fariseos, no hacía las cosas para satisfacer su sistema injusto de opresión religiosa, sino que siempre buscaba satisfacer la voluntad del Padre.

3 El testimonio acerca de Jesús, Juan 5:31-40.

Vv. 31, 32. Según la costumbre de ese entonces, y como es lógico, no se podía aceptar el testimonio de uno mismo como válido para certificar alguna declaración. Jesús se encuentra en la capacidad de presentar cuatro testigos que certificarán lo que él es.

Vv. 33-35. El primer testigo es Juan el Bautista. Este testimonio es controversial, pues los judíos llegaron a rechazar el ministerio de este hombre. También Jesús presenta este testigo en primer lugar pues su testimonio por sí mismo no es completo, pues se trata de un simple ser humano. Presenta este testimonio porque es una oportunidad de identificar el mensaje de Juan con su propio ministerio, un ministerio de salvación, que es ofrecida a los judíos.

V. 36. El segundo testigo que presenta Jesús es mayor que Juan: las obras que hace. Jesús no se limitaba a hablar, mayormente él hacía las obras que le encomendó su Padre, que producían liberación completa de los individuos.

Vv. 37, 38. Otro testigo presentado por Jesús es su Padre. Pero este testimonio es aceptado solamente cuando hay una actitud de acercamiento de fe hacia Jesucristo. Esta es la única manera de poder conocer la "apariencia" de Dios, como ya se explicó en 1:18. Los fariseos están imposibilitados de aceptar este testimonio pues la palabra de Dios no mora en ellos. El argumento que presenta Jesús es circular, la única manera de llegar al Padre es por el Hijo, por lo tanto no se puede aceptar el testimonio del Padre si no es por la vía de aceptar en fe al Hijo.

Vv. 39, 40. Finalmente, Jesús presenta a su último testigo: las Escrituras. Aunque los judíos las conocen, no pueden ver en ellas a Jesús, pues imponen el legalismo que les esclaviza. Ellos buscan la vida eterna, pero el camino que están siguiendo es errado. La única manera de aceptar el testimonio de las Escrituras es por medio del Hijo, pues ellas presentan como factor integrador la vida y ministerio de Jesús. El tropiezo que tenían los judíos, entonces, no eran los testigos que presenta Jesús, sino el rechazo que hacían de su persona.

─────────── *Aplicaciones del estudio* ───────────

1. Una vida transparente. El ministerio y vida de Jesús se constituyen en un ejemplo para nosotros en su integridad de vida. El no rehuía presentar los testigos que fueran necesarios. Nuestros actos deben ser de tal naturaleza que sean completamente transparentes.

2. Unidad de voluntades. La voluntad del creyente debe estar bajo la soberanía de Dios en todo momento y en cada circunstancia. Que nuestras palabras en cuanto a nuestra voluntad sean siempre de igual manera como Dios quiere que sean.

─────────────── *Prueba* ───────────────

1. Señale, en el pasaje estudiado, dos declaraciones de Jesús que demuestran que su voluntad siempre estaba en perfecta armonía con la del Padre.

    a. _____

    b. _____

2. Al saber que el ministerio de Jesús estaba siempre respaldado por el Padre, ¿cómo podría cambiar su vida, en relación con la confianza que debe tener hacia Jesús como Dios? _____

─────────────────────────────────────

Lecturas bíblicas para el siguiente estudio

Lunes: Juan 6:1-15
Martes: Juan 6:16-21
Miércoles: Juan 6:22-29

Jueves: Juan 6:30-40
Viernes: Juan 6:41-59
Sábado: Juan 6:60-71

Jesús, el pan de vida

Contexto: Juan 6:1-71
Texto básico: Juan 6:25-58
Versículo clave: Juan 6:35
Verdad central: Solamente Dios puede dar el verdadero pan del cielo. Al declararse Jesús como el pan de vida está señalando que él es el verdadero pan de vida porque "desciende del cielo".

Metas de enseñanza-aprendizaje: Que el alumno demuestre su: (1) conocimiento del significado de las palabras de Jesús cuando se definió a sí mismo como el pan de vida, (2) actitud de valorar el sustento espiritual que Jesús, el pan de vida, le proporciona constantemente.

─────────── *Estudio panorámico del contexto* ───────────

El maná del desierto. Ciertos datos pueden ser útiles para comprender lo que pasó en el éxodo. El maná fue la sustancia de la que vivieron los israelitas durante su peregrinaje por el desierto por 40 años. Se lo conoce como el "pan del cielo" (Exo. 16:4, Sal. 78:23, 24). Este maná debía ser recogido cada mañana, solamente la cantidad que se requería para un día, el sexto día debían recoger el doble, para no tener que recoger el día sábado. El maná es descrito de algunas formas: "una sustancia menuda, escamosa y fina como la escarcha sobre la tierra" (Exo. 16:14), "como semilla de cilantro, blanco, y su sabor era como de galletas con miel" (Exo. 16:31), "su aspecto era como el de la resina" (Núm. 11:7). Fue usado como un símbolo del cuidado de Dios para su pueblo.

Buscando una explicación lógica para su presencia, se han hecho muchas especulaciones, comparando con fenómenos que suceden en los mismos sectores donde se realizó el éxodo. Sin embargo, ningún fenómeno puede explicar a cabalidad el milagro descrito por Moisés.

El maná ha servido como instrumento pedagógico por parte de Dios, ya sea para enseñarle que debe confiar en Dios, o sencillamente como una prueba para ayudarle a crecer. Jesucristo usó el maná como punto de partida para su enseñanza simbólica de que él era el "pan que descendió del cielo".

El equivalente de 200 denarios. Es muy difícil determinar el valor de esta cantidad. Sí se puede afirmar que era el equivalente a más de medio año de trabajo de un obrero. El denario era un moneda romana que tenía la imagen del emperador, cuyo valor era el equivalente a una dracma, el jornal diario de un viñador (Mat. 20:2, 9, 13).

El mar de Tiberias. Es otra manera de llamar al mar de Galilea. El nombre se deriva de la ciudad de Tiberias, dado en honor del emperador Tiberio, fundada en el año 20 d. de J.C. Era la capital en la época de Herodes, una ciudad mayormente poblada por gentiles. Años más tarde de la época bíblica hubo una gran concentración de judíos.

Verdadera comida y verdadera bebida. Una frase que ha sido interpretada de varias maneras es: "mi carne es verdadera comida, y mi sangre es verdadera bebida" (Juan 6:55). Su correcta interpretación se puede hacer desde dos puntos de vista: el primero es que el Evangelio de Juan es un libro lleno de simbolismos, con una estructura tal que a cada señal corresponde una enseñanza espiritual más profunda. A la señal de la multiplicación de los panes y los peces, corresponde el mensaje acerca del "pan de vida", que desea enseñar la necesidad de una adhesión completa, en actitud de fe, a Jesucristo. En segundo lugar se debe considerar que la frase está en el contexto de los discursos llamados "yo soy", en donde Jesucristo desea enseñar verdades espirituales a base de comparaciones como "yo soy el buen pastor", "yo soy la puerta", "yo soy el camino", "yo soy la vid", "yo soy la resurrección", "yo soy la luz", y "yo soy el pan". A nadie se le ocurriría pensar que se trata de un asunto literal. Sin embargo, en el último "yo soy" citado, algunos grupos de cristianos interpretan literalmente, dando lugar a la doctrina de la "transubstanciación", es decir que durante la consagración de los elementos en la eucaristía, literalmente el pan y el vino se convierten en el cuerpo y la sangre de Jesucristo, cambiando su substancia. Otra enseñanza similar es la de la "consubstanciación" que afirma que el pan y el vino contienen el cuerpo y la sangre de Cristo literalmente, pero sin cambiar su substancia. No hay base para tal tipo de enseñanzas, que no sea un sistema de salvación sacramental.

──────────── *Estudio del texto básico* ────────────

Lea su Biblia y responda

1. Anote los versículos donde se menciona que Jesús es el pan de vida.

   a. _____ b. _____ c. _____

2. Resuma en sus palabras cuál es la voluntad del Padre según los vv. 39, 40.

   a. _____

   b. _____

   _____

Lea su Biblia y piense

1 Un motivo equivocado, Juan 6:25-29.
Jesús ha realizado el milagro de la multiplicación de "los panes y los pescaditos" (6:1-13), como resultado de esto la multitud desea hacerle rey, y seguirle en busca de otro milagro.

Vv. 25-27. La multitud está realmente interesada en Jesús, pero no por la señal en sí misma, como tampoco en el propósito de la señal, lo que la gente estaba buscando en Jesús es que él les provea de más alimento gratis, para satisfacer su vientre. Jesús les llama la atención por sus malas motivaciones, al mismo tiempo que les desafía para que busquen cosas de más valor que la comida perecedera.

Vv. 28, 29. Al igual que lo que le pasó con la samaritana y Nicodemo, esta multitud no comprende las palabras de Jesús, pues su comprensión se limita a satisfacer lo que ellos pensaban que la ley les demandaba para tener vida eterna: hacer obras. La respuesta de Jesús tampoco fue bien comprendida, cuando planteó la necesidad de acercarse a él mismo en actitud de fe. Ellos sencillamente tenían que aceptar por fe al Verbo hecho carne, no había lugar para las obras, la salvación es un asunto de la gracia de Dios.

2 El verdadero pan del cielo, Juan 6:30-40.

Vv. 30-33. Los judíos demandan una señal, pues no les basta lo que han visto. Esta señal debe ser tal que supere a Moisés, quien les dio "pan del cielo", mientras que Jesús solamente les había dado "pan".

Jesús comienza su respuesta con una declaración solemne. En primer lugar no fue Moisés el que les dio el pan, pues fue el mismo Dios, Moisés solamente era un instrumento de Dios. En segundo lugar, el verdadero pan sólo puede ser dado por Dios, y este pan es uno que "desciende del cielo", haciendo alusión al mensaje ya dicho en varias oportunidades: el Verbo se ha hecho carne; este verdadero pan, entonces, se trata de Jesucristo.

Vv. 34, 35. La comprensión por parte de los judíos es limitada, pues ellos piden que Jesús les dé este pan, pero no comprenden el verdadero alcance de estas palabras. Lo que él desea decirles es que él mismo es el pan de vida. En medio de un lenguaje completamente simbólico hace una invitación para apropiarse de la vida que él ofrece. El acercarse a él es lo mismo que creer en él.

Vv. 36-38. Jesús ahora sustenta su afirmación. Todo lo que ha dicho, lo cual no puede ser aceptado por la multitud, se origina en la soberanía de Dios, en su gracia para que el hombre pueda disfrutar del pan de vida. El llegar a comprender lo que quiere decir es solamente posible por la gracia de Dios. Tal es así que existe perfecta armonía entre lo que hace el Hijo y lo que hace el Padre. Las voluntades de los dos son exactamente iguales.

Vv. 39, 40. La voluntad de Dios se presenta en dos maneras: en la protección que Jesús ofrece a quienes el Padre le ha dado, y en que quien mira al Hijo con fe, tiene vida eterna. Las dos afirmaciones terminan diciendo que Jesús tiene poder sobre la muerte, resucitando en el día final a quienes creen en él.

3 El pan que da vida eterna, Juan 6:41-58.

Vv. 41-46. Frente a las declaraciones de Jesús la gente reacciona murmurando, pues hay cosas que no pueden comprender. No entienden cómo pudo decir que él es el pan que descendió de cielo, como tampoco cómo se aplicaban a él estas palabras, pues conocían a su familia.

Jesús interviene para cortar las murmuraciones. Su explicación sobre la sorpresa de los judíos es que todo se basa en la soberanía de Dios. A pesar de esto, es el hombre el que tiene que responder a esa gracia. Este acercamiento es siempre limitado, pues nunca se podrá conocer la totalidad de lo que él es. El único que puede ver al Padre es el Hijo. **Vv. 47-51.** Hay que creer en Jesús para tener vida eterna, pues él es el pan de vida. Un nuevo elemento se introduce en esta parte del discurso de Jesús: hay que comer su carne. Este simbolismo indica la necesidad de tener una relación íntima y profunda con el Hijo, el Hijo que ha dado su vida por nosotros en el Calvario. No solamente es un pan dado a los judíos sino es un pan dado a todo el mundo. **Vv. 52-58.** Las palabras de Jesús no se podían entender en forma literal. La figura se relaciona con el acto de comer, en donde hay una identificación completa entre la persona que come y el objeto que es comido. No es un simple creer por los milagros que han visto, es depositar toda la vida en actitud de confianza en que Jesús es el Señor. Es una apropiación y comunión completa y mutua entre el individuo y Jesús (v. 56). El comer su carne y beber su sangre, es lo mismo que creer, resultando de esto el tener vida eterna.

Aplicaciones del estudio

1. Una relación verdadera. La relación con Jesús no puede ser basada en asuntos superficiales, como recibir algún beneficio temporal; debe fundamentarse en la gracia de Dios, de tal manera que nada se debe a nuestro mérito o esfuerzo.

2. Seguridad de la salvación dada por Dios. La salvación no es un acto que puede realizar el hombre. Siendo que es un acto completamente de Dios, enraizado en su soberanía, nuestra salvación es segura y eterna.

Prueba

1. Explique en pocas palabras qué significa para usted el término "pan de vida". _____

2. Una de las cosas que hemos aprendido ahora es que la voluntad de Dios es que Jesús nos cuida, ¿puede mencionar por lo menos una oportunidad en esta semana en la que sintió que Jesús le estaba cuidando? _____

Lecturas bíblicas para el siguiente estudio

Lunes: Juan 7:1-8   **Jueves:** Juan 7:25-32
Martes: Juan 7:9-19   **Viernes:** Juan 7:33-44
Miércoles: Juan 7:20-24   **Sábado:** Juan 7:45-52

Jesús enfrenta la oposición

Contexto: Juan 7:1-52
Texto básico: Juan 7:25-52
Versículo clave: Juan 7:30
Verdad central: Jesús enfrentó abierta oposición en el desempeño de su ministerio y, sin embargo, siguió adelante con la firme determinación de cumplir su obra de redención.

Metas de enseñanza-aprendizaje: Que el alumno demuestre su: (1) conocimiento de algunas de las manifestaciones de oposición que Jesús enfrentó durante su ministerio, (2) actitud de imitar la disposición de Jesús de seguir adelante a pesar de la oposición.

―――――――――― *Estudio panorámico del contexto* ――――――――――

La fiesta de los Tabernáculos. A esta fiesta se la llama también fiesta de las cabañas o de la siega. Era una de las tres fiestas más importantes de los judíos, a la que debían habitar en cabañas. Se celebraba por siete días como recuerdo del tiempo que Israel anduvo por el desierto.

Hermanos de Jesús. La Biblia nos dice en más de una oportunidad que Jesús sí tuvo hermanos (Mar. 3:31, 6:3). No hay ninguna doctrina bíblica que exija que María no haya tenido un hogar normal, lo que incluye haber tenido más hijos. Este asunto es muy discutido por aquellos que insisten en forzar la enseññza de que María no podía tener más hijos por el simple hecho de haber sido el vaso escogido para el nacimiento de Jesús.

La esperanza de un Cristo distinto a Jesús. Durante su época Jesús se debió enfrentar a la incomprensión de la gente que no tenía una idea integral de cómo debía ser el Mesías. Cada uno sobredimensionaba un elemento, por ejemplo su liderazgo político, su grandeza, su apego literal a la ley, etc. Se descuidaban otros elementos como por ejemplo: su muerte expiatoria, su humildad, la interpretación del espíritu de la ley, etc. La gente no podía conciliar todo esto en la persona de Jesús.

Jesús y Belén. La Biblia es clara al afirmar que el Mesías debía nacer en Belén (Miq. 5:2; Mat. 2:1, 5, 6). El problema que existía era que mucha gente pensaba que Jesús había nacido en Galilea (Mat. 2:23).

La familia de Jesús. Los hermanos de Jesús, al igual que el resto de judíos, no creían en él. Ellos pensaban que el Mesías debía manifestarse en Jerusalén, el centro religioso. Jesús había realizado la mayoría de milagros en Galilea, y su familia deseaba que hiciera estas señales en Jerusalén, posiblemente así pasaría la prueba y se le reconocería como el Mesías.

El tiempo de Dios y el tiempo de los hombres, 7:6-8. Nadie puede apresurar a Dios, ni los familiares de Jesús. Dios actúa en su tiempo y en su lugar. Sus hermanos no debían preocuparse de lo que les pasaría, pues ellos estaban identificados con el mundo, al cual Jesús estaba criticando.

Jesús causa de controversia, 7:9-13. Jesús, como todo judío, debía acudir a la fiesta, pero se manifestará cuando él quiera. En este pasaje, a pesar de que él no se hallaba presente su vida y la obra que estaba desarrollando causaba controversia entre la gente del pueblo. Unos opinan bien de él, mientras otros eran negativos. La presencia de Jesús siempre causa controversia.

Jesús habla abiertamente, 7:14-24. En medio de la fiesta Jesús empieza a hablar, esto causa interrogantes debido a que sin tener preparación rabínica sus palabras son muy sabias, ignorando los judíos de la relación que él tiene con su Padre. Esta relación le permite hacer una serie de denuncias contra los judíos, quienes para salir del paso le acusan de endemoniado.

¿Es Jesús el Cristo?, 7:25-44. La pregunta sigue siendo válida. Cada uno debe responderla. Unos responderán afirmativamente (vv. 31, 40, 41) otros no, y otros querrán imponerse por la fuerza (v. 32).

Las autoridades se oponen a Jesús, 7:45-52. La oposición a Jesús no responde a argumentos bien elaborados, sino que solamente es respuesta de sus intereses y deseos malsanos.

─────────── *Estudio del texto básico* ───────────

Lea su Biblia y responda

1. ¿Cuál es la relación entre Jesús y "el que me envió", según los vv. 28, 29 y 34? a. _____ b. _____

2. Según los judíos, ¿de dónde debería ser el Cristo? (vv. 27, 41, 42).

  a. _____ b. _____ c. _____

3. ¿Por qué razón no tomaron preso a Jesús? (vv. 30, 44-46).

  a. _____ b. _____

Lea su Biblia y piense

1 Controversia acerca de Jesús, Juan 7:25-34.

Vv. 25-27. La presencia de Jesús causa controversia entre la gente. Algunos reconocen que las autoridades le querían matar. A pesar del peligro, Jesús se halla predicando abiertamente; debido a esto piensan que los líderes le han reconocido como el Cristo. Por otro lado la religiosidad popular les hace decir que la aparición del Mesías sería un tanto mágica.

Vv. 28, 29. Las palabras de Jesús son dichas con ironía, pues evidentemente el pueblo nada sabía de Jesús, pues no sabían en donde había nacido. Pero ser el Mesías era mucho más que eso, Jesús era el Mesías porque venía del Padre, al cual el pueblo no conoce. El único que le conoce es Jesús, pues hay identidad entre los dos.

Vv. 30, 31. La gente se divide frente a las palabras de Jesús, unos creen por las señales, pero otros se sienten atacados, queriendo prenderle sin lograrlo. Juan hace notar que Jesús es el que tiene control de la situación, sólo le tomarán preso cuando él lo disponga.

Vv. 32-34. Las autoridades se enteran de los conflictos que causa la presencia de Jesús, el pueblo se halla dividido en criterios. Quienes tienen el poder deciden unirse para ordenar la prisión de Jesús. El responde con tranquilidad a la situación, aprovechando la situación para indicar que no existe posibilidad de disfrutar de la presencia del Padre si es que no se acepta a Jesús como su enviado. Los planes de los judíos no se llevarán a cabo pues Dios es el que controla.

2 Disensiones a causa de Jesús, Juan 7:35-44.

Vv. 35, 36. Los críticos de Jesús dan una interpretación literal a sus palabras, olvidando lo más importante que les quería enseñar: su incredulidad les privará de poder estar con el Mesías. Estas palabras de burla tendrán su cumplimiento más tarde cuando ciertos griegos busquen a Jesús, y cuando la Iglesia cumpla su tarea misionera entre los judíos de la dispersión y los mismos griegos en todo el imperio.

Vv. 37-39. Finalizando la fiesta Jesús se ve impelido a hablar nuevamente. Como se ha mencionado, durante la fiesta se derramaba agua en la base del altar, recordando las bendiciones que Dios da por medio de la lluvia, y apuntando a la era Mesiánica (Isa. 12:3). La costumbre era que en el último día no se derramara agua, así que Jesús toma esta parte para ofrecer un agua de mejor valor, pues no solamente será beneficiado quien se acerque, sino que podrá ser de bendición para el resto de las personas. Estas palabras sencillamente querían hacer mención a la presencia del Espíritu Santo quien brotará de cada creyente para beneficio de otros, después de la ascensión, a partir del Pentecostés.

Vv. 40-44. Las preguntas en torno a Jesús son cada vez mayores, preguntas válidas si son hechas con sinceridad y deseo de llegar a la verdad. La gente había concluido que Jesús era el Profeta, otros que era el Cristo y otros siguen con dudas pues aparentemente no se cumplía toda la enseñanza bíblica en Jesús, por lo cual desean tomarlo preso.

3 Oposición de las autoridades, Juan 7:45-52.

Vv. 45, 46. El deseo de la multitud de tomarlo preso ahora tiene respaldo oficial del Sanedrín. Los integrantes de este tribunal esperan que los oficiales regresen con Jesús de prisionero. Su sorpresa es grande cuando regresan con las manos vacías, además de dar una respuesta que causa más problemas: los oficiales estaban impresionados por las palabras de Jesús.

Vv. 47-49. Ya no hay argumentos, la única manera que les queda es la acusación de ignorancia de aquellos que piensan diferente. Les niegan la capacidad de tener criterio propio, creyéndose ellos los únicos capaces de discernir. **Vv. 50-52.** El problema es aun mayor cuando un integrante del grupo de autoridades presenta ciertos argumentos que van en busca de hacer justicia. Nicodemo presenta dos clases de argumentos: de tipo legal y de tipo lógico, pues no se puede enjuiciar a alguien a quien no se le da la oportunidad de defenderse, y peor si no se entiende lo que dice.

Quienes ignoran la ley no son las multitudes, sino las autoridades. A falta de argumentos, y para tapar su ignorancia se usa la ironía mal intencionada y los prejuicios contra la gente que tiene un origen diferente al de ellos. No hay otra manera de oponerse a Jesús.

Aplicaciones del estudio

1. **Necesidad de controversia.** Cuando una persona vive y predica de acuerdo a los valores del mundo circundante, no tiene oposición; pero cuando vive y predica los valores del reino de Dios, la controversia es inevitable. Se requiere saber lo que dicen las Escrituras para poder argumentar con bases firmes.

2. **Saber todo el consejo de Dios.** Se requiere que sepamos cada cosa que la Biblia dice sobre determinado punto, para no caer en los mismos errores que cayeron los judíos en cuanto al Mesías que estaban esperando.

3. **Una invitación para ser bendición para otros.** En no pocas oportunidades pensamos en forma un tanto egoísta, pues creemos que el propósito de acercarnos a él es sólo para que disfrutemos de su presencia. Sí, Dios no ha llamado para eso, pero también él desea que nos acerquemos a él para ser sus instrumentos y poder compartir con otros el agua que él nos dio.

Prueba

1. Mencione por lo menos tres maneras de cómo los judíos pretendieron oponerse a Jesús. a. _____

b. _____ c._____

2. Enumere dos maneras cómo Jesús confrontó a la oposición de los judíos.

a. _____

b._____

Lecturas bíblicas para el siguiente estudio

Lunes: Juan 8:1-11   **Jueves:** Juan 8:31-38
Martes: Juan 8:12-20   **Viernes:** Juan 8:39-47
Miércoles: Juan 8:21-30   **Sábado:** Juan 8:48-59

Jesús testifica de sí mismo

Contexto: Juan 8:1-59
Texto básico: Juan 8:12-30
Versículo clave: Juan 8:14
Verdad central: Según la ley antigua, un testimonio no era válido si no procedía de dos o tres personas. Jesús, al dar testimonio de sí mismo, declaró que su testimonio era válido puesto que el Padre también testificaba de él.
Metas de enseñanza-aprendizaje: Que el alumno demuestre su: (1) conocimiento del testimonio que daba Jesús de sí mismo, (2) actitud de testificar de lo que Cristo ha hecho en su vida.

─────────── *Estudio panorámico del contexto* ───────────

Leyes sobre el adulterio. La ley sobre la cual el adulterio es visto, a lo largo de toda la Biblia, se halla en los Diez Mandamientos (Exo. 20:14). Su propósito es guardar la santidad del matrimonio y la correcta relación con Dios. Detalles sobre las leyes contra el adulterio se hallan en Levítico 18:20; 20:10 y Deuteronomio 22:22. La pena para aquel que es sorprendido en adulterio es la muerte, sin especificarse el cómo. La lapidación se aplica a otras situaciones precisas (Deut. 22:23). La tradición indicaba que la muerte se la debía hacer por lapidación, y a veces por estrangulación. Cuando no había testigos, al sospechoso se le sometía a una prueba especial (Núm. 5:11-31).

La demonología y los judíos. Hay pocas referencia directas sobre los demonios en el AT. En cada pasaje la idea que hay es que los ídolos a quienes los judíos servían eran demonios, no dioses. En la literatura rabínica hay varias menciones directas sobre los demonios, y se desarrolló una demonología bastante detallada. El príncipe de ellos era Belial. Se les atribuían ciertas características humanas como la reproducción. Son usados por Dios para castigar al hombre y producir ciertas calamidades, enfermedades, las guerras, etc. Para protegerse de los demonios usaban una serie de conjuros, así se desarrolló todo un sistema de exorcismos, usando en no pocas oportunidades porciones de la Biblia, como si tuvieran cierto poder mágico.

La mujer sorprendida en adulterio, 8:1-11. Lo relatado en estos versículos son una especie de paréntesis a lo que se ha estado relatando en el Evangelio. La enseñanza fundamental que se presenta es que Jesús es alguien que está listo a perdonar, al mismo tiempo que hace un llamado para hacerse un examen a fondo antes de ejercer algún tipo de juicio condenatorio.

La falta de comprensión acerca del Padre, 8:19-30. La controversia que se presenta entre Jesús y sus adversarios es cada vez mayor. El punto ahora es que los judíos no pueden aceptar su mensaje y su misión como enviado, porque no pueden comprender quién es verdaderamente el Padre. Debido a que el Padre y él guardan una completa identidad, Jesús nunca queda solo, y siempre hace lo que le agrada al Padre.

Los verdaderos hijos de Dios, 8:39-47. Cuando uno es hijo de Dios implica que hace las obras de su Padre, de igual manera el hijo de Abraham debe hacer las obras que hizo él. Quien es hijo de Dios, entonces, debe amar a Jesús y oír su palabra, en caso de no hacerlo se debe a que es hijo del diablo quien ama la mentira, y no sigue el camino de la verdad.

Cristo y Abraham, 8:48-59. Frente al insulto de parte de los judíos, Jesús ofrece un mensaje de esperanza, el mismo que sigue la línea de la vida de Abraham, quien siempre apuntó al Mesías. Pero Jesús es mucho más importante que Abraham, pues éste era solamente un instrumento de Dios, un instrumento de Jesús.

──────────── *Estudio del texto básico* ────────────

Lea su Biblia y responda

1. Según este pasaje, ¿quiénes dan testimonio de Jesús?

   a._____ b. _____

2. ¿Cuál es el requisito, según el versículo 24, para no morir en nuestros pecados? _____

3. Haga dos columnas con los contrastes que se mencionan en el v. 23.

   JUDIOS   JESUS

   _____   _____

   _____   _____

Lea su Biblia y piense

1 El testimonio verdadero, Juan 8:12-18.
Vv. 12, 13. Jesús se presenta en forma majestuosa con un "Yo soy...", declaración que nos hace pensar en la presencia y autoridad de Dios. El es la luz del mundo, por lo tanto, hace un llamado a los hombres, a todo el mundo, para que no anden en tinieblas y puedan disfrutar de la luz de la vida. El demanda una actitud de obediencia y confianza, en un camino en el cual él es el guiador. Los judíos pretenden invalidar las palabras de Jesús apelando a las costumbres de la ley, pues no hay nada determinado en un caso específico como el presente.

V. 14. Ahora Jesús no refuta el argumento de los judíos con argumentos de tipo legal, sino que procede a explicar que sus palabras son verdaderas por lo que él mismo es. Sabe de dónde vino y a dónde va, cosa que los judíos pretendían saber, pero estaban completamente equivocados; por esto el argumento de ellos no es válido. **Vv. 15, 16.** El argumento de los judíos tampoco es válido pues se sustenta en argumentos de la carne, es decir, en asuntos externos y no de fondo. Los juicios que hace Jesús no son superficiales, sino que van a la raíz, de allí que son verdaderos. Esta certeza se origina en el hecho de que Jesús no está solo, sino que se encuentra con el Padre. Su testimonio es verdadero porque no es de hombre sino de Dios mismo. **Vv. 17, 18.** Finalmente, el testimonio de Jesús es válido porque las personas que dan testimonio de él son confiables, que era un requisito que debía tener el testigo. Los mejores testigos que Jesús presenta son el Padre y el Hijo.

2 Los de abajo, Juan 8:19-24.

Vv. 19, 20. Los judíos no habían entendido las palabras de Jesús y siguen pensando en superficialidades. No podían ver al Padre, y esto es lógico, pues quien no puede conocer a Jesús es porque no puede conocer al Padre. Estas palabras eran suficientes para ser tomado preso por las autoridades, pero no sucede así. Dios, quien tiene el control de todo y es el único soberano, no había determinado que éste fuera el final del ministerio terrenal de Jesús.

Vv. 21, 22. Las palabras de Jesús son cada vez más directas, pero los judíos cada vez son más duros para entender. Para Jesús es necesario describir la situación en la que se hallaban los judíos: estaban muertos en sus pecados. Por esta situación ellos no podrían gozar de la luz que Jesús les ofrece. La reacción de los judíos, una vez más, no es con argumentos ni razones, ellos se limitan a la burla, que denota su ignorancia y situación de alejamiento de Dios.

Vv. 23, 24. El Maestro retoma las palabras del versículo 21, él desea explicar a los judíos las razones de su situación y el por qué le rechazan: esto es debido a que pertenecen al mundo y sus valores, expresado con las palabras "de abajo". Esta situación les hace permanecer muertos en sus pecados, perteneciendo a los dominios de Satanás. Las palabras de Jesús no terminan en desesperación y crítica, él hace una invitación amorosa para creer en él. Sin esta actitud y compromiso de vida no es posible dejar de estar muertos en los pecados, sólo si se da este paso es posible disfrutar de su compañía eterna.

3 Muchos creyeron en él, Juan 8:25-30.

Vv. 25-27. Parece que el diálogo de Jesús con los judíos no llegará a buen término. Los judíos no habían entendido nada de lo que se les dijo, o tal vez no querían entender. La pregunta del versículo 25 puede describir su incomprensión total, o sencillamente el deseo de hacer quedar en ridículo a Jesús por medio de la burla. La respuesta de Jesús es la insistencia en el mismo argumento: él viene del Padre, por lo tanto sus palabras son verdad, pues transmite solamente lo que ha oído del Padre. Su misión es revelar al Padre.

Vv. 28, 29. La comprensión de esta misión sólo se podrá entender desde la perspectiva de la cruz. Sólo cuando él sea crucificado, es decir, cuando acontezca todo el evento redentor, se podrá comprender lo que quería decir con sus "yo soy", y también su identidad con el Padre. **V. 30.** Al finalizar el pasaje se nota que no todo fue en vano, algunas personas creyeron en él. Este creer en él, evidentemente no era un fe madura, posiblemente era algo limitado a la esfera de la intelectualidad. Esto se pudo ver pues en poco tiempo muchos de los que "creyeron" le despreciaron verbalmente (v. 33), y posiblemente otros llegaron al intento de quitarle la vida (v. 59).

Aplicaciones del estudio

1. Saber lo que somos. Los creyentes, siguiendo el ejemplo de Jesús, debemos tener plena conciencia de cuál es nuestra tarea aquí en la tierra, cuáles son nuestras metas, y cómo podremos presentar un mensaje claro de las verdades del evangelio.

2. ¿De dónde fuimos rescatados? Dios nos ha rescatado de la muerte, pues nuestra dependencia de los valores del mundo, de lo de "abajo", nos impedía ver la gracia salvadora de Jesús. Pero por esta misma gracia, ahora podemos disfrutar de las bendiciones que trae el caminar guiados por la luz.

3. ¿Sólo para nosotros? Al ser rescatados de allí, Dios nos ha dado una serie de responsabilidades. Una de ellas es no quedarnos contentos, como lo habían hecho los judíos al sentirse orgullosos por ser descendientes de Abraham, sino que debemos estar prontos para compartir con otras personas la luz que Jesús nos ha dado. Estas personas se hallan muertas en sus pecados, como nosotros estábamos antes. Animémonos para compartir con otros.

Prueba

1. Describa en sus palabras cómo presentó Jesús su testimonio frente a los judíos, haga notar los testigos que él usó. _____

_____

_____

2. Escriba el nombre de dos personas a quienes usted, en esta semana, se compromete a participar de las verdades del evangelio. Luego comprométase a orar por ellas y por el tiempo que podrán estar juntos.

(1) _____ (2) _____

Lecturas bíblicas para el siguiente estudio

Lunes: Juan 9:1-12   **Jueves:** Juan 9:30-34
Martes: Juan 9:13-25   **Viernes:** Juan 9:35-38
Miércoles: Juan 9:26-29   **Sábado:** Juan 9:39-41

Jesús causa controversia

Contexto: Juan 9:1-41
Texto básico: Juan 9:1-7, 13-17, 24-38
Versículo clave: Juan 9:39
Verdad central: La ocasión cuando Jesús sanó al hombre ciego de nacimiento, causó controversia entre los líderes religiosos que estaban más interesados en observar la ley del día sábado que en el bienestar de una persona.

Metas de enseñanza-aprendizaje: Que el alumno demuestre su: (1) conocimiento de la controversia que Jesús causó por obrar un milagro de sanidad en el día sábado, (2) actitud de valorizar a las personas y atender sus necesidades en forma inmediata.

─────── *Estudio panorámico del contexto* ───────

Algunos ejemplos de la exageración del sábado. Los fariseos fueron un grupo de religiosos contemporáneos a Jesús quienes pretendían ser seguidores a pie juntillas de la ley. Para conseguir este objetivo habían creado una serie de leyes complementarias a las presentadas en el AT. En estas leyes encontramos una serie de exageraciones, como por ejemplo, la prohibición de que una mujer se vea en un espejo el día sábado, pues había la posibilidad de que se encuentre una cana, que podría ser arrancada, lo que sería un trabajo, violando la ley del sábado. Se prohibía usar alguna herramienta para rescatar a un hombre accidentado. Se podía tragar vinagre como remedio, pero se prohibía hacer gárgaras.

¿Es la enfermedad un resultado del pecado? No todas las enfermedades son producto del pecado. Algunas son consecuencia de una vida pecaminosa. Otras tienen como propósito disciplinar al hombre, con diferentes fines. Otras son para demostrar el poder de Dios. Las enfermedades están dentro de la soberanía de Dios, quien las usará con diferentes propósitos.

El estanque de Siloé. Era parte del sistema de provisión de agua para Jerusalén, y en algunos sectores de su sistema de canales es un ejemplo de la habilidad de la ingeniería de ese entonces. Es usado como símbolo de las bendiciones de Dios para su pueblo.

Motivos para expulsar de la sinagoga. No se conocen las razones, pero éstas eran discutidas por cada sinagoga local. Se han tipificado las sanciones, por ejemplo, se expulsaba por menos de una semana, o por treinta días, y para casos graves se expulsaba definitivamente, a lo que muchas veces se llamaba maldición. Significaba la expulsión del pueblo y el no poder participar en ninguna actividad comunitaria.

El testimonio del ex ciego, 9:8-12. Tampoco podemos entender la manera cómo Dios decide actuar, como le sucedió al ciego. El sólo pudo relatar que Dios lo sanó, nada más.

Los fariseos interrogan al sanado, 9:13-17. Jesús obra, en muchas oportunidades, rompiendo las tradiciones de los religiosos que se han colocado sobre las necesidades del ser humano. Esto provoca dos reacciones: unos se oponen y otros creen.

Los fariseos interrogan a los padres del sanado, 9:18-23. Algunas personas deciden no dar testimonio por miedo a las presiones a que son sometidas. Cada una dará cuenta de las oportunidades que ha tenido para testificar.

Segundo interrogatorio al sanado, 9:24-34. Se buscan argumentos para acusar a Jesús, pero el ciego permanece firme en su testimonio, y crece en su argumentación. Los religiosos solamente quedan con el recurso de la expulsión.

El ciego sanado cree en Jesús, 9:35-41. El ciego ha llegado al convencimiento de que Jesús es el Hijo del Hombre, y puede realizar una adoración consciente e inteligente.

—————————— *Estudio del texto básico* ——————————

Lea su Biblia y responda

1. Ponga en sus palabras las respuestas que da el ciego a los fariseos en los diferentes interrogatorios, y note el progreso que existe en ellas.

   a. (V. 15) _____

   b. (V. 17) _____

   c. (V. 25) _____

   d. (Vv. 30-33) _____

2. ¿Cuál es la razón por la que Jesús es acusado al realizar el milagro de sanidad? _____

   _____

Lea su Biblia y piense

1 Un hombre ciego recibe la vista, Juan 9:1-7.

Vv. 1, 2. La ceguera de nacimiento era muy común. Los ciegos se dedicaban a pedir limosna. De este milagro los fariseos hacen un caso teológico. La pregunta que se le hace a Jesús revela los conceptos que tenían los judíos: algunos creían que toda enfermedad era producto del pecado, otros que el ciego de nacimiento pudo haber pecado cuando estaba en el vientre de su madre, y otros creían en la reencarnación.

Vv. 3-5. La afirmación de Jesús es radical, no toda enfermedad es producto del pecado, él puede ver en todo la mano de Dios, y un plan perfectamente trazado con sus propósitos determinados. Frente a esta situación, Dios no permanece insensible, sino que participa del dolor del prójimo. Este milagro que realizará tiene otros propósitos, hay una enseñanza atrás del acto de misericordia: Jesús desea enseñar que es la luz del mundo, tema que ya había tratado en el 8:12. La sanidad del ciego es una demostración de su mesiazgo.

Vv. 6, 7. La forma cómo Jesús hace su milagro ha traído algunas interpretaciones, lo cierto es que el Maestro sana cada vez de una manera diferente, siempre de acuerdo con su voluntad. La orden para ir a Siloé está cargada de significados, pues este lugar era usado en el AT como símbolo de las bendiciones de Dios para su pueblo. El encuentro con Jesús produce la oportunidad de disfrutar de la luz.

2 Testimonio del hombre sanado, Juan 9:13-17.

Vv. 13, 14. Los fariseos interpretan el milagro desde su perspectiva, una perspectiva llena de prejuicios religiosos, los mismos que hacen poner a las leyes de los ancianos sobre las personas, contrariando la voluntad de Dios. Esta estructura de pensamiento les conduce a afirmar que Jesús tiene pecado, pues ha violado sus preceptos sobre el sábado. Luego Dios no está con Jesús, y se hace necesario saber en el poder de quién hace Jesús este milagro.

Vv. 15, 16. Las palabras del hombre son ahora más cortas, frente al interrogatorio que le hacen los fariseos, posiblemente estaba atemorizado. Los fariseos pretenden que haya alguna acusación más concreta contra Jesús, partiendo de que es un pecador por haber violado el sábado. Nuevamente los prejuicios religiosos les hacen ver de una manera diferente la intervención de Jesús.

V. 17. Las palabras del exciego, frente a la interrogatorio de los fariseos es tajante: Jesús es un profeta, lo cual demuestra que el hombre había empezado a comprender lo que le había pasado, y estaba viendo la luz que Jesús pretendía que viese.

3 Un nuevo interrogatorio, Juan 9:24-34.

Vv. 24, 25. Los fariseos han fracasado con los padres, no han sacado ninguna nueva acusación, por esto acuden nuevamente al ex ciego. Ahora apelan al sentir religioso, ya no a falsas premisas lógicas. La respuesta del sanado es que no sabe muchos detalles, pero sabe que ahora es diferente.

Vv. 26-29. El siguiente paso en la controversia que se ha producido por las obras de misericordia que hace Jesús es la presión para buscar algún tipo de contradicción. La respuesta del sanado lleva algo de ironía, que produce una reacción violenta por parte de los fariseos. Un simple hombre que pide caridad estaba haciendo quedar en ridículo a los conocedores de la ley. Estos no podían ser seguidores de Jesús, sino que eran seguidores del Moisés que habían construido. Ahora están más ciegos que antes, la religiosidad no les permite ver el mensaje y la realidad de la vida cambiada del que fue ciego.

Vv. 30-34. El ex ciego puede ahora confrontar a los fariseos, puede explicar con más claridad lo que le ha pasado. El interrogado ahora es interrogador. Su razonamiento es similar al de los fariseos, llegando a una conclusión inversa: Jesús procede de Dios, por lo tanto puede hacer el milagro que hizo. Lo que les queda a los fariseos es el insulto, y la protección en los esquemas del poder. La salida que les queda es la expulsión de la comunión de Israel.

4 El ciego sanado cree en Jesús, Juan 9:35-38.

V. 35. Jesús acude en busca del hombre, él ahora puede ver la luz que Jesús le dio, por lo tanto está en la posibilidad de seguir al Maestro.

Vv. 36, 37. El ex ciego puede ahora relacionar el milagro que recibió con la persona que hizo el milagro: el Hijo del Hombre, aquel personaje imponente presentado en el AT y que según la promesa irrumpiría entre su pueblo, pero que ahora se ha encarnado; es la presencia del Mesías.

V. 38. La respuesta del ex ciego es una respuesta madura, razonada, que le conducirá a una adoración en espíritu y verdad.

─────────── *Aplicaciones del estudio* ───────────

1. Necesidad de controversia. En la mayoría de casos, especialmente cuando el mensaje va en contra de las tradiciones, se producirá controversia. Esta será saludable en la medida que nos ayude a afirmar los principios en los que creemos.

2. Personas o instituciones religiosas. En no pocas oportunidades el mensaje liberador de Jesús nos pondrá entre dos lealtades: la institución y las personas. Jesús optó por las personas, lo que le trajo dificultades, pero no tenía otra opción si deseaba ser fiel a su misión. Sigamos el ejemplo de Jesús.

───────────────── *Prueba* ─────────────────

1. ¿Cómo puede expresar el tipo de oposición que recibió Jesús por hacer un milagro el día sábado? _____

_____

2. Enumere tres eventos en los cuales usted se puede hallar en la disyuntiva de servir a los reglamentos o servir a las personas. ¿Qué escogería?

_____

_____

Lecturas bíblicas para el siguiente estudio

Lunes: Juan 10:1-5   **Jueves:** Juan 10:22-30
Martes: Juan 10:6-18   **Viernes:** Juan 10:31-38
Miércoles: Juan 10:19-21 **Sábado:** Juan 10:39-42

Jesús es el Cristo

Contexto: Juan 10:1-42
Texto básico: Juan 10:22-42
Versículos clave: Juan 10:24, 25
Verdad central: Jesús declaró abiertamente que él era el Cristo, el Hijo de Dios, por lo cual los judíos le rechazaron.

Metas de enseñanza-aprendizaje: Que el alumno demuestre su: (1) conocimiento de la ocasión cuando Jesús declaró abiertamente que él era el Cristo, (2) actitud de compartir con otros la verdad central del cristianismo: Jesús es el Hijo de Dios que vino al mundo para salvarnos de nuestros pecados.

─────── *Estudio panorámico del contexto* ───────

Costumbres de los pastores. Las ovejas eran guardadas en rediles o en cuevas. Para que se facilitara el cuidado se reunían varios rebaños, que se dejaban al cuidado de un portero, quien dormía en la puerta del redil o cueva. De esta manera impedía que algún ladrón entrara a robarse las ovejas. Los pastores cada mañana acudían al redil común, y llamaban a las ovejas por su nombre, las mismas que le seguían, pues el pastor iba adelante de todas ellas.

La fiesta de la Dedicación. En esta fiesta se recordaba la purificación que hizo del templo Judas Macabeo en el año 164 a. de J.C. Esta purificación fue necesaria debido a que Antíoco Epífanes profanó el santuario al sacrificar un cerdo en el altar. Era una fiesta muy alegre que se llamaba también fiesta de las Luces, debido a la cantidad de antorchas que se prendían durante la celebración.

La lapidación como método de juicio. Según la Biblia la lapidación se aplica a: los adivinos (Lev. 20:27), los blasfemos (Lev. 24:16), los idólatras (Deut. 17:2-5) o los violadores del sábado (Núm. 15:35). Se nota que se trata de "delitos teológicos". La ejecución se realizaba fuera de la ciudad, en donde el testigo debía arrojar la primera piedra.

El verdadero pastor, 10:1-5. Las enseñanzas de Jesús eran tomadas de la vida diaria, la imagen del pastor con sus ovejas era bastante común. Por medio de esta comparación enseña lo que es el verdadero pastor en contraste con el ladrón. El primero entra por la puerta, el portero le abre, llama a las ovejas por nombre y ellas le siguen, yendo él por delante.

La puerta de las ovejas, 10:6-15. Jesús va más al fondo al identificarse como "la puerta". Esto significaba que él era el portero que cuida con su vida la entrada y la salida del redil. También él es el Buen Pastor, quien está listo a ofrecer su vida por las ovejas, y quien guarda una relación muy especial con cada oveja. La cruz está siempre en el horizonte de las enseñanzas de Jesús. *Las otras ovejas, 10:16-21.* Las enseñanzas de Jesús van ahora más allá de la cruz, apuntan hacia la formación de la iglesia, un cuerpo formado por personas de Israel, pero también por personas de entre los gentiles. Esto se hace porque Jesús está en control de todo. Cada uno deberá decidir sí acepta estas verdades o no. *Las ovejas que no son del redil de Jesús, 10:22-26.* Jesús ha enseñado con toda la claridad posible, pero el problema no está en la metodología, sino en los judíos que por no ser del redil de Jesús no pueden entender. *Los beneficios de ser ovejas de Jesús, 10:27-30.* Las ovejas de Jesús tienen la ventaja de ser poseedoras de la vida, y no podrán ser arrebatadas por nadie. esto descansa en la unidad que existe entre el Padre y Jesús. *Los suyos no le recibieron, 10:31-39.* Las obras que hace Jesús son una muestra de su identidad con Dios, pero los judíos no desean creer. Los suyos no le reciben. *Otros creyeron en él, 10:40-42.* Siempre hay otras personas que sí creen. Existe una relación de continuidad entre el mensaje de Juan y el de Jesús, por esto Jesús regresa al sitio desde donde Juan predicaba el evangelio del reino.

──────────────── *Estudio del texto básico* ────────────────

Lea su Biblia y responda

1. Aliste bendiciones que tienen las ovejas de Jesús, según los vv. 27, 28.

    a. _____ b. _____

    c. _____ d. _____

    e. _____ f. _____

2. ¿En qué debían creer los judíos? (v. 38). _____

    _____

    Así creerán y conocerán que _____

    _____

Lea su Biblia y piense

1 Jesús habla abiertamente, Juan 10:22-26.

Vv. 22, 23. Las enseñanzas de Jesús se realizan durante la fiesta de la Dedicación o fiesta de las Luces. Se recordaban los hechos heroicos de los Macabeos y la fidelidad de Dios por mantener a su pueblo en forma pura. Esta fiesta se realiza durante el invierno, época lluviosa. Posiblemente por esto es lógico pensar que Jesús enseñaba desde los pórticos.

Vv. 24-26. Los judíos no hacen preguntas sinceras, sino que tienen como propósito encontrar a Jesús en alguna contradicción o que caiga en alguna herejía para poder apedrearle. Ya Jesús había explicado en forma implícita, como también en forma explícita que él era el Mesías, pero los judíos no estaban listos para creer. No solamente las palabras decían lo que él era, sino que sus hechos eran inobjetables. Los judíos se habían cerrado y no estaban en capacidad de creer.

2 Ovejas del Buen Pastor, Juan 10:27-30.

Vv. 27, 28. Jesús tenía algunas bendiciones especiales para sus ovejas, pero los judíos no deseaban disfrutar de ellas: Jesús conoce a sus ovejas, les da vida eterna, y les cuida para que nadie se las arrebate. Por otro lado las ovejas escuchaban la voz de Jesús, le siguen y nunca perecerán. Las ovejas pueden escuchar la voz de Jesús, no por sus méritos, sino al contrario, escuchan su voz por ser sus ovejas. El don es primero, luego la acción del hombre. El resultado de la gracia de Dios para sus ovejas es que existe una relación muy íntima entre el pastor y las ovejas.

Vv. 29, 30. Las ovejas pueden perseverar en la salvación en virtud de la grandeza de Dios. Toda la salvación es de Dios, por tanto el estado de dependencia que se puede tener con Jesús como el Buen Pastor, se basa solamente en su gracia y su grandeza. Por esto nada nos puede arrebatar de la mano de Dios.

El versículo 30 es la culminación, y la respuesta que esperaban los judíos. Entre Jesús y su Padre hay una unidad total, no solamente unidad de propósitos, sino también unidad de esencia o sustancia. El y el Padre son dos personas, pero son una sola sustancia, como dice la RVA: *una cosa somos.*

3 Muchos creyeron en él, Juan 10:31-42.

Vv. 31, 32. Los judíos entendieron bien lo que Jesús estaba diciendo, además entendían las implicaciones que había. El problema que ellos tenían no era de comprensión, sino de fe. Jesús actúa en forma lógica, pues sus obras eran resultado de lo que había dicho. No se pueden desligar los hechos de las obras. Sus obras eran del Padre, luego él procedía del Padre.

V. 33. Los judíos se fijan más en palabras que en hechos, por esto insisten en las causas de su lapidación. Los judíos sí entendieron con claridad todo el mensaje de Jesús.

Vv. 34-36. Jesús apela una vez más a la posición de los judíos. Ellos respetaban la ley, en forma teórica, de allí que su argumento final será partiendo de la ley. En el pasaje de los Salmos, Jesús les recuerda que los jueces allí nombrados eran reconocidos como dioses, por haber recibido el nombramiento para ejercer una función que le correspondía a Dios. El título divino se le asignaba a las personas que ejercían una prerrogativa divina, en el caso de Jesús se aplicaba al cuidado que él ejercía sobre sus ovejas, que era igual al cuidado que tenía el Padre. Si era verdad en el caso de Salmos, mucho más, y con una relación diferente, se podía aplicar a Jesús, quien era santificado y enviado por el Padre, por ser el Hijo de Dios.

Vv. 37, 38. Jesús hace una invitación que habla de su gracia. Si él no hace obras, que ellos no crean, pero él hacía obras, entonces, si hace obras y no creen en él, que crean en las obras, para que éstas sean un instrumento de acercamiento al Padre y a él. Existe una demanda de acercarse con un corazón sincero y no prejuiciado por los conceptos religiosos. **Vv. 39-42.** La reacción de los judíos ya no es pretender apedrearle, sino que desean tomarle preso, posiblemente para que comparezca frente al Sanedrín. Ante esta nueva situación, Jesús decide ir al sitio donde Juan realizaba su ministerio, identificándose una vez más con el Bautista. Hay una verdadera continuidad de ministerios entre los dos. La gente cree, aunque todavía con una fe rudimentaria, pero en camino hacia la madurez.

Aplicaciones del estudio

1. Jesús nunca negó lo que él era. Jesús no fue una persona que pretendió negar su identidad, todo lo contrario, él habló en forma clara, delante de quien era necesario. El desafío que tenemos es que debemos hablar claramente de lo que somos y lo que creemos. **2. Un mensaje central.** Jesús siempre habló de temas centrales, nunca se fue por asuntos periféricos a la fe. Su mensaje fue claro: él es el Hijo de Dios que vino para dar su vida por nosotros. ¿Podemos predicar un mensaje que sea claro, preciso, y no enredado en tradiciones y superficialidades? **3. Una salvación que es de Dios.** Una de las grandes verdades del evangelio es que nuestra salvación no depende de nuestra fuerza o voluntad, sino de la gracia de Dios. En nuestro compromiso de seguimiento al buen Pastor, debemos reflejar que la salvación es un don de Dios, porque él es grande.

Prueba

1. ¿En qué hecho se evidencia en forma clara que Jesús afirmó que es el Cristo? _____

_____

2. Nuevamente es un tiempo para pensar en nuestra responsabilidad de compartir el evangelio con otras personas. Anotemos el nombre de dos personas conocidas que no han escuchado el mensaje del evangelio. Dediquemos un tiempo para orar por ellas. _____

_____

Lecturas bíblicas para el siguiente estudio

Lunes: Juan 11:1-4   **Jueves:** Juan 11:17-27
Martes: Juan 11:5-10   **Viernes:** Juan 11:28-31
Miércoles: Juan 11:11-16   **Sábado:** Juan 11:32-44

Victorioso sobre la muerte

Contexto: Juan 11:1-44
Texto básico: Juan 11:17-44
Versículo clave: Juan 11:25
Verdad central: Cuando Cristo resucitó a su amigo Lázaro, demostró su poder aun sobre la muerte y dejó la incomparable promesa que el que cree en él "aunque muera, vivirá".

Metas de enseñanza-aprendizaje: Que el alumno demuestre su: (1) conocimiento de las declaraciones de Jesús en torno a la muerte y la resurrección de los que creen en él, (2) actitud de esperanza de que si cree en Jesús, vivirá para siempre con él.

─────── *Estudio panorámico del contexto* ───────

Los amigos de Jesús (Marta, María y Lázaro). Los tres hermanos eran una familia muy relacionada con Jesús. Parece que Marta era la mayor, con un temperamento muy diferente al de su hermana menor, María. Esta última fue la persona que ungió a Jesús. De Lázaro no se sabe mucho, solamente lo relacionado con su resurrección, y que también fue buscado para matarle.

Los sepulcros en el tiempo de Jesús. Eran perforados en las rocas, siendo una especie de cuevas. Algunos de ellos tenían algunas recámaras, en donde se colocaban los cadáveres. Las puertas eran selladas con grandes rocas, y en las tumbas lujosas se hacían ciertos decorados. A los cadáveres se los colocaba sobre una especie de mesa, y los restos ya antiguos se los colocaba en recipientes de arcilla.

El Sanedrín. Era el tribunal con mayor importancia entre el pueblo de Israel. Tradicionalmente se inició en la época de Moisés (Núm. 11:16-24). Su jurisdicción era solamente sobre Judea. Se hallaba integrado por la aristocracia, todos los que habían sido sumos sacerdotes, el poder sacerdotal (saduceos), los fariseos y los escribas. Quien les dirigía era por lo general el sumo sacerdote. Resolvían todos los asuntos de la sociedad: religiosos, civiles y penales. Las decisiones las tomaban por simple mayoría.

Caifás el sumo sacerdote. Su nombre era José. Fue el sumo sacerdote durante la vida de Jesús. Era yerno de Anás, un personaje muy influyente. Fue uno de los responsables en el juicio de Jesús y las persecuciones a los primeros cristianos.

Enfermedad para la gloria de Dios, 11:1-4. Hay ubicación detallada del entorno al milagro que será relatado. Las hermanas de Lázaro buscan a Jesús para que intervenga poderosamente. Jesús manifiesta que en el problema de salud de Lázaro se podrá manifestar la gloria de Dios.

El sueño de Lázaro, 11:5-12. Jesús ve la muerte de Lázaro solamente como un sueño, pensando posiblemente en la resurrección de que será objeto. Jesús está en pleno dominio de la situación. Ve la necesidad de ir a Judea, pese al peligro, pero no tropezará, pues por ser la luz sabe por donde caminar.

Jesús habla claramente, 11:13-16. Al ver que sus palabras han sido mal entendidas se ve en la necesidad de aclarar, y declarar abiertamente, en clara identificación con el dolor del prójimo, que su amigo ha muerto. Sigue manifestando su pleno control sobre la situación, pese a los peligros.

Jesús la resurrección y la vida, 11:25-37. El mensaje esperanzador no es una respuesta para el más allá, él promete un vida diferente aquí y ahora. Jesús se identifica con el dolor y ofrece una solución para esa situación.

Victoria sobre la muerte, 11:38-44. La gloria de Jesús se hace manifiesta por medio de la resurrección de su amigo. Su voz rompe el poder de la muerte, no sólo le resucita, sino que le permite vivir de una manera diferente.

Acuerdo para matar a Jesús, 11:45-57. Las autoridades no pueden permitir que sea manifestada la gloria de Dios, en busca de una solución al problema que ellos enfrentan dicen grandes verdades que se cumplirán en el ministerio y muerte de Jesús. El Señor tiene pleno control de la situación.

─────────────── *Estudio del texto básico* ───────────────

Lea su Biblia y responda

1. En su concepto, ¿cuál es la declaración más importante que hace Jesús en este pasaje? _____

_____

2. ¿En qué versículos se hace más patente la identificación de Jesús con el dolor humano?

    a. _____ b. _____ c. _____

Lea su Biblia y piense

1 La promesa de resurrección, Juan 11:17-27.

Vv. 17-19. La precisión del relato viene confirmado por los datos presentados por Juan. Aparentemente el aviso de las hermanas acerca de la enfermedad de su hermano no llegó a tiempo. Esto sin duda causó tristeza. Algunos han llegado donde las dos hermanas para acompañarlas en el dolor. El milagro no se realizará en secreto.

Vv. 20-22. Antes del milagro se producen dos diálogos con Marta y María, se requiere una aceptación y reconocimiento personal de quien es Jesús. La de ellas debe empezar a crecer. Marta es muy franca y práctica, ella necesitaba la ayuda, pero aparentemente todo es tarde. Ella confía en Jesús, pero su fe requiere un mayor crecimiento y compromiso con un Dios capaz de actuar sobre la muerte.

Vv. 23, 24. Las palabras de Jesús no son comprendidas a cabalidad. Ella tiene fe, pero una fe limitada. Desea una respuesta para ahora, no tanto una respuesta para el futuro.

Vv. 25-27. El consuelo que recibe de Jesús es una descripción de su persona. Es que nuestra fe descansa no solamente en los actos de Jesús, sino sobre todo en la persona de Jesús. Lo que es él lo hace actuar como actúa. Por ser Jesús la resurrección y la vida la persona que ha depositado su confianza en él (note el enfático **en mí**), aunque pase por el camino de la muerte, puede experimentar vida, además esta muerte no es para siempre. Hay una promesa de resurrección. En estos momentos la consolación de Marta es real. El depositar la fe en Jesús trae bendiciones para hoy como bendiciones para el más allá. Porque él es vida, nosotros tenemos vida.

2 El gran amor de Jesús, Juan 11:28-37.

Vv. 28-31. María necesita también crecer en su relación con el Maestro. El encuentro entre los dos ya no es privado, posiblemente cerca del cementerio y delante de todos se realiza la entrevista.

Vv. 32-35. Las palabras de María son iguales a las de su hermana, llenas de sinceridad y franqueza, pero con necesidad de crecimiento.

María es diferente a su hermana y Jesús le responde de acuerdo con esas diferencias. El se conmueve y, como plenamente humano, exterioriza su sufrimiento por medio de lágrimas, no en forma descontrolada como las plañideras profesionales. El sabe qué es lo que está pasando, y se identifica con los que sufren.

Vv. 36, 37. La identificación de Jesús con los que sufren produce dos reacciones: la gente entiende los sentimientos hacia sus amigos, pero por otro lado creen que el asunto de la muerte de Lázaro ya está consumado. Por lo tanto, arremeten contra Jesús con una especie de reproche. La fe de la multitud es totalmente incipiente, se basa solamente en las señales.

3 Jesús, victorioso sobre la muerte, Juan 11:38-44.

Vv. 38-40. La historia va llegando a su final. Dos elementos se encuentran en el cuadro previo al milagro: un Dios que se ha identificado plenamente con el ser humano, y una situación tétrica llena de dolor. Jesús tiene unas palabras más para Marta, le desea comunicar que de acuerdo con su fe podrá entender el significado del milagro, el cual va mucho más allá de resucitar a un hombre, tiene como propósito revelar la gloria de Dios reflejada en Jesús.

Vv. 41, 42. La oración de Jesús no tiene como propósito hacer una petición a Dios, sino que pretende enseñar una vez más su relación íntima con el Padre. El y el Padre son una sola cosa, como ya lo había dicho antes.

Vv. 43, 44. El milagro no tiene ningún procedimiento especial, al contrario es solamente un mandato que es oído por toda la multitud. La gloria de Dios está ahora a la vista de todos. La presencia del hombre resucitado es impresionante: todavía con las vendas y el sudario, seguramente apenas se podía mover. La muerte se halla presente, pero sobre todo se encuentra la vida que ha triunfado sobre la primera. El que estaba muerto salió, y requiere la ayuda de los asistentes para poder seguir haciendo una vida normal, una vida abundante como un don de Dios.

Aplicaciones del estudio

1. Una esperanza viva. El milagro de la resurrección de Lázaro nos debe motivar a que nuestra fe pueda ir en crecimiento, especialmente cuando experimentemos el dolor de la muerte de algún familiar o amigo. Las palabras de Jesús, su pleno control ante el dolor de la muerte, son un motivante para depender de él cuando estemos atravesando este gran problema. Jesús tiene la respuesta.

2. Un Dios que actúa para su gloria. Cada vez que acudimos en oración a nuestro Padre, debemos estar seguros de que su respuesta será siempre para exaltar su gloria. Siendo que ese será el motivo para respondernos, debemos confiar en que Jesús siempre llegará en nuestro auxilio en su tiempo, no cuando nosotros creemos que vendrá, sino cuando él crea más conveniente.

3. Una voz poderosa. La voz de Jesús, sacando a su amigo de la muerte, nos debe ayudar a confiar más en este Dios que actúa con poder. Su voz tiene la suficiente autoridad para vencer la muerte, ¿no tendrá la suficiente fuerza para intervenir en los problemas más difíciles de nuestra vida?

Prueba

1. ¿Cuál es la garantía, según el pasaje que se ha estudiado, para que los creyentes podamos tener fe en una resurrección final?

_____

_____

2. Siendo que todos hemos experimentado con dolor la muerte de algún pariente o amigo, ¿qué palabras de esperanza podemos dar a aquellos que han muerto en Cristo?

_____

_____

_____

Lecturas bíblicas para el siguiente estudio

Lunes: Juan 11:45-50   **Jueves:** Juan 12:1, 2
Martes: Juan 11:51-54   **Viernes:** Juan 12:3-8
Miércoles: Juan 11:55-57   **Sábado:** Juan 12:9-11

Acuerdo para matar a Jesús

Contexto: Juan 11:45 a 12:11
Texto básico: Juan 11:45-57
Versículos clave: Juan 11:53, 54
Verdad central: Sin tener mayor acusación que las señales hechas por Jesús, los religiosos de su tiempo tomaron acuerdo para matarle.
Metas de enseñanza-aprendizaje: Que el alumno demuestre su: (1) conocimiento del acuerdo que tomaron las autoridades religiosas para matar a Jesús, (2) actitud de valorar y compartir el poder de Jesús manifiesto hoy como señales de su divinidad.

—————— *Estudio panorámico del contexto* ——————

Las autoridades religiosas, su poder. El pueblo de Israel, por su ideal de un gobierno teocrático poseyó, a lo largo de su historia, tanto el poder político como el religioso en casi una misma cosa, con los respectivos cambios a lo largo del tiempo, cambios que por lo general se originaron en las autoridades religiosas. Este poder casi total lo ejercían por medio del Sanedrín, quienes en ocasiones transaban su fidelidad religiosa con los políticos. En la época de Jesús los romanos controlaban a los religiosos, éstos veían su poder omnímodo limitado al tratar de aplicar la pena de muerte, ya que ésta debía tener el visto bueno del procurador romano.

La fiesta de la Pascua. Es la fiesta más importante del calendario judío. Todo varón judío asistía a ella cada año en Jerusalén. Su institución está registrada en Exodo 12, cuando se describe el evento histórico de la liberación del pueblo de Israel de la esclavitud que ejercía sobre ellos el pueblo egipcio. Hasta el año 70 d. de J.C. era celebrada en Jerusalén, luego de este año pasó a ser una celebración para tenerla dentro del hogar.

En la época de Jesús se celebraba en el patio del templo, en donde sacrificaban animales pequeños. Lo esencial de esta fiesta es el recordatorio de los actos liberadores de Dios, quien irrumpe con poder para liberar al pueblo sometido a la opresión.

Muchos creyeron en Jesús, 11:45, 46. Unas personas ante la resurrección de Lázaro creen en Jesús, con una fe basada en lo que han visto. Pero como siempre, hay otros que no creen, y "denuncian" a Jesús ante los fariseos.

El caso de Jesús ante el Sanedrín, 11:47-50. Las autoridades religiosas reunidas para arreglar esta situación piensan que de parte de Roma se podría creer que Jesús es un líder político, y por esto se planifica su muerte de manera oficial.

La profecía de Caifás, 11:51, 52. Para Caifás es indudable que sus palabras no tenían el sentido profundo que tienen, para él era la manera de librarse de un hombre que minaba su poder.

Una resolución fatal, 11:53-57. La resolución tomada por las autoridades va de la mano de los planes de Dios. Jesús debe permanecer oculto por unos días, para que haya cumplimiento de las profecías acerca de Jesús como el cordero pascual.

Jesús es ungido en Betania, 12:1-3. Jesús llega a casa de sus amigos, María, Marta y Lázaro. Aquí se desarrollará un evento premonitorio de la muerte de Jesús. La unción, en actitud de adoración humilde, por parte de María es una preparación para la sepultura del Maestro. María ha visto fortalecida su fe y por esto su actitud de entrega total la expresa con plena libertad.

La hipocresía de Judas, 12:4-11. Frente a este acto, surge uno que duda de la honestidad de la entrega de María, desea usar un buen fin, como pretexto de sus ganancias deshonestas. Jesús coloca este acto, al igual que la ayuda a los pobres en su correcta perspectiva: hay tiempo para las dos cosas, hoy es el tiempo de alabar a Dios. La gente acude a ver a Jesús, por curiosidad o interés pero la gente acude, y esto hace que las autoridades se sientan amenazadas por el mensaje y presencia de Jesús. Su poder se ve atacado y deciden actuar contra Jesús y Lázaro también, para evitar así que haya pruebas de la forma en que Jesús ha actuado, librando a las personas de los lazos de la muerte.

--------- *Estudio del texto básico* ---------

Lea su Biblia y responda

1. ¿Cuáles dos cosas temían los sacerdotes y los fariseos, si dejaban predicar a Jesús con libertad?

    a. _____

    b. _____

2. ¿Qué profecía se cumplió por palabra de Caifás? _____

    _____

3. Además de la profecía mencionada, ¿qué otra cosa era necesario que se cumpliera? _____

Lea su Biblia y piense

1 Jesús causa de división, Juan 11:45, 46.

La controversia se presenta ante la presencia de Jesús. Frente al mensaje hay actitudes claras que nos llevan a tomar únicamente dos posibles actitudes: se cree en él o no.

Vv. 45, 46. La gente que ha llegado al hogar de los tres hermanos, aquellos que no creían que Jesús era capaz de resucitar a Lázaro (v. 37), luego de que *habían visto lo que había hecho Jesús, creyeron en él.* La fe de éstos es una fe tierna, que se basa en lo que vieron, por esto más tarde se los verá junto a la multitud en los eventos de la crucifixión. Jesús es causa de unión, ya que los que creen en él llegan a ser "uno en Cristo", pero también es causa de división (Mat. 10:34-42). Por esto aquellos que, viendo no ven, acuden *a los fariseos* en busca de refuerzo a su incredulidad.

2 La muerte de Jesús profetizada, Juan 11:47-52.

Vv. 47, 48. El *Sanedrín* se reúne, se hallan presentes *los principales sacerdotes* así como *los fariseos;* los dos son "representantes de Dios". La preocupación de éstos no es si Jesús ha hecho bien o mal, sino solamente que *este hombre hace muchas señales.* La presencia de Jesús se vuelve peligrosa, él les ha denunciado en sus pecados (7:19; 8:19, 34, 44, 54, 55). Ante esto deben racionalizar sus pretextos: *vendrán los romanos,* acuden a la seguridad del Estado y razones políticas para matar a Jesús, no les preocupa si es o no el Mesías. Temen por su estabilidad no sólo personal sino institucional.

Vv. 49, 50. Las palabras de Caifás, *que era sumo sacerdote en aquel año,* cobran valor. Este hombre que encarna el autoritarismo, interviene ante el Sanedrín diciéndoles: *Vosotros no sabéis nada,* y apela a la conveniencia de éstos: *os conviene.* En su frase profética usa dos palabras *pueblo y nación.* La primera con connotaciones teológicas, y la segunda orientada más al pueblo judío como raza. Se hace presente un sentimiento de racismo, una *nación* relacionada con "su templo" y con "su sumo sacerdote".

Vv. 51, 52. Las palabras de Caifás son la confirmación del rechazo de los suyos (1:11). Usan la injusticia para defender a "la nación", y en este sentido las palabras de Caifás son proféticas: el Señor no morirá solo por la "nación", sino que habrá otras personas que pertenecen al pueblo de Dios. La muerte de Cristo ayudará para que la "nación" se libere de la opresión religiosa, se formará un nuevo pueblo, *los hijos de Dios,* unidos en torno de un Dios redentor que ofrece su vida como "Buen Pastor" (10:16).

3 La peor decisión acerca de Jesús, Juan 11:53-57.

Vv. 53, 54. Las palabras de Caifás tienen éxito, el Sanedrín decide *matarle.* El plan ya había sido fijado, así que la farsa del juicio es el siguiente paso; la muerte del Maestro será el resultado de un "proceso legal" políticamente justificado. La muerte de Jesús obedece a intereses mezquinos de las autoridades por no perder su poder, no hay justicia.

A pesar de la sentencia dada por los poderosos, Jesús es el que tiene pleno control de la situación: *Jesús ya no andaba abiertamente entre los judíos,* su muerte será de acuerdo con el plan de Dios, cuando él decida que deba suceder. *Los judíos* lo han rechazado, así que va junto a su comunidad en donde fue aceptado: los samaritanos. Desde aquí es que Jesús iniciará la peregrinación a la cruz.

V. 55. La fiesta de la *Pascua de los judíos* era una fecha en la que todos los varones iban a Jerusalén. Algunos habían llegado antes para cumplir las diferentes normas de purificación (Exo. 19:10-15; Núm. 9:9-14; 2 Crón. 30:17, 18) para así poder participar con el pueblo. Esta purificación era capaz de hacer una limpieza exterior, al igual que la Pascua de los judíos. **Vv. 56, 57.** Al igual que en la fiesta de los Tabernáculos (7:11), los judíos tienen curiosidad, quieren saber dónde está Jesús, aunque tal parece que no esperaban verlo; esto se debía a que pensaban que ante el decreto de las autoridades, Jesús debía estar escondido; sin saber que Jesús es el que tenía el control de lo que estaba pasando.

Las autoridades hacen uso de todo su poder y fuerza para apresar a Jesús, sin saber que no eran más que engranajes en los planes de Dios; todas sus acciones están siendo controladas por la gracia salvadora de Dios. Sin saberlo, y sin proponérselo, están siendo usados por Dios.

―――――――――― *Aplicaciones del estudio* ――――――――――

1. Dios usa a todos. Tenemos un Dios soberano que no se limita a usar a sus discípulos, en ocasiones usa a las personas que están en su contra, para así cumplir sus propósitos. Por ser un Dios soberano actúa como él quiere.

2. Dios demanda de nosotros decisión. Jesús siempre demandaba una decisión de quienes estaban a su alrededor. Debemos decidir, estamos con él o estamos con el sistema, no hay otro camino.

3. La misión es "cuesta arriba". La vida del creyente está lejos de ser fácil. La fidelidad al reino de Dios trae dificultades. Esta tarea o cualquier otra que demanda fidelidad de nuestra parte es lo que el creyente debe cumplir, o lo cumplimos o no lo cumplimos, aquí tampoco hay una tercera vía.

―――――――――――― *Prueba* ――――――――――――

1. ¿Qué circunstancias determinaron que los fariseos y los sacerdotes decidieran matar a Jesús, según el pasaje estudiado? _____

_____

2. Enumere dos o tres actitudes que usted debe tener al darse cuenta del poder divino que hay en Jesús. _____

_____

_____

Lecturas bíblicas para el siguiente estudio

Lunes: Juan 12:12-19   **Jueves:** Juan 12:33-36
Martes: Juan 12:20-26   **Viernes:** Juan 12:37-43
Miércoles: Juan 12:27-32   **Sábado:** Juan 12:44-50

Jesús confronta la incredulidad

Contexto: Juan 12:12-50
Texto básico: Juan 12:37-50
Versículo clave: Juan 12:48
Verdad central: Ante la incredulidad de muchos de sus oyentes, Jesús aclara que la misma palabra que han rechazado será la que les juzgue en el día final.
Metas de enseñanza-aprendizaje: Que el alumno demuestre su: (1) conocimiento de las declaraciones de Jesús acerca de los que rechazaron sus enseñanzas, (2) actitud de confianza y obediencia a las enseñanzas de Jesús.

─────────── *Estudio panorámico del contexto* ───────────

El significado de la entrada triunfal. Existen varios elementos que se relacionan con la "entrada triunfal": Las ramas, símbolo de justicia, prosperidad, victoria, al igual que de regocijo, como en la fiesta de los Tabernáculos (Lev. 23:40). El desfile descrito era propio de un rey que regresaba triunfante y no pocas veces como un liberador del pueblo oprimido.

La entrada triunfal de Jesús era un simbolismo de su realeza que la gente de Jerusalén lo pudo reconocer. Esta exaltación responde a las expectativas de la gente que esperaba un Mesías poderoso que continuara con las glorias de David, un nacionalista, un Rey de Israel.

Una señal de humildad. El Señor pide que se le traiga un borriquillo con su madre, montando sobre el primero. Esto constituye un símbolo de indudable humildad, ya que el soldado victorioso, según la costumbre, entraba en un caballo. Para esto el evangelista cita en parte a Sofonías (3:16) y a Zacarías (9:9). El primero en su profecía desea hacer sobresalir el carácter universal del Mesías, mientras que el segundo habla de que el rey es justo, victorioso y humilde, palabras que Juan las suprime, dejándonos únicamente con la escena simbólica. Jesús, el Mesías es diferente, y su entrada triunfal es de poder y de humildad.

Los griegos que buscaban a Jesús. Estos griegos son personas que han acogido la religión judaica como suya, son prosélitos. Estos que anteriormente no tenían cabida en el templo, sino sólo podían entrar hasta el "atrio de los gentiles", tienen ahora cabida hasta la presencia misma del Mesías. Las palabras de Jesús (vv. 23-26) les señalan la cruz, que para ellos era locura (1 Cor. 1:22-24). No hay otro camino al Mesías sino la cruz.

El mundo va tras Jesús, 12:16-19. La gente ve en Jesús al Mesías que traerá la libertad de la opresión, una libertad a costa de vidas, mas no a costa de la negación del yo. La gente le sigue a Jesús porque había oído que levantó a Lázaro de la muerte; busca a ese Mesías hacedor de milagros, no al Mesías que demandaba la vida en forma completa.

El Hijo del Hombre será levantado, 12:27-36. Las palabras de Jesús no son de fácil aceptación, ni para él mismo. Por esto en medio de la turbación toma la decisión de seguir adelante, Dios debe ser glorificado en el acto de la cruz. La gente no tiene una visión completa del Mesías, los judíos permanecían en la oscuridad, sin poder ver en Jesús al Mesías que sería levantado y sacrificado.

Amaron más la gloria de los hombres, 12:42-47. Frente a las palabras de Jesús, unos optan por "creer" en él, pero de manera primitiva, es decir poniendo sus intereses por delante, ellos podían creer en los milagros, pero no en la persona de Jesús que demanda la negación completa de los intereses particulares.

Jesús habla la palabra del Padre, 12:48-50. Siendo que las palabras de Jesús son las del Padre, serán éstas las que juzguen a cada uno. No hay alternativa, hay que decidir, al no aceptar a Jesús se rechazan las palabras de vida eterna que él ofrece.

─────────── *Estudio del texto básico* ───────────

Lea su Biblia y responda

1. Según este pasaje al creer en el Hijo, ¿en quién se cree también?

_____

2. ¿Cuáles son las dos causas por las que algunos dirigentes no confesaron a Jesús? a. _____ b. _____

3. Las palabras de Jesucristo, ¿eran su propio mensaje? ___

¿Qué eran? _____

Lea su Biblia y piense

1 "¿Quién ha creído a nuestro mensaje?" Juan 12:37-41.
Vv. 37, 38. Esta es la última vez que se usa el término señales en el Evangelio, hasta 20:30. Se ha visto a lo largo del libro que los oyentes creían en Jesús por las señales que él hacía, no por lo que él era. En este punto, se plantea lo contrario, ahora los del pueblo ya *no creían en él,* pese a las señales. La opinión de la gente está cambiando, la oposición se está haciendo cada vez mayor. El pueblo va endureciéndose frente a las obras y palabras de Jesús. Esto estaba dentro de los planes de Dios, sin dejar por esto la responsabilidad que tiene el pueblo. Los judíos no podían escuchar el mensaje de Dios por medio de Jesús,

como tampoco podían interpretar adecuadamente sus hechos, no podían ver el poder de las obras del Padre.

Vv. 39, 40. El evangelista, bajo la dirección del Espíritu Santo, hace cambios al texto, para que sean aplicables a la situación. La intervención divina es según el beneplácito de su voluntad (Ef. 1:5b). No actúa de manera despótica, sino soberanamente y poniendo responsabilidad en el hombre.

V. 41. La razón para que Isaías entienda estas palabras es el hecho de que él pudo ver la *gloria* de Dios. El pasaje citado hace mención de la respuesta de Isaías al llamado de Dios (Isa. 6:1-13), llamado que tuvo que hacer frente a un pueblo que tenía su corazón enceguecido. Isaías pudo ver más allá del Siervo Sufriente (Isa. 53:1-10), vio la gloria del mismo Siervo de Jehovah (Isa. 53:10b-12). Se ve en un solo evento que la gloria de Jesús es la cruz.

2 "Amaron la gloria de los hombres", Juan 12:42-46.

Vv. 42, 43. Ciertos *dirigentes* judíos habían creído en las señales de Jesús, su fe era rudimentaria, basada en lo que vieron y que les causaba admiración. Una fe que esperaba beneficios personales y que no implicaba un compromiso de vida. El resultado de esta clase de fe es que *no confesaban*, tenían miedo de perder los privilegios, no estaban listos a romper con las instituciones que causaban opresión. ¿Qué hubiera pasado si los líderes confesaban a Jesús? ¿Acaso el pueblo hubiera seguido a Jesús?

Los dirigentes judíos habían percibido *la gloria de Dios*, el camino de la cruz, sin embargo, prefirieron seguir el camino de la *gloria de los hombres*.

Vv. 44, 45. Jesús, frente a quienes le niegan, responde con palabras de esperanza. La respuesta de Jesús a la situación de los dirigentes constituyen sus últimas palabras dichas en público, según Juan. De allí en adelante sus diálogos serán con sus discípulos o con quienes le interrogan. En estas palabras se resume toda su misión, a la vez que son palabras de esperanza e invitación abierta a los que le oyen.

Algunas cosas que se notan en sus palabras son: en primer lugar la frase creer en mí, en el sentido de fe madura, que implica entrega total y un ceder la soberanía de la vida a Jesús y a quien le *envió*. En segundo lugar no hay diferencia entre el Padre y Jesús, ya que ver al Padre es ver al Hijo. La persona y actividad de Jesús revelan, y explican al Padre. En tercer lugar se debe notar que Jesús no dice que él es igual o parecido a Dios, sino que Dios es igual a él. No hay otra manera de conocer al Padre, sino por el Hijo que es la plenitud de la gloria y amor de Dios Padre.

V. 46. La invitación de Jesús está abierta. El es la luz, y se manifiesta como la única alternativa a las tinieblas. Este ha sido el mensaje del evangelista desde el inicio.

3 La palabra que rechazaron juzgará a los hombres, Juan 12:47-50.

Vv. 47, 48. Se presenta una invitación llena de gracia, pero que trae ciertas implicaciones no aceptarla. La invitación tiene dos caras, la una es que Jesús, en primer lugar, no vino a juzgar al mundo, su tarea es ofrecer salvación, traer la luz a aquellos que viven en tinieblas. La otra cara es que quien rechaza esta opción de verdadera libertad, de vida, queda sin ella. Esta actitud será verificada en el *día final*, es decir cuando demos cuentas a Dios de nosotros mismos. *La palabra que he hablado*, es decir, su mensaje e invitación, será la que juzgue a cada uno. **Vv. 49, 50.** Lo que pase con el hombre dependerá de su actitud hacia Jesús. La presencia y mensaje de Jesús es la única manera de acercarse al Padre, esto es lo que el Padre le ordenó que hiciese. Hay unidad de criterios, no hay base para la idea que afirma la presencia de un Dios Padre Juez severo, mientras el Hijo es todo amor; los dos conjugan en uno sus propósitos y actos. No hay diferencia entre ellos. Esto da mayor valor a las palabras de Jesús, que son respaldadas y valoradas por lo que es el Padre.

Aplicaciones del estudio

1. La fe en Jesús implica obediencia. La fe no es meramente un acto emotivo o solamente de razonamiento. La fe implica obediencia y sometimiento a la voluntad de Jesús. No nos es posible seguir a Jesús como sus discípulos y no obedecerle en lo que él nos ha enseñado.

2. ¿Buscando la gloria de Dios o la de los hombres? Cuando queremos seguir fielmente a Jesús podemos caer en el engaño de buscar la gloria o el reconocimiento de los hombres primeramente. Esto no es lo que nos ha enseñado este estudio, el estudio de hoy nos muestra que la gloria de Dios debe ser nuestra prioridad como creyentes, cueste lo que cueste. Debemos luchar siempre por esto.

3. Sus palabras son confiables. Al ver que las palabras de los hombres carecen de valor, nos da gusto el poder saber que las palabras de nuestro Señor son palabras confiables. Frente a la desconfianza de los hombres se presenta la confianza que podemos tener en las palabras que él nos ha hablado.

Prueba

1. ¿Qué declaró Jesús acerca las personas que no reciben sus palabras?

_____

_____

2. Si usted aprecia las palabras de Jesús, ¿a qué le impulsa este aprecio?

_____

Lecturas bíblicas para el siguiente estudio

Lunes: Juan 13:1-5
Martes: Juan 13:6-11
Miércoles: Juan 13:12-17

Jueves: Juan 13:18-20
Viernes: Juan 13:21-30
Sábado: Juan 13:31-35

Jesús anuncia la traición de Judas

Contexto: Juan 13:1-35
Texto básico: Juan 13:21-35
Versículo clave: Juan 13:21
Verdad central: En la ocasión cuando Jesús lavó los pies a sus discípulos, anunció públicamente que sería víctima de la traición de uno de sus más cercanos seguidores.
Metas de enseñanza-aprendizaje: Que el alumno demuestre su: (1) conocimiento de las circunstancias que precedieron a la traición de Judas, (2) actitud de fidelidad a Jesús bajo cualquier circunstancia.

Estudio panorámico del contexto

El lavamiento de los pies, origen y significado. El lavamiento de los pies era una costumbre que pertenecía a la cultura del primer siglo. Esta costumbre era necesaria debido a que la situación de los caminos, en ese entonces, era bastante mala. Esto ocasionaba que los pies de los transeúntes se ensuciaran con frecuencia, teniendo en cuenta que las personas no usaban zapatos sino algún tipo de sandalias. Era una señal de cortesía que el dueño de casa proveyera de un esclavo para que lavara los pies de las visitas. En casos especiales, el dueño de casa, con humildad, cumplía las responsabilidades asignadas al esclavo. Durante la reunión de Jesús con sus discípulos no había presente ningún esclavo, como tampoco era necesario que se realizara la limpieza de los pies, sin embargo, Jesús toma la iniciativa y decide cumplir con esta tarea, como señal de humildad y ejemplificando la necesidad de ser servidores de los demás. Jesús dejó la enseñanza, no tanto de repetir su acto de lavamiento, sino de una actitud de servicio, aplicándola a cada situación cultural concreta.

Judas, hijo de Simón Iscariote. El nombre de este apóstol aparece en cada una de las listas de ellos al final y siempre con un calificativo descriptivo de su último acto: la traición a Jesús. Su nombre ha tenido dos explicaciones: la ciudad de origen, Cariot; y en otros casos se ha pretendido relacionar con la palabra aramea *"isqarya'a"* que significa "sicario" o asesino. Judas se desarrolló como el tesorero del grupo de seguidores de Jesús, pero se lo presenta como un mal tesorero que se adueñaba de los fondos, y que además actuaba con hipocresía.

Una muestra de humildad, 13:1-10. Este pasaje da por iniciado uno de los sermones más importantes de Jesús: "el sermón del aposento alto". En este pasaje Jesús se presenta controlando la situación, no se sorprende de la actitud de Judas, pues sabe que ha llegado la hora de sus glorificación. En medio de esto el Maestro se toma el tiempo necesario para enseñar a sus discípulos que, frente a una situación de crisis, todavía hay lugar para el servicio, hay lugar para cumplir una tarea de esclavo, despojándose de cualquier prejuicio.

No todos están limpios, 13:11-20. La actitud de servicio no se puede limitar solamente para los que se hallan en una situación de limpieza, aun quien le entregará debe ser objeto de servicio y de demostración de humildad. La falta de limpieza interior no excluye que le brindemos un servicio de limpieza exterior. Quien ejemplifica esto es el mismo Dios, demostrando una vez más la unidad que hay entre el enviado y el enviador.

Uno de vosotros me va a entregar, 13:21-26. Aun cuando Jesús tiene el control de la situación, no debe haber sido fácil para él el señalar al traidor. Los discípulos, en cambio, frente a la realidad de que uno de ellos le negará, dudan. Solo uno de ellos se atreve a plantear la pregunta abiertamente.

Hazlo pronto, 13:27-30. Judas ha abierto su corazón al pecado, Satanás entra en la persona que le ha dado espacio para actuar con libertad. Judas decide actuar y debe salir, pues no puede estar presente para escuchar el desafío del amor.

La marca distintiva del discípulo, 13:31-35. Este desafío es de amarse entre ellos. Se convierte en un nuevo mandamiento, en el sentido de que ahora es ejemplificado por Jesús, pero también se convierte en una marca distintiva que deben tener los seguidores de Jesús. A ellos se los debe conocer solamente por esto: su amor entre ellos.

——————————— *Estudio del texto básico* ———————————

Lea su Biblia y responda

1. A la luz de los vv. 21-30, señale dos evidencias que demuestran que Jesús tiene control de toda la situación presentada.

   a. _____

   b. _____

2. Escriba en sus palabras el contenido del nuevo mandamiento de los vv. 34 y 35. _____

   _____

   _____

Lea su Biblia y piense

1 Jesús anuncia que será traicionado, Juan 13:21-26.
V. 21. La situación de Jesús es muy difícil, sabe que la muerte está cercana, además de que uno de sus seguidores será el instrumento usado por Satanás

para cumplir el plan de glorificación que se ha planteado Dios. Esta situación muy dolorosa hace que Jesús se conmueva en lo más profundo de su ser. Sus palabras están llenas de dolor, de solemnidad.

Vv. 22-24. Jesús no se halla sorprendido, aunque sí se halla adolorido. Sus discípulos sí son tomados por sorpresa frente a las palabras de Jesús. Se sienten frágiles y dudan uno de otro, como en su interior dudan de sí mismos. Pedro, una vez más, toma la iniciativa, pues necesita saber con certeza lo que pasará. Para esto usa a Juan, quien se halla más cerca del Maestro, para que le pregunte abiertamente quién es la persona que cometerá semejante vileza.

Vv. 25, 26. Ante la insinuación de Pedro, Juan, el discípulo amado, hace la pregunta en forma directa. Puede acudir a su Señor con toda la confianza del caso. Su fidelidad le permite acercarse a él para abrirle su corazón con una pregunta clara y directa. La respuesta de Jesús no es completamente clara, sino que presenta ciertos indicios para señalar al infiel. Parece que esta señal no fue entendida por todos, como se verá más tarde. En esta señal hay una invitación implícita por parte de Jesús hacia Judas, el discípulo sigue sindo objeto del amor de Jesús, quien le invita a tomar el bocado. El contraste es grande: frente a la infidelidad del traidor, la fidelidad del Maestro se agiganta.

2 Satanás entra en Judas, Juan 13:27-30.

V. 27. Es ya tarde, Satanás ha entrado en la vida de Judas, usando la avaricia de este personaje como puerta, ha tomado posesión de él para cumplir uno de los actos de traición más grandes. Judas había dejado las puertas abiertas para que Satanás entrara en su vida y lo controlara por completo (13:1). Sin embargo, Jesús no ha perdido control de la situación y le pide que salga, pues la comunión de la Cena no sería posible con una persona entregada a Satanás. Además no es Judas, y menos Satanás quienes determina el cuándo de la muerte del Maestro, es el mismo Jesús quien controla todo. Para que salga de acuerdo con el plan de Dios, Judas debe salir pronto.

Vv. 28, 29. Estos versículos nos conducen a afirmar que las palabras dirigidas a Juan y que tal vez fueron escuchadas o transmitidas también a Pedro (v. 26), no fueron entendidas por el resto de discípulos, pues ninguno entendió. Ellos no tenían la capacidad de relacionar todo lo que estaba pasando. Los discípulos todavía están atados al sistema financiero imperante, el sistema de la compra, de la religiosidad y el sistema que solamente se acerca al pobre para darle una limosna. Todo el grupo de discípulos debe crecer y desarrollar su fe: uno no acepta el servicio del Maestro, otros no entienden, y uno del mismo grupo procede a traicionarlo.

V. 30. Judas ha entendido cuál es su opción en todo esto, y se sumerge en la oscuridad. Algo muy gráfico, pues estando en la noche se apresta a traicionar a quien es la luz.

3 Un "mandamiento nuevo", Juan 13:31-35.

Vv. 31, 32. La actitud de Jesús frente a la decisión de Judas no es de queja o rechazo. El puede ver las cosas desde otra perspectiva, puede ver que todo lo que pasa está llevando la manifestación de la gloria de Dios, la muerte del Hijo en la cruz. La identidad entre los miembros de la Trinidad es total, la gloria del Padre es también la gloria del Hijo. Pero es mucho más pues lo que ahora ha empezado es solamente el comienzo de la manifestación plena que tendrá la gloria de Dios.

V. 33. Luego de la manifestación de la gloria de Dios, que es el propósito primero de la cruz, los discípulos deben entender una segunda cosa. Jesús debe partir, él se alejará, ya no podrán disfrutar de su presencia. En su ausencia ellos deberán disfrutar de la presencia mutua de los comprometidos con el Señor.

Vv. 34, 35. El mandamiento que les da Jesús no es nuevo, en el sentido de que es la primera vez que lo escuchan. Es nuevo en el sentido de que ahora es claramente ejemplificado por Jesús. La encarnación se constituye en el modelo a seguir. Este mandamiento, por otro lado, se convierte en la marca que debe llevar cada discípulo de Jesús. Este mandamiento da la existencia a la comunidad de seguidores de Jesús.

No es posible otro distintivo entre ellos que no sea el amor, un amor que debe permanecer pese a la infidelidad del hombre, pero que se constituye en la señal de aquellos que desean ser fieles.

──────────── *Aplicaciones del estudio* ────────────

1. Fidelidad a como dé lugar. Debemos esforzarnos por presentar un evangelio que haga claro que somos fieles al Maestro, un evangelio que no acepta componendas y disminución de los valores que transmite el reino de Dios.

2. Amor concreto. Los creyentes debemos ser un ejemplo de lo que debe ser el amor. Que la gente que no ha tenido el privilegio de nacer de nuevo, pueda ver en cada discípulo del maestro a un fiel seguidor de él, a una persona que puede amar de la misma manera como Jesús nos amó.

──────────────── *Prueba* ────────────────

1. En sus palabras presente la manera cómo Jesús enfrentó la triste realidad de la traición de Judas, citando los versículos que respaldan su afirmación.

_____

2. Señale un evento que usted tendrá que enfrentar en la semana que está por iniciar, en el cual usted se verá en la necesidad de exteriorizar en actos concretos su fidelidad a Dios. _____

_____

Lecturas bíblicas para el siguiente estudio

Lunes: Juan 13:36-38 **Jueves:** Juan 14:7-9
Martes: Juan 14:1-4 **Viernes:** Juan 14:10, 11
Miércoles: Juan 14:5, 6 **Sábado:** Juan 14:12-14

Jesús, el camino al Padre

Contexto: Juan 13:36 a 14:14
Texto básico: Juan 14:1-14
Versículo clave: Juan 14:6
Verdad central: En una declaración sin precedentes, Jesús afirma que él y sólo él es el camino, la verdad y la vida. Jesús es el único Salvador que reconcilia al pecador con Dios.
Metas de enseñanza-aprendizaje: Que el alumno demuestre su: (1) conocimiento de la declaración de Jesús en Juan 14:6, (2) actitud de valorar la provisión que Dios hizo en Jesús para su salvación.

Estudio panorámico del contexto

Filosofías reinantes acerca de la verdad, el camino y la vida. Jesús y los evangelistas usaron palabras y conceptos que eran muy usados en su tiempo, muchas de estas palabras y conceptos fueron usados dándoles nuevos y más profundos significados. Por ejemplo la palabra "verdad" en el mundo griego tenía una connotación bastante intelectual, se la usaba para señalar ciertos eventos en contradicción con los mitos o fábulas, es decir asuntos no reales. En el mundo hebreo la palabra significaba más algo como contrario a la falsedad, usándola mayormente como un atributo de personas. Se pensaba más en las personas que en el hecho mismo.

La palabra "camino" se usaba para señalar la forma de actuar de una persona, o las opciones que podían tomar en la vida. Estas ideas se aplican a Jesús, quien presenta la forma de llegar al Padre, lo mismo que una nueva manera de vivir.

Finalmente, la palabra "vida" no significa solamente la existencia humana, sino que representa una calidad de vida. De esta manera la vida para Jesús es una manera diferente de enfrentarse a cada circunstancia del existir diario.

El canto de gallo, Juan 13:36-38. La vida de Pedro es un ejemplo de lo frágil que es el hombre frente a sus promesas y compromisos. Jesús ha experimentado la traición de un amigo, en medio de esa crisis se ve en la responsabilidad de dar una lección de amor. Para Pedro es solamente el momento de hacer una declaración de compromiso, pero sin la meditación debida. Jesús tiene que hacerle entender a Pedro que es todavía un ser humano limitado, un ser humano frágil, tan frágil que no pasarán muchas horas antes de oír el sonido de la trompeta, y ya Pedro le habrá negado tres veces. Jesús debe enseñar a Pedro que todavía le queda un camino largo por recorrer en el aprendizaje.

El camino de la salvación, Juan 14:1-4. Jesús jamás nos ha dejado solos, las situaciones serán duras, como la de Pedro, pero Jesús estará siempre cerca de sus discípulos. Su mensaje es un mensaje de esperanza, un mensaje que nos desafía vivir en confianza y optimismo, pues Jesús regresa por nosotros. *El camino, la verdad y la vida, Juan 14:5, 6.* El único camino que nos puede enseñar Jesús es él mismo. No se puede disfrutar del Padre sino por medio de Jesucristo. Tomás ya tiene respuesta: Jesús es el camino al Padre. *El que conoce al Hijo conoce al Padre, Juan 14:7-11.* Todo este mensaje adquiere su validez porque la identidad de Jesús es completa con la identidad del Padre. Las palabras del uno son las palabras del otro, las obras del uno son las obras del otro. El Padre es en el Hijo, como el Hijo es en el Padre. *Lo que pidáis al Padre en mi nombre, lo haré, Juan 14:12-14.* Las bendiciones de esta identidad las podemos disfrutar nosotros. Una de ellas es que lo que pidamos, ubicándonos en el puesto de Jesús, el Padre nos lo concederá. Pero no solamente esto, sino que también el Padre nos concederá hacer cosas más grandes que las que hizo Jesús.

Estudio del texto básico

Lea su Biblia y responda

1. Indique al menos tres cosas con las que Jesús procura dar aliento a sus discípulos (vv. 1-4). a. _____

   b. _____

   c. _____

2. Señale dos identificaciones entre el Padre y Jesús en los vv. 7 y 9.

   a. v. 7 _____

   b. v. 9 _____

Lea su Biblia y piense

1 Jesús fue a preparar un lugar, Juan 14:1-4.

V. 1. El llamamiento que hace Jesús es a dejar de afanarse por las cosas de carácter temporal, pues los discípulos se hallaban en una situación de completa desesperación. Los discípulos necesitaban una especie de inyección a su ánimo para poder seguir creyendo, pese a tanta situación difícil que habían pasado, necesitaba afianzar su confianza en un Dios que les cuida y no se ha olvidado de ellos.

Vv. 2, 3. En medio de los problemas, una esperanza que nos puede llevar a una nueva forma de vida es el saber que Dios nos tiene preparado un hogar, un hogar junto al Padre, allí hay moradas esperándonos. La separación de Jesús redundará en bendiciones eternas, pues Jesús ya ha hecho los preparativos para cada uno. Estos preparativos incluyen su regreso, para que podamos estar con él para siempre, disfrutando del hogar del Padre y de la intimidad del Hijo.

V. 4. Los discípulos ya han empezado a comprender la esencia del mensaje de Jesús: revelar al Padre, por esto conocen a dónde va Jesús, como también cuál es el camino. Ese nuevo conocimiento es un privilegio que viene después de acercarse más al Maestro y desarrollar una relación más profunda.

2 Jesús es el camino, la verdad y la vida, Juan 14:5-11.

V. 5. A pesar de lo anteriormente dicho, los discípulos se hallan en medio de una crisis de fe. Tomás lleva la voz de los discípulos mostrando una fe tierna, pero al mismo tiempo una fe que se halla en crecimiento. No podía aceptar todo el plan de Dios, pues la cruz no era un camino aceptado por este discípulo.

Vv. 6, 7. La respuesta de Jesús es clara. Es introducida por el penúltimo Yo soy del Evangelio de Juan. Jesús no está enseñando una filosofía, o un principio a seguir, él está mostrando una persona, no sólo enseña el camino, sino que él es el camino.

El es el camino en dos sentidos, es el camino que Dios escogió para revelarse al hombre, como también es el camino para que el hombre se acerque a Dios. Pero Jesús es también la verdad, él es el único absoluto, del cual depende cualquier otro concepto, él es el único fiel en medio de tanta turbación y desconfianza. Finalmente, Jesús es también la vida, que no es algo meramente biológico, sino la vida que puede ser diferente en función de disfrutar de la presencia de Dios.

Estos tres conceptos van unidos entre sí. Todas estas tres palabras se hallan íntimamente ligadas, ligadas por el propósito de ellas, indicadas por la idea de que Jesús, el camino, la verdad y la vida, es la única manera para acercarse al Padre. Luego de entender esto, el creyente inicia el conocimiento del Padre y del Hijo.

V. 8. El camino del crecimiento de la fe es muy grande, Felipe es uno que no ha captado todo lo que Jesús le quiere decir, de allí que hace la pregunta, tal vez buscando alguna manifestación especial. No había comprendido que Dios le estaba dando la bendición de verlo a él mismo.

Vv. 9-11. La respuesta de Jesús interroga la fe de Felipe. Tres preguntas que le harán reflexionar, reflexión que le conducirá a una fe más madura, una fe que puede ver al Padre en Jesús, una fe que hace ver las obras que hace Jesús como una manifestación del Padre.

3 Jesús responde las oraciones, Juan 14:12-14.

V. 12. Los discípulos están preocupados, pero deben comprender que la partida de Jesús les traerá algunos beneficios. En primer lugar el tipo de obras. No se trata de hacer milagros por hacerlos, la promesa que se continuarán haciendo obras que revelen al Padre.

Vv. 13, 14. En segundo lugar, los discípulos podrán disfrutar de otro beneficio: pedir en nombre de Jesús. Esto no es poner una fórmula mágica "en el nombre de Jesús, amén", sino hacer las peticiones que estén de acuerdo con la voluntad del Hijo, hasta tal punto que debemos pedir lo que el Hijo hubiera pedido si hubiera estado en nuestra situación. La respuesta que recibiremos no es para satisfacer nuestros caprichos, sino para que sea manifestada la gloria del Hijo.

Aplicaciones del estudio

1. Confianza cuando las cosas andan difíciles. Es muy fácil "confiar" en Dios cuando todo anda bien, pero cuando todas las cosas se complican, también se nos complica el confiar en Dios. Jesús nos hace el llamamiento a que depositemos nuestra confianza en un Dios grande, un Dios que no ha perdido el control de cada circunstancia. El nos manda a que miremos sus promesas, y con este impulso podamos seguir adelante.

2. Confianza en las peticiones. Nuestras oraciones pueden ser presentadas a nuestro Dios con plena confianza, una confianza que debe empezar luego de haber examinado las razones de tal o cual petición. ¿Nuestras peticiones están de acuerdo con la voluntad del Hijo? No esperemos que Dios satisfaga nuestros caprichos, él nos contestará de acuerdo con su voluntad, de acuerdo con la voluntad del Hijo.

3. Un solo camino. El mundo en el cual vivimos es un mundo "cada vez más pequeño". Esta pequeñez ha traído algunas implicaciones, como por ejemplo la cercanía de muchas religiones y formas de filosofías. Gran número de ellas llevan un mensaje universalista, es decir que no hay diferencia entre ellas. Afirman que "todos los caminos conducen a Dios". Pero no nos debemos dejar engañar, no hay más camino que Jesucristo.

Prueba

1. En pocas palabras explique lo que significa que Jesús es el camino, la verdad y la vida. _____

_____

_____

2. Escriba dos resoluciones para tomarlas en su vida, pensando en lo que Dios ha hecho al proveernos a Jesús como nuestro salvador.

_____

_____

Lecturas bíblicas para el siguiente estudio

Lunes: Juan 14:15-17   **Jueves:** Juan 14:26, 27
Martes: Juan 14:18-20   **Viernes:** Juan 14:28, 29
Miércoles: Juan 14:21-25   **Sábado:** Juan 14:30, 31

Jesús promete enviar al Consolador

Contexto: Juan 14:15-31
Texto básico: Juan 14:15-26
Versículo clave: Juan 14:26
Verdad central: Al volver a la gloria, que le pertenece, Jesús hizo la promesa de rogar al Padre que enviara otro Consolador asegurándoles así a los suyos que no les dejaría huérfanos.
Metas de enseñanza-aprendizaje: Que el alumno demuestre su: (1) conocimiento de la promesa de Jesús acerca del Consolador y su tarea, (2) actitud de sumisión a la dirección del Espíritu Santo en su vida.

Estudio panorámico del contexto

El Paracleto. Se trata de una transliteración de una palabra griega. Se usa para describir al Espíritu Santo (Juan 14:16, 26; 16:26; 16:7) o también a Jesucristo (1 Juan 2:1. Aquí ha sido traducido como "abogado"). Se le pueden dar cuatro significados diferentes a esta palabra: uno llamado para que esté al lado de una persona que se halla pasando por algún problema difícil; uno llamado al lado de una persona para que la consuele cuando se encuentra en soledad o en otro problema; es el llamado al lado de una persona que ha sido acusada por algo y requiere de un testigo para salir adelante; finalmente, es el llamado al lado de una persona para darle valor en el cumplimiento de cierta responsabilidad. Todos estos significados teiene la palabra Paracleto.

"El príncipe de este mundo". Se refiere a Satanás, a quien también se le llama gobernante del sistema mundial, sistema que está bajo el control de Satanás, pues allí se vive de acuerdo con los valores propios de este sistema, valores que están en franca oposición con los valores que presenta el reino de Dios.

Judas, no el Iscariote. En las diferentes listas de los discípulos aparece como Judas Tadeo (Mat. 10:3; Mar. 3:18), o como "hijo de Jacobo" (Luc. 6:16; Hech. 1:13). En algunas variantes textuales de Mateo 10:3, aparece como Lebeo. Algunos creen que es el escritor de la epístola de Judas, pero hay poca certeza sobre este asunto.

Un Consolador permanente, Juan 14:15-17. Los discípulos están pasando por una gran crisis debido que Jesús les va a dejar. Frente a esta situación, les ha hablado de algunas bendiciones que tendrán; pero una bendición más, posiblemente la más importante, es que el Consolador permanecerá con ellos permanentemente.

No os dejaré huérfanos, Juan 14:18-20. La partida de Jesús no debe ser un motivo de tristeza, la promesa es que los discípulos no quedarán huérfanos. Además de la presencia del Consolador, es una garantía de que Jesús regresará por los suyos.

El que me ama guarda mis mandamientos, Juan 14:21-24. La mejor manera de expresar que amamos a Dios es obedeciendo sus mandamientos, cuando hay obediencia el Hijo se manifestará en cada discípulo. Esta manifestación se hace posible por la unidad que existe entre el Padre y el Hijo, siendo que el Hijo ha venido para revelar al Padre.

El Espíritu Santo recordará las palabras de Jesús, Juan 14:25-28. El Espíritu Santo además deberá cumplir otro ministerio con los discípulos: les recordará todas las palabras de Jesús, de esta manera se garantiza la transmisión fiel de las diferentes enseñanzas. En todo este ministerio se puede notar que la unidad de propósitos entre los miembros de la Trinidad es lo que conduce a que los discípulos puedan disfrutar de la paz en forma completa.

Un aviso oportuno, Juan 14:29-31. La presencia del Espíritu Santo con los discípulos es la respuesta a la promesa de Jesús de sus discípulos no estarán solos. El príncipe de este mundo también estará cumpliendo su papel: oponerse a todo el ministerio de Jesús y al ministerio de los discípulos. Por eso se hace necesaria la intervención y la presencia del Consolador.

───────── *Estudio del texto básico* ─────────

Lea su Biblia y responda

1. Según este pasaje, ¿cuáles son los ministerios del Espíritu Santo?

   a. (v. 16) _____

   b. (v. 26a) _____

   c. (v. 26b) _____

2. ¿Qué característica tiene la paz que promete Jesús? _____

Lea su Biblia y piense

1 El otro Consolador, Juan 14:15-18.
V. 15. Jesús ha enseñado acerca del nuevo mandamiento, además de darles consuelo debido a que es necesario separarse de ellos. Además presenta un desafío para la vida de los discípulos. El amor es la marca distintiva en la relación entre discípulos y el Maestro. El amor que tienen los discípulos al Maestro debe ser traducido en actos de obediencia. La fe no es un hecho sentimental, como tampoco intelectual, la fe está cargada de la necesidad de obediencia.

Vv. 16, 17. Jesús es el único mediador válido, por ello él rogará al Padre para que envíe otra persona que le reemplace en su ministerio. Este "otro Consolador" no se trata de una fuerza impersonal, sino de una persona que estará para siempre con los seguidores de Jesús. Este Consolador no puede ser aceptado por el mundo debido a que presenta los valores del reino, y es más, presenta al Rey, quien no se sujeta a la voluntad del príncipe de este mundo. Por esta razón, los seguidores de Jesús sí pueden conocer al Espíritu Santo, debido a que él permanece en los discípulos, además de estar al lado de ellos. El Espíritu no sólo permanece con ellos sino que está en ellos.

V. 18. Nuevamente la inquietud que tenían los discípulos de quedarse solos es interpretada por Jesús y les da nuevas palabras de consuelo: no van a quedar solos.

2 La demostración del amor, Juan 14:19-24.

Vv. 19, 20. Hay una diferencia entre los discípulos de Jesús y aquellos que viven bajo la influencia del mundo. Los segundos ya no podrán ver a Jesús. La relación que había con ellos era a nivel de relación física, en cambio la relación que hay con sus discípulos es a otro nivel, a tal punto que podrán disfrutar de la presencia de Jesús, ya que ellos vivirán. Este *viviréis* es solamente gracias a que Jesús vive.

Esta relación que existe se hace posible porque los discípulos conocerán la relación íntima que hay entre el Padre y el Hijo, lo mismo que entre el Hijo y los discípulos.

V. 21. Esta unidad se tiene que reflejar en obediencia, pues el que le obedece es el que le ama. Ahora esta posición de amor al Hijo implica que es amado por el Padre. Hasta tal punto es el amor del Padre y del Hijo, que este último se manifestará en el discípulo.

V. 22. Los discípulos están siempre listos a crecer por medio de sus preguntas, ahora le toca Judas, no el Iscariote, quien hace la pregunta aclaratoria.

Vv. 23, 24. La respuesta de Jesús sigue el mismo camino que ya había iniciado, el amor a Jesús se hace palpable sólo en la obediencia, y esta será la manera como Jesús se manifestará al mundo por medio de sus discípulos. El mundo podrá ver, en la vida de los discípulos, que el Padre está haciendo morada con el Hijo en ellos. Esta morada que es prometida no es para el más allá, es una promesa que el discípulo puede disfrutar mientras está aquí en la tierra. Esta declaración no se puede tomar con ligereza, pues es palabra del Padre, debido a la unidad que guardan las dos personas de la Trinidad.

3 La tarea del Consolador, Juan 14:25, 26.

Vv. 25, 26. La relación de conocimiento, de amor, de obediencia y en general la manifestación continua del Padre y del Hijo en el discípulo, sólo se logrará por la presencia del Consolador. Debido a esto es necesario que Jesús se aparte de ellos y se haga presente el Espíritu Santo. Esta presencia es una manifestación más de la unidad de propósitos de Dios, el Espíritu Santo será enviado por el Padre en el nombre del Hijo. El ministerio del Espíritu Santo será total, pues él no hace las cosas parcialmente. En primer lugar ellos aprenderán nuevas cosas, pero este aprendizaje se basa en que el mismo Espíritu les recordará todas las cosas. Las dos cosas que hará el Consolador no se pueden separar. Es una garantía a los discípulos de Jesús para que puedan comprender a cabalidad lo que pasó y lo que pasará.

Aplicaciones del estudio

1. Un compañero permanente. Una de las bendiciones más grandes que tiene un creyente es que nunca está solo. El mundo y los que viven en él le pueden abandonar, pero tenemos la garantía de que la presencia del Espíritu Santo será para siempre. El Consolador siempre estará con nosotros para animarnos y ayudarnos a salir de nuestra situación, inclusive de nuestra situación de pecado. El Consolador es un amigo permanente.

2. Manifestemos que le amamos. Podemos hacer muy bonitas poesías acerca del amor que le tenemos a Dios, podemos tener muy bonitos cantos indicando lo mismo, pero Dios no se deja engañar. Dios no quiere tantos sacrificios, Dios quiere justicia, misericordia y hacer el bien. Dios demanda que el amor que le profesamos se haga palpable en la obediencia a sus mandatos.

3. Vivamos la presencia del Espíritu Santo. Una de las bendiciones más grandes que tenemos como creyentes es que el Espíritu Santo nos acompaña siempre, pero esto también es una gran responsabilidad pues implica que debemos vivir de una manera diferente, ya que él siempre está allí. No podremos escapar de la presencia del Consolador. Cambiemos nuestra forma de vivir.

Prueba

1. En sus palabras escriba en qué consiste la promesa de Jesús a sus discípulos en cuanto a la presencia del Espíritu Santo. _____

_____

_____

2. Esta presencia debe cambiar su vida. Anote dos cosas que deben ser cambiadas en su vida debido a la presencia del Espíritu Santo.

a. _____

b. _____

Lecturas bíblicas para el siguiente estudio

Lunes: Juan 15:1-10
Martes: Juan 15:11-17
Miércoles: Juan 15:18-27

Jueves: Juan 16:1-4
Viernes: Juan 16:5-15
Sábado: Juan 16:16-24

Jesús, la vid verdadera

Contexto: Juan 15:1 a 16:24
Texto básico: Juan 15:1-17
Versículos clave: Juan 15:1, 2
Verdad central: El cristiano que está en una relación personal íntima y permanente con Jesús, tendrá una vida fructífera en el servicio a su Señor.
Metas de enseñanza-aprendizaje: Que el alumno demuestre su: (1) conocimiento de la necesidad de estar unido a Cristo para tener una vida cristiana productiva, (2) actitud de dependencia absoluta en el Señor para llevar mucho fruto que permanezca.

────────── *Estudio panorámico del contexto* ──────────

Los viñedos en el tiempo de Jesús. El cultivo de vides era muy común en los tiempo de Jesús. Había ciertos sectores famosos por las clases de uvas que producían. La planta es sembrada a más o menos una distancia, una de otra, de 2,5 metros. Esta nueva planta es protegida con piedras, las mismas que se obtienen de la limpieza del terreno. La vid crece arrastrándose por el piso, pero rinde mejor cuando es levantada en varas entretejidas. En época de la vendimia se recolectaban los racimos y eran llevados al lagar en donde se preparaba para la elaboración del vino.

La relación siervo-amo. Las enseñanzas bíblicas, como las leyes romanas protegían un tanto a los esclavos, al menos de manera teórica. La mayoría de ellos no tenían casi ningún derecho, pues eran tratados como objetos. En el ambiente judío la situación era un poco diferente, pues se regían, en forma ideal, por los preceptos bíblicos, los mismos que determinaban que en el año del jubileo todo esclavo quedaba libre.

Hostilidad contra los seguidores de Jesús. La misma actitud que hay hacia el maestro, se muestra también hacia sus discípulos, especialmente cuando estos viven estrictamente de acuerdo con los principios del Maestro. La hostilidad que mostraron hacia Jesús durante su ministerio se hizo palpable en la vida de los discípulos.

El mayor mandamiento, Juan 15:11-17. Por el ejemplo de Jesús, el mandamiento mayor que debemos cumplir los creyentes es el amarnos unos a otros, amor que debe ser a tal punto capaz de ofrendar la vida por nuestros semejantes. Esto se puede lograr solamente por la obra que ha hecho Jesús en el creyente.

El mundo aborrece a los creyentes, Juan 15:18 a 16:4. Cuando una persona opta por el seguimiento a Jesús, hay algunas implicaciones: por un lado puede disfrutar de la vida abundante, pero por otro lado, de igual manera que hicieron con Jesús, el creyente será aborrecido por el mundo. Por esto la presencia del Espíritu Santo se hace vital en cada uno para salir adelante.

El ministerio del Espíritu Santo, Juan 16:5-15. La ausencia de Jesús se convierte en una necesidad, pues si Jesús no se aparta de sus discípulos el Espíritu Santo no vendría a morar con ellos, para cumplir su función de Consolador y de guía en la verdad. Pero además de este ministerio en el creyente, el Espíritu deberá cumplir un ministerio específico en el no creyente, deberá obrar en ellos para convencerlos de que están en pecado, de justicia y para convencerlos de que su príncipe ya ha sido juzgado.

Jesús, vencedor del mundo, Juan 15:16-24. A pesar de la situación difícil que hay para el creyente, la garantía es que podemos confiar pues la victoria está garantizada porque Jesús es el vencedor del mundo.

─────────── **Estudio del texto básico** ───────────

Lea su Biblia y responda

1. En el pasaje busque las veces que se menciona la palabra fruto, lea cada vez que ello acontezca, y saque una conclusión de la frecuencia del uso.
   ___ veces. Vv. _____

   Conclusión: _____

2. El permanecer en Jesús tiene al menos dos implicaciones según los vv. 5, 10: a. (v. 5) _____ b. (v. 10)_____

3. ¿Cuál es el mandamiento que se repite dos veces en el pasaje? _____

_____

Lea su Biblia y piense

1 La vid y las ramas, Juan 15:1-6.
V. 1. Es el último *Yo soy* que usa Jesús para referirse a sí mismo. Jesús afirma que él es la vid auténtica, a diferencia de los judíos quienes se consideraban la vid de Dios. Pero esta vid se halla en una relación muy estrecha con su Padre, quien es el labrador. Es responsabilidad del Padre cuidar la vid y cuidar los frutos.

Vv. 2, 3. Parte fundamental del trabajo del labrador, el Padre, es ver que cada rama lleve fruto, de allí que deberá estar atento para desechar la rama que no lleva fruto, lo mismo que deberá cuidar para que la que lleve fruto lleve más fruto, cumpliendo una tarea de podado. La bendición especial que tienen los discípulos es que ellos ya han sido limpiados por la palabra dada por Jesús, están listos para dar el fruto requerido. Este fruto debe ser entendido como el resultado de una relación íntima con el Padre, lo que puede ser identificado con el fruto descrito en Gálatas 5:22 y los siguientes versículos. **Vv. 4-6.** El proceso de salvación es siempre un proceso de Dios, por ello el permanecer en Cristo es también parte de la gracia de Dios. Pero una vez que hemos nacido de nuevo la única manera de llevar fruto será permaneciendo en Cristo. La identificación clara de los discípulos con las ramas y de Jesús como la vid, hace pensar que la vida llega sólo por medio de la vid, lo que permitirá no solamente que cada uno lleve fruto, sino que lleve mucho fruto.

Por otro lado, esta comparación conduce a un lado triste de la situación. Las personas que no permanecen en la vid tienen un fin desesperante: serán echados fuera, luego se secarán, para más tarde ser recogidos y echados al fuego y finalmente ser quemados. Las palabras de Jesús son de ánimo para quienes permanecen en él, pero son muy serias para aquellos que han decidido estar separados de Cristo.

2 Dependencia que da fruto, Juan 15:7-10.

V. 7. Pero hay más privilegios que el de llevar fruto. Uno de ellos es que podemos pedir lo que queramos y nos será hecho, lógicamente que este pedir lo que queramos no es que Dios responderá a nuestros caprichos, sino que se lo debe entender en base al permanecer en Cristo. El permanecer en él significa también que su palabra permanece en cada uno, esta palabra que tiene vitalidad en sí misma es la que producirá el fruto deseado.

V. 8. El llevar fruto es una muestra de permanecer en Cristo, pero el desafío es mayor, pues el deseo que tiene Jesús para cada uno es que lleve mucho fruto, pues solamente esto será una muestra de que es un discípulo del Maestro. No debemos dejarnos engañar, el ser discípulos es llevar fruto, no solamente hablar y tener gran actividad.

Vv. 9, 10. El mismo razonamiento hasta aquí presentado es ahora usado para hablarnos acerca del amor. En primer lugar sobresale el amor que el Padre le tiene al Hijo, este amor tiene repercusiones, pues se refleja en el amor que tiene el Hijo para nosotros. Tal es el amor que nos demanda permanecer unidos a esta clase de amor. La única manera de permanecer en el amor es guardando los mandamientos.

3 Amigos de Jesús, Juan 15:11-17.

V. 11. Cada cosa que se ha dicho anteriormente tiene como propósito que el gozo de los seguidores de Jesús sea completo. Este gozo se hace necesario ahora que Jesús se va a separar de ellos, pero este gozo también debe ser entendido de la perspectiva que presenta Jesús: no es un gozo logrado por ellos mismos, sino que es un gozo que se origina en Jesús, pues es su gozo.

Vv. 12, 13. Ahora el tema del amor al semejante es más fácil abordarlo, pues solamente permaneciendo en Jesús y en su palabra es posible amar de la misma manera como Jesús ha amado, es decir ofrendado la vida por los otros. **Vv. 14, 15.** Un factor más se presenta ahora en la relación vital entre la vid y las ramas: la relación de amistad. Para entender mejor esta nueva relación Jesús explica por contraste que en la relación esclavo-amo, el segundo no cuenta nada al primero pues no es su responsabilidad, pero en la relación amigos es diferente, pues los amigos se consultan, los amigos se hablan, y nosotros, ahora por la gracia de Dios amigos de Jesús, podremos saber las cosas del Padre que son reservadas para nosotros. En este plano de amistad los mandamientos dejan de ser una carga.

Vv. 16, 17. A pesar de esta amistad, se debe recordar la diferencia que hay entre nosotros y Jesús. Todo lo que tenemos es por la gracia de Dios, pues él nos ha elegido primero. Por esta elección podremos llevar un fruto que permanezca, pero también, por esta misma elección nos podemos acercar en oración franca, para que Dios nos conceda nuestras peticiones. Por esta misma permanencia el amor hacia otras personas es factible.

Aplicaciones del estudio

1. Una vida llena de mucho fruto. El mucho fruto que debemos llevar dependerá solamente de nuestra relación de dependencia con Cristo. Nuestros frutos son producto de Dios, no de nuestros esfuerzos o capacidades.

2. Una vida de oración dependiente. La vida de oración de acuerdo con los planes de Dios es la que se hace en una relación de dependencia a Dios, en estar unido a él en actitud de obediencia.

3. Amar como él nos amó. El mandamiento del amor es una de las cosas más difíciles de seguir, si somos honestos con nosotros mismos. Nuevamente, esto se hará posible solamente en la medida que estemos unidos a Cristo.

Prueba

1. Enumere tres resultados de una vida unida a la de Cristo, según se ha aprendido en el pasaje hoy estudiado.

   a. _____

   b. _____

   c. _____

2. Seguramente usted desea trabajar en su congregación, ¿qué muestras cree que espera su iglesia de que usted está dependiendo del Señor?

   _____

Lecturas bíblicas para el siguiente estudio

Lunes: Juan 16:25-28   **Jueves:** Juan 17:9-13
Martes: Juan 16:29-33   **Viernes:** Juan 17:14-18
Miércoles: Juan 17:1-8   **Sábado:** Juan 17:19-26

Jesús ora por sus discípulos

Contexto: Juan 16:25 a 17:26
Texto básico: Juan 17:6-26
Versículo clave: Juan 17:11
Verdad central: Jesús oró por sus discípulos, y esto nos asegura su interés y apoyo para el bienestar de sus seguidores mientras cumplen en el mundo la tarea que les asignó.
Metas de enseñanza-aprendizaje: Que el alumno demuestre su: (1) conocimiento de lo expresado en la oración de Jesús a favor de sus discípulos, (2) actitud de confianza en la obra intercesora de Jesús a su favor.

Estudio panorámico del contexto

El uso de figuras como método didáctico. Uno de los títulos más usados para Jesús fue el de maestro, esto se debe a su gran capacidad de transmitir sus enseñanzas. Hay grandes herramientas usadas por Jesús para poder enseñar con mayor facilidad, una de ellas es la parábola. Pero no solamente usó las parábolas sino otro tipo de figuras, como el símil, la metáfora, alegorías, etc. Este uso de figuras, especialmente en el Evangelio de Juan, fueron la parte central de su enseñanza. Basta recordar palabras como "yo soy el pan de vida", "Yo soy la puerta", "Yo soy el camino", "Yo soy la vid", etc. Era necesario entender estas comparaciones, no en el plan literal al que estaban acostumbrados los fariseos y la mentalidad judía en general, sino usando cierto discernimiento espiritual.

El "hijo de perdición". Este es un hebraísmo clásico. Significa básicamente una persona que se identifica con la perdición. La Versión Popular ha traducido esta frase así: "aquel que ya estaba perdido". Para comprender mejor esta frase se puede ver el uso que se da de construcciones similares: "hijos del trueno", "hijos de infierno", "hijos de ira", "hijos de desobediencia". En 2 Tesalonicenses 2:3 se usa el término "hijo de perdición" pero aplicado a la figura escatológica que será el máximo oponente de Jesús.

Metodología pedagógica del Maestro, Juan 16:25-33. Los discípulos, como todo otro ser humano, no pueden entender a cabalidad todas las enseñanzas de Jesús. Jesús procura que ellos entiendan sus palabras usando diferentes figuras, pero no siempre pasa esto. Los discípulos no contaban con la presencia del Espíritu Santo, al mismo tiempo que su estructura de pensamiento les hacía difícil pensar más allá de lo literal. Los discípulos manifiestan su contentamiento cuando Jesús les comunica que más tarde les hablará en forma clara, de acuerdo con la comprensión que podrán tener en ese entonces. Ellos, por ahora, pueden captar que Jesús es quien ha revelado al Padre, lo cual es un crecimiento muy importante. Desde esa comprensión sus discípulos podrán disfrutar de la paz que Dios puede dar, paz que se basa en la victoria que ha tenido Jesús sobre el mundo.

En qué consiste la vida eterna, Juan 17:1-5. Esta oración es uno de los pasajes más importantes de Juan, aquí encontramos el clímax de toda la conversación que Jesús ha tenido con sus discípulos. La oración es clara, pues ella depende de la relación que tiene con su Padre, a quien se dirige. Es la oración levantada en el umbral de su muerte, pues la hora de su glorificación ya ha llegado. En esta glorificación se podrá ver en qué consiste la vida eterna: conocer al padre, y la única manera de conocer al Padre es por medio del Hijo. Es tiempo de que Jesús retome la gloria que ha tenido desde la eternidad, pues su misión está por cumplirse.

No son del mundo, Juan 17:14-19. A pesar de esta situación difícil que debe enfrentarse en el mundo, no deben salir de él, pues es su lugar de misión. Para salir airosos de esta lucha, se requiere que sean santificados en la palabra.

─────── *Estudio del texto básico* ───────

Lea su Biblia y responda

1. ¿Cuál es la relación que existe entre Jesús y el mundo?

   a. (v. 11) _____ b. (v. 16) _____

   c. (v. 18) _____

2. ¿Cuál es la relación que existe entre el mundo y los creyentes?

   a. (v. 11) _____

   b. (v. 16) _____

   c. (v. 18) _____

Lea su Biblia y piense

1 Jesús intercede por los suyos, Juan 17:6-13.

Vv. 6-8. El versículo 6 es una transición entre la petición que Jesús ha hecho sobre sí mismo, y la intercesión por sus discípulos. Jesús ha terminado su tarea de revelar al Padre. El ha manifestado el nombre del Padre a aquellos que le han sido dados sacándolos del mundo. Solamente por la gracia de Dios le han sido entregados, por esta gracia ellos guardan la palabra del Padre, y pueden conocer la perfecta armonía que hay entre el Hijo y el Padre, por lo cual han creído en el Hijo.

Vv. 9, 10. La petición que hace el Señor es concreta, no por los que pertenecen al mundo; ahora es tiempo de orar por los que le han sido dados por el Padre. Estas personas son pertenecientes tanto al Padre como al Hijo, por lo que Jesús ha sido glorificado en ellos. **Vv. 11, 12.** Es necesario que los discípulos sean guardados. Parte de esta protección que requieren es el estar unidos, no en una gran organización, sino unidos en propósito, frente a un gran sistema mundial que les aborrece. Esta unidad debe ser tal que se toma como modelo la unidad que guardan el Hijo y el Padre. El deseo de Jesús es que todos sean guardados como él lo había hecho cuando estaba en la tierra. **V. 13.** Se hace necesario que Jesús se separe de ellos, pero esto es así pues será la única manera como podrán disfrutar del gozo de Jesús.

2 El mundo aborrece a los cristianos, Juan 17: 14-19.

V. 14. La misión de Jesús tiene sus efectos, pues aunque él mismo les ha dado su palabra, el mundo les aborrece. La causa de este aborrecimiento es que ellos no son del mundo, es decir que no viven bajo los valores del "príncipe de este mundo". Sus discípulos no son del mundo como tampoco Jesús pertenece a este sistema maligno. Lo mismo que le pasa al Hijo les pasa a los discípulos. **Vv. 15, 16.** La consecuencia lógica de estar en un mundo tan adverso es que ellos sean sacados del mundo, pero no es esta lógica la que funciona, pues ellos deberán ser testigos de Dios en este mundo. De allí que la petición es que Dios los guarde del maligno, del príncipe de este mundo. Siendo que ellos ya no le pertenecen, como tampoco Jesús, la batalla de este maligno será centrada en sus discípulos. **Vv. 17-19.** Pero no solamente hay que seguir una actividad negativa, sino que es necesario santificarlos o "apartarlos" en la verdad; apartarlos de tal manera que vivan en el mundo pero bajo los principios de la verdad, de la palabra de Dios. La tarea no es fácil pues los discípulos han sido enviados de la misma manera como Jesús fue enviado, no solamente en la misma forma, sino también de la misma manera, es decir con la santidad requerida.

3 Jesús intercede por los que han de creer, Juan 17:20-23.

Vv. 20, 21. La oración de Jesús va más allá de sus discípulos, en su oración incluye a los que creerán por testimonio de los primeros. La petición es bastante concreta, una ampliación del versículo 11. La unidad que deben tener los seguidores de Jesús se hace factible en cuanto sea un reflejo de la comunión con el Hijo y con el Padre, solamente cuando la unidad con la voluntad del Padre sea posible, entonces la unidad de los hijos de Dios será un reflejo y un testimonio hacia el mundo. **Vv. 22, 23.** La gloria que le dio Dios al Hijo (manifestar a Dios entre los hombres) se ha transmitido hacia los discípulos (que deben manifestar la unidad que hay entre ellos y el Padre y entre ellos mismos). La unidad perfecta que debe haber entre los discípulos es una manifestación de la presencia de Cristo entre los creyentes, como se halla presente el Padre en el Hijo.

4 Juntos para siempre, Juan 17:24-26.

V. 24. Este versículo está lleno de sentimientos muy altos. El pedido que hace el Hijo al Padre es que desea estar con nosotros para siempre, así se podrá ver la gloria que tenía antes de la fundación del mundo. Cualquier cosa que podamos tener en la eternidad no es resultado de nuestras obras, sino es el resultado de la relación llena de amor que existe en la Trinidad.

Vv. 25, 26. Las peticiones han terminado, ahora se presenta el fundamento por el cual se han hecho todas estas peticiones. En primer lugar es la fidelidad de Jesús al rechazar los valores del mundo, el Hijo ha conocido al Padre, y por esto, y en segundo lugar los discípulos han conocido al Hijo como revelador del Padre. Todo esto se halla envuelto en la actitud de amor del Padre al Hijo, y por ende este mismo amor en los discípulos.

Aplicaciones del estudio

1. Un ministerio intercesor. La vida para el creyente no es fácil, y Dios sabe esto. Debido a esta situación nos ha provisto de varias ayudas: la presencia del Espíritu Santo, y la ayuda de un Dios muy grande que ha intercedido por nosotros para que podamos resistir al malo y salir adelante.

2. Nuestra misión como la de Jesús. Jesús ha dicho que así como el Padre le envió al mundo, así él nos ha enviado al mundo para que presentemos los valores del reino en un mundo que es gobernado por Satanás. Nuestra misión aquí y ahora es continuar con la misión, en cierta forma, que cumplió Cristo.

3. Una unidad real. Mucho se dice del buscar la unidad de la iglesia. La unidad que Dios nos demanda que tengamos es una unidad basada en lo que Cristo ha hecho, teniendo como modelo la unidad de propósitos que tienen los integrantes de la Trinidad, una unidad eminentemente espiritual.

Prueba

1. Destaque dos elementos de la oración de Jesús en nuestro favor.

a. _____

b. _____

2. Si sabemos que Jesús cumplió una obra intercesora en su oración, ¿a qué nos motivaría esta bendición? _____

_____

Lecturas bíblicas para el siguiente estudio

Lunes: Juan 18:1, 2
Martes: Juan 18:3, 4
Miércoles: Juan 18:5-8

Jueves: Juan 18:9, 10
Viernes: Juan 18:11, 12
Sábado: Juan 18:13, 14

Jesús es arrestado

Contexto: Juan 18:1-14
Texto básico: Juan 18:1-14
Versículo clave: Juan 18:12
Verdad central: Cuando Jesús fue arrestado por un grupo de soldados dirigidos por Judas Iscariote se cumplió lo que él ya había anunciado que sucedería.
Metas de enseñanza-aprendizaje: Que el alumno demuestre su: (1) conocimiento de la ocasión cuando Jesús fue arrestado, (2) actitud de ser leal a Jesús aun en las circunstancias más adversas.

─────────── *Estudio panorámico del contexto* ───────────

El arroyo de Quedrón. También es llamado Cedrón, es un pequeño arroyo que permanece seco la mayor parte de año y que solamente en el invierno llega ser torrentoso. Se lo consideraba como el límite de la ciudad y en momentos de batallas se lo usaba como una defensa natural de la ciudad. Sus aguas se originan en los manantiales de la ciudad, los mismos que eran parte de todo el sistema de acueductos de la ciudad.

Una compañía de soldados. Posiblemente se trata de una cohorte romana, la misma que estaba formada por unos 600 a 800 soldados. Se duda, entonces, que toda una cohorte haya apresado a Jesús, seguramente era solamente un destacamento. Sobresale el hecho de que romanos tomen parte en un acto policial, el mismo que generalmente se asignaba a los guardias locales.

Malco. Era un nombre bastante popular de origen árabe. El personaje citado es el siervo del sumo sacerdote, y es en el cuarto Evangelio el único sitio donde se lo menciona por nombre, posiblemente porque Juan era conocido del sumo sacerdote. A este siervo Pedro le cortó la oreja, no precisamente porque le apuntó a ella, sino porque falló en su propósito de cortarle la cabeza. La curación milagrosa que hace Jesús se halla mencionada solamente en el Evangelio de Lucas. Lo que sobresale en todo el pasaje que hace referencia a Malco, es que Jesús se halla preocupado, no sólo por hacer el bien a los que creen en él sino que también está preocupado por sus enemigos.

Anás y Caifás. Una célebre pareja formada por el suegro y por el yerno. Los dos resumen una triste realidad, combatida por Jesús, el uso de lo religioso en busca de sus propios intereses. Anás había sido sumo sacerdote en el pasado, pero fue reemplazado por su yerno Caifás quien era sumo sacerdote en funciones. Para los judíos los dos eran considerados como sumos sacerdotes.

El plan de Judas, 18:1-3. Jesús decide salir de Jerusalén para cruzar el arroyo del Quedrón, en donde Judas será el guía de los soldados y de la guardia del templo para tomarlo preso. Este sitio es un lugar familiar para el que traiciona al Maestro.

No perdió ninguno de los suyos, 18:4-9. Jesús no rehuye a sus perseguidores con quienes se enfrenta sin temor, al mismo tiempo que protege a los suyos para que puedan cumplir más tarde la tarea que Dios le encomendó.

Una reacción humana, 18:10-12. Pedro ha perdido de vista el plan que tiene Dios para su Hijo, por lo tanto actúa como cualquier otro humano lo hubiera hecho pretendiendo proteger a su maestro, para lo cual decide optar por el camino de la violencia, un camino muy diferente del que había decidido tomar el Señor.

Jesús ante Anás, 18:13, 14. Jesús es arrestado y llevado delante de las autoridades religiosas, quienes se habían olvidado de lo que les había encomendado la Palabra. Ellos prefieren transar con el poder político para poder cumplir sus metas obscuras y lejos de lo que Dios quiere para ellos. A pesar de todo esto, Jesús jamás pierde el control de la situación, como ya se demostró cuando usó a las mismas autoridades religiosas para dar una profecía acerca de la misión del Verbo en la tierra.

——————————— *Estudio del texto básico* ———————————

Lea su Biblia y responda

1. Haga una relación de todos los personajes que participan en el apresamiento de Jesús (v. 3):

    a. _____ b. _____ c. _____

2. ¿Cómo se identifica Jesús frente a sus perseguidores?, ¿en qué versículos?

    _____

    _____

3. ¿Cómo se llamaba el sumo sacerdote de aquel año? ¿Qué parentesco tenía con Anás? a. _____ b. _____

Lea su Biblia y piense

1 El negocio del traidor, Juan 18:1-3.

V. 1. Judas se convierte en el guía de los perseguidores de Jesús, el discípulo que había estado con Jesús en este mismo jardín, ahora pretende tomar preso a Jesús.

Vv. 2, 3. Judas es identificado como "el que le está entregando", quien tendrá que enfrentarse a un Jesús que no rehuye la situación. Sus perseguidores son una mezcla extraña: los religiosos (sacerdotes) que usan el sistema religioso para oprimir a la gente; otro grupo de religiosos (fariseos) que ha usado el sistema de las leyes bíblicas para someter al pueblo a tradiciones que ellos no podían cumplir; y finalmente los soldados romanos, quienes ejercían el poder político que somete a la fuerza al pueblo. Ellos se han juntado para apresar a Jesús como si fuera un ladrón, pues Jesús se había convertido en peligro para sus propósitos.

2 La omnisciencia de Jesús, Juan 18:4-9.

V. 4. Jesús es el soberano, por lo tanto conoce todas las cosas. El Señor tiene control de todo lo que está pasando, y se puede enfrentar a sus captores con toda la resolución del caso.

Vv. 5, 6. Jesús hace la pregunta lógica, ante lo cual todo el grupo contesta "en coro". Ellos están buscando al hombre que hizo su ministerio desde Nazaret, no es el hombre que se identifica con el poder religioso, no tiene temor a identificarse como lo ha hecho a lo largo del Evangelio: "Yo soy". Este mismo "Yo soy" que ha servido para identificarse como Dios. Al otro lado se halla Judas quien se identifica con los perseguidores. Frente a esta palabras, la gente cae a tierra haciendo sobresalir Juan el poder pleno que tiene el Señor. El asombro de la gente es muy grande ante un hombre que no tiene temor y que sale como interrogador de ellos. Están frente a un personaje de domina la situación.

Vv. 7, 8. Jesús insiste en la pregunta, con lo cual está ayudando a los perseguidores a hacer conciencia de que es a él solamente a quien persiguen. Una vez más sobresale el instinto de Jesús de cuidar y dar su vida por sus amigos.

V. 9. Nada de lo que estaba sucediendo era un asunto del azar, todo está completamente bajo el conocimiento y control de Jesús. Las palabras de Jesús llegan a tener el mismo valor de las escrituras del AT, y es así que Juan usa la misma fórmula para citar sus palabras que las que usa a lo largo de su Evangelio. La protección que da a sus hijos no incluye solamente las vicisitudes terrenas, sino que va más allá hasta el cuidado eterno, pues él es el dador de la vida.

3 Prendido como un criminal, Juan 18:10-14.

Vv. 10, 11. Pedro ocupa un lugar central en el relato. Ha decidido optar por el camino de la violencia; la víctima de su decisión es el siervo de sumo sacerdote: Malco. Para cometer su acto de violencia Pedro usó la espada. Mucho se ha discutido de la razón por la que Pedro era portador de ella; posiblemente la había adquirido para darle algún uso en una situación de crisis, pensando aportar algo a la causa de Jesús. No entendía que la causa de Jesús no es quitar la vida, sino dar vida. El camino de Jesús era ofrendar la vida por los demás.

Jesús, en ese momento cargado de tensión, da una orden a su discípulo, la espada no es el camino a seguir. El mundo posiblemente hubiese escogido ese camino, pero Jesús viene a enseñar otra posibilidad para imponer todas sus enseñanzas: el camino del servicio y ayuda aun a la persona que pretende hacerle mal.

V. 12. Los que apresan a Jesús piensan que tienen control de la situación y creen que, al atarle las cosas están seguras para su propósito: silenciar a Jesús. Pero no será así, Jesús desde su posición de prisionero se halla en capacidad de dar plena libertad a quienes están sometidos al pecado que los apresa. **Vv. 13, 14.** Se inicia el proceso contra Jesús, todo señala hacia la cruz. Primero comparece frente el "representante del pueblo ante Dios", quien deberá presentar el sacrificio por los pecados, en forma teórica. Anás es solamente la figura del poder religioso, pues quien ejercía el sumo sacerdocio era Caifás. Sin embargo, sobre ellos está un Dios Soberano quien tiene el control total de la situación, ofreciéndose como único sacrificio para redimir al hombre.

Aplicaciones del estudio

1. Una tarea que cumplir. La tarea del creyente no es una tarea fácil. A veces estamos tentados a hacerla desde nuestra propia perspectiva, y olvidando que Jesús nos ha enseñado una sola posibilidad para cumplir: seguir por el camino de la obediencia y el sacrificio por los demás.

2. Dios siempre está en control de la situación. A veces los problemas son tales que perdemos la visión de que Jesús está controlando todo lo que pasa. Nuestra confianza debe ser tal que podamos entregar toda nuestra vida pues él siempre tiene control de la situación.

3. Con valor frente a los problemas. La manera cómo Jesús enfrentó los problemas nos motiva a ser valientes. Si Jesús, quien estuvo sujeto a todas las limitaciones del hombre, pudo salir adelante, nosotros también podemos enfrentar los diferentes conflictos y tener valor para salir adelante.

Prueba

1. En sus palabras haga sobresalir la actitud que tuvo Jesús frente a sus perseguidores: _____

_____

2. Enumere tres actitudes que usted puede tomar en su trabajo u hogar, por medio de las cuales se demuestre que está listo a sufrir por la causa de Cristo. _____

_____

_____

Lecturas bíblicas para el siguiente estudio

Lunes: Juan 18:15, 16   **Jueves:** Juan 18:22, 23
Martes: Juan 18:17, 18   **Viernes:** Juan 18:24, 25
Miércoles: Juan 18:19-21   **Sábado:** Juan 18:26, 27

Jesús es negado por Pedro

Contexto: Juan 18:15-27
Texto básico: Juan 18:15-27
Versículo clave: Juan 18:17
Verdad central: La negación de Pedro acerca de su relación con Jesús muestra la vulnerabilidad humana.
Metas de enseñanza-aprendizaje: Que el alumno demuestre su: (1) conocimiento de la negación de Pedro, (2) actitud de fidelidad a pesar de los riesgos que resulten de seguir a Jesús.

Estudio panorámico del contexto

Pedro el personaje. Probablemente el nombre original era Simeón, pero una forma más común la adoptaría definitivamente: Simón. Su padre se llamaba Jonás (Mt. 16:17). Fue casado y solía ser acompañado en sus viajes misioneros con su esposa (Mar. 1:30; 1 Cor. 9:5). Nació cerca del mar de Galilea, ya sea en Betsaida (Juan 1:44) o en Capernaúm (Mar. 1:16-21). Su forma de hablar lo delataba como de origen galileo (Mar. 14:70); no era altamente instruido en la Ley (Hech. 4:13), pero sin duda no era analfabeto. Era estricto en el respeto a la ley, era de oficio pescador, y probablemente de ancestros humildes. No hay nada cierto en cuanto a su relación con el grupo de los zelotes.

Tuvo contacto previo con Jesús (Juan 1:41) antes de su "llamado oficial" (Mar. 1:16-18). Jesús le da el sobrenombre de "Cefas" (arameo) o "Pedro" (griego), seguramente pensando en su ministerio futuro y en su temperamento en general. En el evangelio de Juan generalmente lo llama "Simón Pedro".

Fue uno de los primeros llamados por Jesús y siempre ocupa el primer lugar en las listas de discípulos. Junto con Jacobo y Juan formaban el círculo íntimo de Jesús. Sin duda era el mayor líder del grupo. Es de especial importancia la declaración que hace en las inmediaciones de Cesarea de Filipo (Mat. 16:13-28). Sin desconocer las dificultades del pasaje, es notorio que Pedro tendría una responsabilidad futura muy especial en relación con la iglesia.

Pedro es visto como un discípulo que se desarrolla mayormente en las regiones cercanas de Palestina. La tradición lo ubica en sus últimos años en Roma, pero no hay mayores pruebas que indiquen que él que fue el primer obispo de esta ciudad.

El valiente se acobarda, 18:15-18. A Pedro le pareció que el mejor camino para mostrar su fidelidad era el camino de la violencia. Probablemente él pensaba "pasar a la historia" como un mártir que murió junto a su maestro. Olvidando que Jesús quiere que demuestre todo su valor en el seguimiento diario. Jesús enseña que es mucho más difícil vivir optando por la negación personal cada día. De esta manera, el "valiente" se acobarda.

Jesús no habló nada en secreto, 18:19-24. La comparecencia de Jesús ante las autroridades, según el relato de Juan, es una comparecencia valiente. Jesús tiene control de la situación. Para Juan esto es lógico ya que Jesús jamás habló en secreto, él hablaba delante de la gente, habló de que él era el Verbo que ha venido a revelar al Padre y esto siempre lo hizo en forma pública.

————————— *Estudio del texto básico* —————————

Lea su Biblia y responda

1. ¿Quiénes fueron las personas que interrogaron a Pedro?
   a. _____ b. _____ c. _____

2. ¿Qué negó ser Pedro cuando fue interrogado por la gente del sumo sacerdote? (vv. 17 y 25)_____

3. La respuesta de Jesús a la pregunta de Anás (vv. 20 y 21), como su reacción al golpe del guardia (v. 23), ¿qué rasgo del carácter de Jesús hace sobresalir?_____

Lea su Biblia y piense

1 La profecía cumplida, Juan 18:15-18.
Vv. 15, 16. Las palabras de Jesús tendrán su cumplimiento pronto: Pedro le negará en tres oportunidades (Juan 13:38) antes de que cante el gallo. Juan presenta ciertos datos que se hallan ausentes en otros Evangelios, a más de tener mayores detalles tanto de la negación como de la restauración de Pedro (21:15-19). En primer lugar *Simón Pedro y otro discípulo seguían a Jesús.* Esto lleva a pensar que la negación de Pedro no es un acto de Pedro únicamente, este "otro discípulo" lo acompañó y no fue de ayuda en evitar la caída. Juan da suficientes pistas para pensar que es Juan el discípulo amado este "otro discípulo". La negación de Pedro y complicidad de Juan nacen en un momento de desobediencia a lo que Jesús había dicho (13:36). Jesús está listo para dar su vida por el pueblo (18:14), Pedro está listo únicamente a dar su vida por Jesús, su seguimiento terminaría en fracaso, su amor no es como el de Jesús. No se sabe cuál es la relación entre Juan y el sumo sacerdote, sólo sabemos que *era conocido,* lo que es usado para que se permita el acceso de Pedro. El sumo sacerdote perseguía a Jesús no a sus seguidores, pensaban que al silen-

ciarlo a él todo su movimiento desaparecería. Pero todo esto debe ocurrir para que se cumplan las palabras de Jesús, Dios está permitiendo que todo esto ocurra bajo su soberanía.

Vv. 17, 18. La *criada portera* hace la pregunta y espera una respuesta negativa, esta toma por sorpresa a Pedro, que inmediatamente responde *No lo soy;* contrastando sus palabras con las de Jesús quien sin temor se identifica con un "Yo soy" (18:5, 8). Pedro queda sin su identificación como discípulo, pues prefiere identificarse ahora con los perseguidores de Jesús, se acerca a disfrutar del calor que ellos ofrecen. En estos momentos Pedro y Judas tienen la misma actitud de "estar" con ellos (18:5).

2 Jesús ante Anás y Caifás, Juan 18:19-24.

V. 19. Hay un contraste marcado, Pedro niega ser discípulo, y Jesús es interrogado acerca *de sus discípulos.* Anás pretende tener el control, interroga a Jesús acerca de la influencia que tiene en sus discípulos, es decir, esta comunidad de seguidores que ponen en duda el poder y supremacía de Anás. El juicio no es formal, la sentencia ya esta dada, esto es una hipocresía más de Anás.

Vv. 20, 21. Jesús no tiene nada que ocultar, él ha enseñado en público. Su mensaje ha sido *al mundo* y lo ha hecho en sitios públicos como *la sinagoga y el templo.* Allí enseñó a *los judíos,* seguidores de Anás. Jesús rechaza las impugnaciones hechas por Anás, no hay fundamento para su juicio. Jesús pasa a ser el interrogador y cuestionador, no aceptando la autoridad que quiere imponérsele por medio del sumo sacerdote.

Vv. 22, 23. *Uno de los guardias* actúa de manera servil, no con razones sino con violencia. Este hombre no se preocupa por el contenido de la respuesta de Jesús, solamente se preocupa por la actitud ante quien ostenta el poder. Se ve una diferencia radical entre Anás y Jesús, el primero necesita quien lo defienda, el segundo requiere de seguidores comprometidos (18:36). Jesús llama al razonamiento no a la violencia.

V. 24. La autoridad de Anás ha quedado en entredicho, Jesús a pesar de estar preso, es verdaderamente libre. Anás no ha podido manipularlo. El Cristo de la Biblia es inmanipulable, es el Soberano. Ante esta imposibilidad Anás opta por dejar su papel de opresor a Caifás.

3 Pedro niega de nuevo a Jesús, Juan 18:25-27.

V. 25. Mientras Jesús enfrenta con valor su interrogatorio, Pedro una vez más opta por lo más fácil en su interrogatorio: la negación. Juan no entra en detalles de las tres negaciones, pero según los otros Evangelios éste trata de escapar, pero ha regresado a la misma situación del versículo 18. Se ha identificado plenamente, está *calentándose* con ellos. Ahora son "ellos" quienes interrogan a Pedro (Mat. 26:73; Mar. 14:70b), y nuevamente pierde su identidad de discípulo: *No lo soy* ha respondido.

Vv. 26, 27. El personaje que parecía valiente frente a Malco, ahora está acorralado por un siervo *del sumo sacerdote, pariente de aquel a quien Pedro le había cortado la oreja.* No está listo a seguir a Jesús que permanece "atado", se ha acomodado a la situación; el que defendía la violencia, ahora teme. Ya no queda nada por hacer, *en seguida cantó el gallo*. Lucas (22:62) y Marcos (14:72) relatan el final: Pedro lloró...

————————— *Aplicaciones del estudio* —————————

1. Peligro en el discipulado. Cada día todos los creyentes nos enfrentamos a la posibilidad de negar a Jesús, esta posibilidad se origina en el hecho de que ser fiel a las enseñanzas, ser fiel a los valores del reino de Dios, en no pocas oportunidades conlleva el peligro de seguir el camino de la muerte y el sacrificio que siguió Jesús. Tenemos que evaluar si vale o no la pena ser un testigo fiel, o ser un testigo que se deja llevar por el camino fácil de la negación.

2. Valor en medio de las crisis. Jesús se constituye una vez más en el modelo para imitar mientras vivimos. El no se detuvo frente a la triste realidad de estar solo, frente a la triste realidad de que sus amigos le abandonaron cuando él más los necesitaba. Jesús supo afrontar las crisis con valentía y entereza; su rostro siempre estuvo encaminado al Calvario, su gloria.

3. Defensa de su dignidad. El Maestro no se dejó humillar, no permitió que Anás o un sirviente servil se aprovecharan de su situación. Cuando era necesario puso en claro sus derechos y reclamó la injusticia que se tenía contra él, aunque se hallaba en plena desventaja. La dignidad de ser humano es un valor por el que debemos luchar.

————————————— *Prueba* —————————————

1. En sus palabras escriba en qué consistió cada una de las veces en que Pedro negó a su Maestro. _____

_____

_____

_____

2. Describa una oportunidad en la que usted se vería en la posibilidad de negar a Jesús en sus actividades diarias y luego dedique un tiempo a orar para que Dios le mantenga fiel cuando llegue ese momento. _____

_____

_____

Lecturas bíblicas para el siguiente estudio

Lunes: Juan 18:28-32   **Jueves:** Juan 19:1-6
Martes: Juan 18:33-37   **Viernes:** Juan 19:7-11
Miércoles: Juan 18:38-40   **Sábado:** Juan 19:12-27

La crucifixión de Jesús

Contexto: Juan 18:28 a 19:27
Texto básico: Juan 19:17-27
Versículos clave: Juan 19:17, 18
Verdad central: La crucifixión de Jesús es el evento que culmina la historia de la salvación del hombre, es en la cruz del Calvario que Dios mostró su amor entregando a su Hijo.
Metas de enseñanza-aprendizaje: Que el alumno demuestre su: (1) conocimiento de la crucifixión como el evento por medio del cual se logra la salvación del hombre, (2) actitud de valorizar lo que significa la crucifixión de Cristo para su vida.

Estudio panorámico del contexto

El Pretorio. Era el sitio en el que vivía el comandante del ejército romano, y generalmente se aplica al cuartel donde estaba el ejército. En ocasiones se usa para referirse a la residencia del gobernador de la provincia, o al lugar de residencia de la autoridad romana. Es también usado el término para hacer relación a una especie de tarima en la que se colocaba la autoridad romana.

Las leyes judías y sus limitaciones. La negativa de ajusticiar a Jesús (18:31) responde a la necesidad de no contaminarse previamente a la fiesta de la Pascua, ya que no se buscaba justicia pues ya se había determinado que Jesús muriera. Según la ley romana, los judíos podían sentenciar a muerte pero previamente debían obtener el "visto bueno" de la autoridad romana. El sistema de ejecución judío era la lapidación o el ahorcamiento. Todos estos hechos se dan bajo el control de Dios, ya que la muerte del Mesías se daría bajo las condiciones establecidas, fuera de los cánones judíos.

La costumbre de soltar un preso en la Pascua. Parece ser que esta costumbre tiene su origen en un precepto de la Mishna, el que dice que el cordero pascual puede ser ofrecido por alguien que está en prisión. La Pascua como recuerdo de la liberación de Egipto llevaba la costumbre de soltar un preso. Además los romanos tenían por costumbre durante sus fiestas soltar un preso como símbolo de su benevolencia.

La crucifixión como método de ejecución. Los romanos perfeccionaron y legislaron este método, probablemente inventado por los persas o fenicios. Era un sistema humillante de morir por lo cual era prohibido aplicarlo a los ciudadanos romanos. El reo era azotado y obligado a cargar la viga transversal de la cruz previamente a ser clavado o amarrado a ella. Como un "acto de misericordia" en ocasiones se fracturaba las piernas de los condenados para así apresurar su muerte, pues a veces se demoraban días hasta que la persona muriera. *El rey de los judíos, 19:17-22.* Pilato necesitaba una buena razón, desde su punto de vista para crucificar a alguien; y la razón más común por algún tiempo había sido la subversión, es decir pretender reemplazar a la autoridad romana. Por esto Pilato en un afán por cubrirse coloca el letrero "Jesús de Nazaret, rey de los judíos". Esta sentencia ayuda a los romanos a seguirse imponiendo por la fuerza y así amedrentar a los posibles rebeldes.

Para que se cumpliera la Escritura, 19:23, 24. Nada de lo que estaba ocurriendo estaba fuera del control y planes de Dios. Por esto Juan es enfático al decir una vez más que lo que ocurría allí era para que se cumpliesen las Escrituras. Jesús lleva siempre el control de la situación, y al igual que las Escrituras es él el que dice qué es lo que va a pasar.

Las tres Marías, 19:25-27. Hasta la cruz se han acercado Pedro, que le falla en el momento preciso, Juan que estaba protegido por la amistad con el sumo sacerdote y las cuatro mujeres: María la madre de Jesús, María la esposa de Cleofas, María Magdalena y la hermana de María la madre de Jesús. Estas mujeres dan testimonio de un seguimiento comprometido que no tiene límites.

─────────── *Estudio del texto básico* ───────────

Lea su Biblia y responda

1. ¿Qué estaba escrito en el letrero sobre la cruz, y en cuáles idiomas?
   a. _____

   b. _____

2. ¿Que prendas de Jesús se dividieron entre los soldados, y sobre cuál echaron suertes?
   a. _____

   b. _____

3. ¿Quiénes estaban al pie de la cruz?
   a. _____ b. _____ c. _____
   d. _____ e. _____

Lea su Biblia y piense

1 Rumbo al Gólgota, Juan 19:17-22.

Vv. 17, 18. El relato de Juan es bastante más corto que el de los otros evangelistas. Luego de ser flagelado y humillado, Jesús *salió llevando su cruz,* él la ha tomado por su propia voluntad. El lugar donde se realiza la crucifixión es el sitio *que se llama de la Calavera, y en hebreo Gólgota.* No se sabe a ciencia cierta el porqué del nombre de este sitio, ni dónde se halla ubicado. La crucifixión se realiza con *otros dos,* sin importar, para Juan, quiénes son estas personas. Probablemente Pilato hizo así para humillar a los judíos, al colocar al que había llamado "vuestro rey" como a cualquier reo. El Verbo se había identificado con los seres humanos, y en la muerte sería lo mismo para cumplir el pasaje de Isaías 53:12.

El relato de Juan no enfatiza el sufrimiento del Mesías, la tortura física es secundaria. Lo que sí hace notar es que Jesús es el que tiene el control de la situación.

Vv. 19, 20. El *letrero* que se ubica sobre Jesús indicaba, según la costumbre, la causa de la crucifixión. En el título colocado por los romanos hay toda una connotación que busca la humillación de los judíos. Estos habían dicho que el César era su rey (19:15), Pilato insiste en que Jesús es su rey, y no sólo Jesús sino *Jesús de Nazaret,* el hombre que viene de la periferia, este es el *Rey de los judíos.*

Vv. 21, 22. *Los principales sacerdotes,* quienes han optado en franca traición a su país por el César como rey, tienen que oponerse a esta declaración de que Jesús es el rey, que Jesús es el Mesías. Entendían que las palabras de Pilato eran una burla, no podían entender que el Mesías estaba siendo colgado en un madero, y más aun que ellos eran los responsables de esto.

La pugna entre Pilato y los judíos se presenta, pero las palabras de Pilato quedan escritas y no hay fuerza que las cambie. Definitivamente el Mesías ha sido crucificado, el Dios-hombre, el hombre-Dios se ha entregado por amor a los hombres. Es la cumbre del amor: "el Verbo que se hizo carne y habitó entre nosotros y vimos su gloria..."

2 La túnica del Rey, Juan 19:23, 24.

V. 23. La costumbre era que quienes ejecutaban al reo podían dividirse las ropas. Al parecer, Jesús tenía cuatro prendas de vestir, las mismas que son divididas entre los cuatro soldados romanos. Según los otros evangelistas, echaron suertes para repartirse sus prendas, también *tomaron la túnica.* Esta era especial, pues no tenía costuras y según los relatos de la época era una prenda valiosa que generalmente llevaban los sumos sacerdotes.

V. 24. Los detalles de la muerte de Jesús están dirigidos por Dios y Juan aprovecha para mencionar, una vez más, que todo esta bajo el control de Dios. El cuadro final de la crucifixión está terminado: el rey de los judíos se halla expuesto a la burla, su desnudez sin duda lo llenó de vergüenza. La burla, que empezó con los soldados de Pilato (19:2, 3) ha llegado al colmo de la humillación. El pasaje termina haciendo un énfasis: *así lo hicieron los soldados.* Un asunto judío que tiene implicaciones universales.

3 "Mujer, he ahí tu hijo", Juan 19:25-27.

V. 25. No se sabe con precisión el porqué se menciona a estas cuatro mujeres, mirando los otros Evangelios se llega a la conclusión de que las cuatro mujeres serían: la madre de Jesús; su hermana que se llama Salomé, madre de Jacobo y Juan; María la esposa de Cleofas, madre de Jacobo y José; y María Magdalena. Su presencia hace sobresalir el valor y decisión de seguir a Jesús hasta el último momento. Ellas fueron más fieles que los discípulos quienes no estaban listos a enfrentar los peligros y riesgos del seguimiento fiel.

Vv. 26, 27. Aquí está la "tercera palabra de Jesús en la cruz", y es original del Evangelio de Juan. Se encuentra citada para mencionar el cuidado de Jesús por su madre. A ella se dirige, con todo el respeto: *Mujer,* indicando con esto que era necesario un distanciamiento, pues hay una nueva relación con Jesús el Señor. Se inicia una nueva relación, Juan es encomendado a María y María es encomendada a Juan. *Y desde aquella hora,* la muerte que había mencionado antes ha llegado, *el discípulo la recibió en su casa:* desde ese momento las cosas cambiaron, una nueva comunidad ha empezado.

―――――――――― *Aplicaciones del estudio* ――――――――――

1. Un misión y un mensaje universales. La muerte de Jesús tiene un alcance para todas las personas. Si su muerte fue así, nuestra responsabilidad es anunciar los beneficios de su muerte a todas las personas, sin distingo de raza o cultura.

2. Confianza total en las Escrituras. Tal es la soberanía de Dios que inclusive ciertas asuntos que podían ser considerados superfluos, como el de repartirse los vestidos del crucificado, Juan los enfoca desde la perspectiva del cumplimiento y del control completo de Dios.

3. Cuidado de nuestra familia. Si tenemos una familia que no ha tenido el privilegio de conocer a Cristo, es por medio de nuestra conducta y no por medio de asistir a todas las actividades de la iglesia, que podrán ser impactados con el poder del evangelio.

―――――――――――― *Prueba* ――――――――――――

1. Enumere cuatro eventos que sucedieron en la crucifixión de Jesús, según el relato de Juan. _____

_____

2. Haga una evaluación de su responsabilidad de testificar a todas las personas, piense en un grupo con quien usted no ha compartido el evangelio. Luego dedique un tiempo para orar por ellos y haga planes para hablarles de los alcances universales de la muerte de Jesús. _____

_____

Lecturas bíblicas para el siguiente estudio

Lunes: Juan 19:28, 29
Martes: Juan 19:30-34
Miércoles: Juan 19:35-37

Jueves: Juan 19:38, 39
Viernes: Juan 19:40
Sábado: Juan 19:41, 42

Jesús consuma su tarea

Contexto: Juan 19:28-42
Texto básico: Juan 19:28-37
Versículo clave: Juan 19:30
Verdad central: Habiendo pasado por todas las dificultades que implicó su arresto y su juicio, Jesús fue llevado a la cruz donde consumó la obra de salvación a favor de los pecadores.
Metas de enseñanza-aprendizaje: Que el alumno demuestre su: (1) conocimiento de la consumación de la obra salvadora de Cristo en la cruz del Calvario, (2) actitud de valorar la salvación que Jesús le ofrece por su muerte en la cruz.

───────── *Estudio panorámico del contexto* ─────────

El uso del vinagre para los crucificados. La bebida ofrecida a Jesús era un licor fermentado, vino agrio. Constituía la ración diaria que se daba a un soldado. Era una bebida popular entre obreros y gente pobre. El ofrecerle era una actitud de "misericordia" en medio del sufrimiento.

El día de la Preparación. Este era el día anterior a la fiesta de la Pascua, en donde, por lo general, se realizaba la preparación de los alimentos y los elementos que se usarían propiamente en el día de la Pascua. Según la costumbre, era el momento en que se sacrificaba a los corderos pascuales. En el templo el sumo sacerdote sacrificaba un cordero y daba en forma oficial inicio a la fiesta.

El Gran Sábado. Era el día más importante de la fiesta. No era un sábado como "cualquier otro sábado", era el sábado de la Pascua. Por esto era necesario tomar medidas para no caer en pecado, ni profanar la fiesta.

La costumbre de quebrar las piernas a los crucificados. Esta era una "actitud de misericordia" frente al moribundo. Tenía el propósito de acelerar la muerte del condenado. Fracturaban las piernas golpeándolas con una especie de martillo o con una gran barra metálica; la conmoción que causaba era suficiente para acelerar la muerte.

Sangre y agua brotan del costado de Jesús. La herida en el costado de Jesús la hicieron para confirmar su muerte, y poder quitar su cadáver de la cruz. La lanza no produjo la muerte. La sangre y agua (en realidad era suero), que brotaron del costado se explica debido a que la crucifixión suele provocar acumulación de agua en los pulmones y en el corazón; la sangre se debe posiblemente a que se produjo una "ruptura del corazón".

Testimonio confiable, 19:35-37. Las palabras de Juan son enfáticas, él se constituye en un testigo de lo que pasa. Su testimonio es de tal magnitud que puede apelar al texto bíblico que certifica lo que está diciendo. Así se puede depositar toda confianza en la obra de Cristo. *Un sepulcro nuevo, 19:41, 42.* Los muertos eran colocados en tumbas "reusables", como en la actualidad. Juan resalta que el sepulcro preparado para Jesús no había sido usado antes. La pasión de Jesús está llegando al fin. Todo comenzó en el "huerto" y todo terminará en el "huerto". Juan insiste en que su testimonio es fidedigno, así que menciona eventos que confirman con precisión su relato. El entierro en esta parte del huerto debía hacerse rápidamente, en un lugar cercano, para no violar la ley y para que todos puedan participar de la fiesta de la Pascua.

―――――――――――――― *Estudio del texto básico* ――――――――――――――

Lea su Biblia y responda

1. ¿Qué citas del AT son mencionadas para indicar el cumplimiento de las Escrituras? a. _____ b. _____ c. _____

2. ¿Jesús murió cuando le abrieron el costado con la lanza? __ Indique los dos versículos que nos hacen notar esto. _____

3. a. ¿Por qué el testimonio de Juan es verdadero? _____

_____ _____

   b. ¿Para qué dijo Juan la verdad sobre todos los acontecimientos relatados?

_____

Lea su Biblia y piense

1 "¡Consumado es!", Juan 19:28-30.

Vv. 28, 29. La imagen de Jesús, poco antes de su muerte, hace énfasis en un Cristo que controla los acontecimientos. En ningún momento pierde el control. Ya ha pasado lo peor, ya pronunció las tremendas palabras "Dios mío, Dios mío, ¿por qué me has desamparado?" Ahora sabe que lo que viene es el disfrutar de la presencia eterna del Padre. La agonía queda atrás, la gloria está a las puertas. El Mesías se da cuenta de que todo se había consumado. No hay nada por hacer. Y es en este momento que se da tiempo para identificarse completamente con el hombre; ahora puede preocuparse por sí mismo y clama: *Tengo sed;* sus palabras cumplen el propósito de llegar hasta la muerte cumpliendo *la Escritura.*

Allí en la cruz hace una invitación a sus asesinos, aquel que es fuente de agua viva se siente sediento de amor por nosotros. Los soldados se limitan a aliviar al moribundo, *pusieron en un hisopo una esponja empapada en vinagre y se la acercaron a la boca.* El *hisopo* fue la planta que se usó en la Pascua para poner la sangre del cordero en el dintel de la puerta (Exo. 12:21-23); las relaciones entre Cristo y el Cordero Pascual son notorias.

V. 30. Jesús ha aceptado el *vinagre,* no hay nada que hacer, ha cumplido su éxodo, está por dejar este mundo y llegar al Padre. De allí que la mejor descripción de lo que significa esto son sus palabras *¡Consumado es!* El proyecto de Dios por medio de Jesús llegó a la meta en la cruz, allí esta su gloria, allí está la "hora" de la que ha hablado a lo largo de todo el Evangelio. Lo que queda es *inclinar* la cabeza, y entregar el espíritu. El por su propia voluntad, y con pleno dominio de la situación entrega el *espíritu.* No muere para morir, sino para dar vida, él entrega el espíritu humano para así transmitir el Espíritu divino a todo el que cree en él.

2 El testimonio verdadero, Juan 19:31-35.

V. 31. Frente a una situación de majestuosidad, la misión cumplida, se opone la escrupulosidad religiosa, que piensa que primero está el formalismo y luego la misericordia y la justicia. Sus enemigos se preocupan más por el rito y el formalismo. Se preocupan porque se baje de la cruz a los que fueron crucificados. Y para cumplir esto apelan a una práctica de barbarie, camuflada de misericordia. Solicitaron que a los condenados *se les quebrasen las piernas y fuesen quitados.* No querían que nada impidiera su celebración religiosa sin sentido.

Vv. 32, 33. Los expertos en la muerte acuden a cumplir la tarea, y la cumplen con los que *habían sido crucificados con él.* Juan hace sobresalir el hecho de que Jesús no fue sometido a este "acto de misericordia", pues ya había muerto. El muere cuando él lo desea, no son los hombres quienes disponen de su vida.

V. 34. El quebrar las piernas del condenado, en el caso de Jesús, fue innecesario; como lo fue que el soldado le abriera *el costado con una lanza.* Son muestras de la violencia y hostilidad propias del mundo. El asunto de la presencia de *sangre y agua* son para Juan una prueba más de la naturaleza humana completa de Jesús.

V. 35. Inmediatamente se presenta uno de los testimonios más solemnes del Evangelio. En 1:34 Juan el Bautista se presenta como testigo de la unción del Espíritu Santo sobre Jesús, el momento oficial en que le es encomendada su responsabilidad mesiánica. El propósito de presentar lo que está pasando es que los que lean más tarde puedan creer. Dios en su grandeza estaba proveyendo para que la historia del Calvario no quedara únicamente en la mente y corazón de quienes la vieron, sino que fuese transmitida a nosotros.

3 Conforme a la Escritura, Juan 19:36, 37.

V. 36. Juan no termina su relato sin darnos seguridad de lo que está pasando. Cada detalle es apoyado con una porción bíblica. El hecho de que sus piernas no fueron quebradas es apoyado por los siguientes pasajes. El primero puede ser Exodo 12:46 junto con Números 9:12. El otro puede ser Salmo 34:20. Los dos primeros pasajes hacen alusión al cordero pascual. Jesús es el liberador por excelencia, en su muerte podemos celebrar nuestra liberación completa de las garras de la opresión. El otro pasaje pone énfasis en que el Mesías pasa por la muerte sin sufrir alteración en su cuerpo.

V. 37. El segundo pasaje citado es Zacarías 12:10. Este hace alusión a uno de los acontecimientos del Día del Señor, este será un día de bendición en que se abre la posibilidad de "limpieza de pecado". El evento de la cruz da por inaugurada una faceta del Día del Señor, la del ofrecimiento de salvación a toda criatura (Zac. 14:8, 9). La muerte de Jesús no es un evento aislado, está relacionado con todo el mensaje presentado en el A.T., mensaje de gracia, que se convierte en manifestación sublime de la "gracia sobre gracia" en la cruz.

Aplicaciones del estudio

1. Identificación completa. La muerte es una muestra más de la identificación completa con el ser humano. Igual que el hombre, Jesús tuvo sed, igual que el hombre él sufrió. Debido a esto podemos acercarnos con confianza a un Dios que sí sabe lo que cada ser humano pasa en esta vida.

2. Nada queda por hacer. Todo lo que pudo ser acepto delante de Dios ya lo hizo Jesús. El se trazó la meta de revelar a su Padre y la cumplió, él se trazó la meta de dar su vida en beneficio de los seres humanos, y la cumplió. Nos queda solamente aceptar este amor tan grande demostrado para cada uno.

3. Seguridad completa. Los relatos bíblicos no están basados en "fábulas". Cada palabra, cada evento está perfectamente atestiguado, lo cual nos da plena seguridad para que podamos depositar toda nuestra fe en las manos de un Dios que se ha revelado en la historia, para bendición de nosotros.

Prueba

1. Anote por lo menos dos hechos estudiados en la presente lección que le ayuden a pensar que Jesús hizo todo lo que debía hacer en la cruz.

_____

_____

_____

2. Señale dos implicaciones que debe haber en su vida, luego de valorar debidamente todo lo que hizo Jesús por su salvación. _____

_____

Lecturas bíblicas para el siguiente estudio

Lunes: Juan 20:1-5   **Jueves:** Juan 20:19-23
Martes: Juan 20:6-10   **Viernes:** Juan 20:24-29
Miércoles: Juan 20:11-18   **Sábado:** Juan 20:30, 31

Jesús resucita victorioso

Contexto: Juan 20:1-31
Texto básico: Juan 20:1-18
Versículos clave: Juan 20:6, 7
Verdad central: La actitud de los discípulos revela que no estaban muy seguros de que Jesús se levantaría de entre los muertos, pero el Cristo resucitado les confirmó su victoria sobre la muerte.
Metas de enseñanza-aprendizaje: Que el alumno demuestre su: (1) conocimiento de la resurrección de Jesús, (2) actitud de confianza en que el plan de Dios se cumplió para darnos salvación.

Estudio panorámico del contexto

El sepulcro de Jesús. La piedra que tapaba la entrada de la tumba era muy grande y por lo tanto pesada. Por lo general estaba sobre un surco que permitía hacerla rodar. Esta piedra tenía un sello de la autoridad, como garantía de que no sería violada por nadie (Mat. 27:66). La entrada era un tanto baja por lo cual debían inclinarse para ver dentro.

La manera de preparar los cuerpos de los difuntos. Los cuerpos eran envueltos en lienzos impregnados de perfumes aromáticos. El cuerpo era lavado y luego se envolvía en los lienzos en forma apretada, las especias actuaban como un pegamento de los pliegues del lienzo. Las especias, en especial la mirra, se adhería firmemente al cuerpo lo que hacía que los lienzos se pegaran de manera que era imposible desprenderlos del cuerpo sin romperlos. La cabeza era cubierta por un sudario. En el caso de Jesús las mujeres se vieron frustradas (Mar. 16:1, Luc. 23:56) al tratar de cumplir su tarea de poner los ungüentos necesarios, así que lo que Nicodemo hizo debe haber sido rápido y sin mucho detalle.

Era necesario resucitar, 20:1-10. El relato que se encuentra en el evangelio de Juan responde al plan de Dios que comienza con la manifestación del Verbo, quien debe revelar al Padre. El siguiente "paso" nos conduce hasta la muerte en la cruz, en donde se manifiesta la gloria de Dios. Pero luego de la muerte se sigue manifestando el Verbo, por esto Juan menciona inmediatamente que el Verbo resucita y sigue actuando entre los hombres.

Jesús aparece a sus discípulos, 20:19-23. La presencia de Jesús siempre causa impacto en quienes la experimentan, sus discípulos no fueron la excepción. El asombro que causa en ellos va acompañado de un ofrecimiento de paz de parte del Mesías. Este ofrecimiento de paz está muy relacionado con las responsabilidades que tienen los receptores de ella. Nada ha sido dado por

Dios para que lo guardemos, todo lo que hemos recibido de él tiene como propósito compartir con el resto, siguiendo el ejemplo del ministerio de Jesús. Como esta tarea no es fácil, Dios nos ha provisto del Espíritu Santo para poder cumplir esta responsabilidad de ser testigos. *El propósito de este libro, 20:30, 31.* Las siete señales que ha decidido presentar Juan, no son con el propósito de mostrar la capacidad de Jesús y nada más; cada una y las siete en conjunto han sido presentadas para que los lectores lleguen a creer que este Jesús es el Mesías, y creyendo pueden heredar la vida eterna en su nombre.

————————————— *Estudio del texto básico* —————————————

Lea su Biblia y responda

1. En el relato hay tres personajes: María Magdalena, Pedro y Juan. ¿Qué vieron cada uno el día de la resurrección?

    a. _____

    b. _____

    c. _____

2. ¿Cuál es la diferencia entre la actitud de María Magdalena y la de los discípulos? (vv. 10 y 18). _____

_____

3. ¿Cuáles eran las palabras que debía transmitir María Magdalena a los creyentes? _____

Lea su Biblia y piense

1 La duda de María Magdalena, Juan 20:1-4.

Los capítulos 20 y 21 son una nueva división que apunta al propósito que tenía al escribirlo.

V. 1. El evento sucede *el primer día de la semana,* marcando así el inicio de una nueva relación y la base para la tradición adoptada por la iglesia años más tarde, al reunirse cada primer día de la semana para celebrar la resurrección de Cristo. Los judíos se han quedado en la "Preparación" (19:42), los seguidores del Mesías optan por celebrar. La única mujer que hace sobresalir el evangelista acerca de la visita a la tumba es María Magdalena, ella será el centro del relato, a más de ser un vínculo entre los discípulos y Jesús. Al acercarse la mujer a la tumba, su preocupación inicial se convierte en causa de asombro: *la piedra había sido quitada del sepulcro.* Esta piedra no fue quitada para que el Mesías saliera, sino para que las mujeres y luego los discípulos miraran la tumba vacía; a más de ser un simbolismo de que la muerte ha sido vencida.

V. 2. María Magdalena en su asombro acude a los dos discípulos. No era raro que lo hiciera a ellos, ya que *Simón Pedro* era el líder del grupo y *el discípulo* amado ocupa un sitio especial cerca de Jesús. María Magdalena comunica su angustia, ella no ha captado la enseñanza de que el Maestro resucitaría, sólo está pensando que *han sacado al Señor;* para ella es un Señor impotente a quien *han sacado.* La otra preocupación de María Magdalena es que no sabe dónde lo han colocado, se ve impedida de cumplir los ritos, es una mujer que duda.

Vv. 3, 4. Juan hace una descripción muy vívida de los eventos de este día. La reacción de los discípulos no se hace esperar pues participan de la angustia de la mujer. Simón Pedro creía que la muerte de Jesús era un fracaso. El *otro discípulo* tiene afán de llegar, desea saber qué ha sucedido. El sepulcro se menciona nueve veces (1, 2, 3, 4, 6, 8, 11) dominando la mente de los participantes.

2 La duda de Simón Pedro, Juan 20:5-7.

V. 5. La entrada al sepulcro era posiblemente baja, de allí que *el otro discípulo se inclinó.* Lo que él pudover, fueron *los lienzos,* es decir, la tela con la que envolvían a los cadáveres. No viene a su mente la duda de si Jesús había resucitado o no, al parecer no era esto una posibilidad para Juan.

Vv. 6, 7. La actitud de Pedro, acorde con su temperamento le obliga a entrar. Pedro puede *ver los lienzos,* además *del sudario* que se hallaba aparte. Jesús ha resucitado dejando su ropa fúnebre, descartando, por lógica, la posibilidad de que se hayan robado el cuerpo. Para Pedro todo esto al parecer no logra relacionarlo con las palabras del Maestro de que era necesario resucitar, todavía está sumido en la incredulidad.

3 La duda del otro discípulo, Juan 20:8-10.

Vv. 8-10. La presencia del "discípulo amado" hace sobresalir la poca fe que poseían. Eso sí una fe de "grado mayor" que la de Pedro, ya que al entrar en el sepulcro *vio* (contempló) *y creyó.* ¿En qué creyó?, probablemente empezó a darse cuenta de que era posible la resurrección, pero no captó la necesidad de ésta, pues *aún no entendían.* Es un hombre que duda, pero tiene posibilidad de crecer en su fe. La situación de incredulidad es notoria pues los discípulos *volvieron a los suyos.* No estaban convencidos plenamente de lo sucedido, son pasivos. No han visto a Jesús, sólo saben que no está en la tumba.

4 La victoria sobre la muerte, Juan 20:11-18.

Vv. 11, 12. El relato regresa a María Magdalena; los discípulos se fueron. La angustia la ha dominado, ella *estaba llorando* y en medio de su dolor se *inclinó para mirar dentro del sepulcro.* A diferencia de los discípulos, ella mira dentro del sepulcro con atención. Lo que ve es a *dos ángeles con vestiduras blancas.* No sabemos por qué aparecen a ella y no a los discípulos; lo que sí se sabe es que cumplen la tarea de testigos. Al parecer Dios trabaja en María de manera que se produzca un crecimiento de su fe que redunde en un deseo de compartirla ardientemente.

Vv. 13, 14. María no se sorprende ante la presencia de estos ángeles, su ofuscación es tal que no tiene plena conciencia de lo que pasa. Los ángeles le dan aliento, no es tiempo de llorar con angustia. Al ver a Jesús no lo reconoce, probablemente esperaba un cadáver, no una persona de pie. **Vv. 15-17a.** La manera en que Jesús se dirige a María Magdalena es familiar, usa su nombre arameo "Miriam", ante esto ella responde también en su lengua materna: *Raboni* (mi Maestro). La comunión permanente será posible únicamente luego de ascender al Padre, y se lo hará gracias al ministerio del Espíritu Santo. **Vv. 17b, 18.** Ahora María Magdalena está en capacidad de ir a comunicar la noticia a los *hermanos*. Se nota aquí una nueva clase de relación, más estrecha. Además hay una nueva forma de relacionarse con Dios, sigue siendo *mi Padre* para Jesús, pero ahora también es *vuestro Padre*. El mensaje que debe transmitir es que, como ha terminado su misión debe subir al Padre. El Verbo ha cumplido su tarea de revelar a Dios quien le envió, ahora será glorificado con aquella gloria que tuvo siempre (Juan 17:5).

Aplicaciones del estudio

1. Debemos compartir el evangelio. No tenemos otra alternativa si queremos que nuestra fe crezca y madure. Al compartir nuestra fe, la buena noticia de que Jesús es nuestro Dios que vive, podremos crecer y ser más como Cristo quiere que seamos.

2. Veamos más allá de lo que nos pasa. El desafío que tenemos como creyentes es que, bajo la experiencia de los discípulos, no necesitamos ver que las promesas de Dios se cumplan para creer, podemos disfrutar de las bienaventuranza que nos da Dios y ser así más felices.

Prueba

1. Mencione por lo menos tres asuntos que les dieron evidencia a los discípulos de que Jesús había resucitado. _____

_____

2. ¿Qué promesas para su vida no se han cumplido? Anote dos de ellas, y luego agradezca a Dios, confiando que él es fiel para cumplirlas.

_____

_____

Lecturas bíblicas para el siguiente estudio

Lunes: Juan 21:1-6   **Jueves:** Juan 21:15-17
Martes: Juan 21:7-10   **Viernes:** Juan 21:18, 19
Miércoles: Juan 21:11-14   **Sábado:** Juan 21:20-25

Sígueme tú

Contexto: Juan 21:1-25
Texto básico: Juan 21:15-25
Versículo clave: Juan 21:22
Verdad central: Al final de su ministerio terrenal, Jesús confirmó a Pedro y Juan su autoridad y soberanía como el victorioso Hijo de Dios.
Metas de enseñanza-aprendizaje: Que el alumno demuestre su: (1) conocimiento de las evidencias de autoridad y soberanía de Jesús, (2) actitud de sumisión a la autoridad de Jesús comprometiéndose a seguirle fielmente.

—————————— *Estudio panorámico del contexto* ——————————

El mar de Tiberias. Este es otro nombre con el que se le llamaba al mar de Galilea, también conocido como Cineret o Genesaret. El lago es de 21 km. por 11 km.; su profundidad promedio es de 48 m. Es un lago que se halla atravesado por el río Jordán, por lo cual es de agua dulce y con gran cantidad de peces. Los cambios de temperatura le hacen proclive a tener tormentas con relativa frecuencia.

Una gran pesca: 153 pescados. Muchas interpretaciones se han dado al número preciso que menciona Juan, pero posiblemente esto solamente nos refleja que Juan era testigo ocular del milagro y quedó muy impactado por la gran cantidad de peces, luego de que ellos nada habían logrado.

Apacienta mis corderos, pastorea mis ovejas y apacienta mis ovejas. Este pasaje se da bajo el contexto general del libro en el que se dice que Jesús es el Buen Pastor. El pedido que hace Jesús a Pedro, o mejor dicho la misión que le encomienda, es completa: debe buscar alimento, pero esto debe ser integral y va más allá de una sencilla provisión alimenticia, pues debe proteger a su rebaño; de allí las dos palabras que usa: pastorear y apacentar. Al usar diferentes palabras para referirse a los integrantes del rebaño, sin duda hace relación a que se debe cuidar a toda clase de integrantes: los tiernos y los maduros. No hay, en este pasaje, ninguna base para afirmar que esta tarea fue encomendada solamente a Pedro, pues el mismo apóstol comisionó a todos los pastores de las iglesias (1 Ped. 5:2-4). No hay preeminencia de pastores, hay un sólo príncipe de los pastores (Jesús), con una serie de ministros que deben cumplir la tarea pastoral, sin jerarquías.

La pesca milagrosa, 21:1-14. El último capítulo del libro presenta a un Jesús resucitado que tiene dominio completo sobre la naturaleza, al mismo tiempo que se halla preocupado por la situación laboral de sus discípulos, pues les demuestra que no les ha abandonado en sus tareas diarias, como también está preocupado porque ellos tengan el alimento que requieren cada día. *Jesús y Pedro, 21:15-19.* La personalidad de Pedro queda en mal predicamento, pues ha negado al Señor. Este Señor es un Dios misericordioso y va dar una nueva oportunidad a su discípulo para que siga adelante. El haber cometido un error no le releva de sus responsabilidades. La relación estrecha que siempre hubo entre Jesús y Pedro significa también tomar muy en serio sus responsabilidades.

Jesús y el discipulado amado, 21:20-25. En el reverso de la moneda se encuentra Juan, a quien se le identifica en todo el libro como el "discípulo amado". Esta frase posiblemente nos indica alguna característica de Juan, la misma que posiblemente requería un poco más de atención por parte de Jesús. El también tenía sus problemas como los tenía Pedro. Jesús se preocupa también por él, dándole ánimos para que siga adelante.

─────────── *Estudio del texto básico* ───────────

Lea su Biblia y responda

1. Note las tres veces que Jesús cuestiona a Pedro (vv. 15-17). ¿Cuál es la diferencia entre la pregunta que hace Jesús y la manera como responde Pedro? (Se suguiere usar la traducción alternativa de RVA, o las versiones Popular o Reina Valera 1995.) _____
_____

2. La tarea que le da Jesús a Pedro, ¿en qué consiste?

    a. _____

    b. _____

    c. _____

3. ¿Con qué desafíos termina Jesús la conversación con Pedro? (vv. 19 y 22).

    a. _____

    b. _____

Lea su Biblia y piense

1 "Apacienta mis ovejas", Juan 21:15-19.

Vv. 15, 16. Jesús jamás se contentó con hacer milagros, siempre buscó que los beneficiarios de los milagros hicieran conciencia de quién es él. Por esto Jesús cuestiona a Pedro para que defina su relación con el Maestro. El apóstol había fracasado, era tiempo de que arreglara su situación con el Señor. En primer lugar debe hacer conciencia de que él habló de un mayor interés por Jesús del que tenía el resto, de allí la pregunta: *¿Me amas más tú que éstos?* Por otro lado el tipo de amor que Pedro había demostrado tener era solamente basado en lo que Jesús había hecho, tal vez se basó en su falta de comprensión de la misión de Jesús. Pedro solamente se limita a afirmar que su relación con Jesús es de aprecio. Sin embargo de las respuesta de Pedro, Jesús no duda en presentarle una vez más su responsabilidad de cuidar a su rebaño, al rebaño de Jesús.

Vv. 17, 18. El versículo 17 es el clímax de esta conversación. Pedro se puede dar cuenta de que Jesús quería llegar mucho más al fondo de una sencilla pregunta. Antes había contestado con más humildad de la que él solía tener, y sólo afirma que "sí le aprecia", sin hacer referencia a los demás. Luego reconoce que solamente le aprecia; su relación con Jesús no había llegado a una madurez completa, por esto su tristeza. También puede reconocer que Jesús tiene control de todas las cosas. La tarea encomendada a Pedro ahora tiene un asunto nuevo más: le hace recordar que debe ser más humilde.

V. 19. A pesar del desafío que está haciendo Jesús a Pedro, hay palabras de ánimo, pues le indica, que al igual que la muerte de Jesús fue su gloria, la muerte de Pedro también servirá para la gloria de Dios. Nada de esto tiene importancia de fondo. Lo más importante es que hoy es la oportunidad para que Pedro reconsagre su vida al Señor y se comprometa con el seguimiento que tiene que hacer a Jesús, en todas las circunstancias, inclusive en la muerte.

2 "Sígueme tú", Juan 21:20-23.

V. 20. El seguimiento al Señor no se puede hacer en la soledad, siempre es un seguimiento personal, pero al mismo tiempo comunitario. Su camino de seguimiento ahora lo debe realizar junto a otros discípulos, como el discípulo amado. Habrá otras personas que posiblemente guarden una mayor intimidad con el Señor, como lo fue Juan, quien en la noche de la traición se convirtió en el confidente de Jesús. Dos clases de discípulos: uno fiel al Señor y otro con dudas y tropiezos, pero los dos por igual compañeros en el camino del discipulado.

Vv. 21, 22. Lastimosamente Pedro no ha aprendido toda la lección, no se preocupa solamente por sí mismo, sino que en su seguimiento parece que le estorba las decisiones que ha tomado su compañero. No ha aprendido que Dios es soberano y trata a cada uno de una manera diferente. Jesús no responde a la pregunta de Pedro, ese es un asunto de Dios y Juan, el Señor tiene un plan para cada uno, a Pedro no le debe preocupar qué es lo que Dios va a hacer con los otros, la responsabilidad de él es solamente seguir al Señor. Note la manera enfática en que habla el Señor: "Tú, sígueme".

V. 23. Parece que la Iglesia del primer siglo no puso su mente en el desafío del seguimiento, sino que se concentró en lo que les parecía espectacular: que Juan no moriría. No captaron que ésta no era la enseñanza, sino que cada uno debe dar cuenta de su seguimiento, sin importar las bediciones que Dios puede dar al otro, inclusive, exagerando, que esta persona no muera. La iglesia del primer siglo perdió de vista lo que Jesús desea enseñar.

3 Testimonio verdadero, Juan 21:24, 25.

V. 24. El texto de Juan no nos da la identidad del "discípulo amado", pero haciendo un estudio a fondo, se llega a la conclusión de que este discípulo es Juan. Este versículo se convierte, ya al final del libro, en una especie de certificación de lo que se ha presentado, hasta tal punto que se muestra a la comunidad en donde Juan desarrollaba su ministerio, como una especie de testigo de todo lo que se ha escrito (note el uso de sabemos).

V. 25. Finalmente Juan hace una explicación lógica de que no se ha presentado todo lo que hizo Jesús. El apóstol ha hecho un trabajo de selección de todo su material, lógicamente bajo la dirección del Espíritu Santo, para cumplir su propósito. Hay mucho más que decir acerca de Jesús, pero lo que se ha presentado es suficiente para que podemos creer que Jesús es el Cristo y tengamos vida eterna.

Aplicaciones del estudio

1. Responsabilidad personal. Jesús nos hace el desafío de afianzar nuestro llamamiento y responder cada uno en particular al llamamiento que Dios nos ha hecho.

2. Un Dios soberano. Dios es el único Soberano, a uno le da larga vida, a otros corta vida; a unos determina que mueran por una causa, a otros por otra. Cada uno dará cuenta de las oportunidades que Dios le ha dado.

3. Haciendo conciencia de nuestra relación con Dios. Necesitamos preguntarnos si estamos listos a seguirle pase lo que pase; preguntarnos si verdaderamente le amamos o si apenas le apreciamos por las bendiciones que recibimos cada día.

Prueba

1. Enumere por lo menos tres cosas del estudio en las que se pueda ver la soberanía de Dios. _____

_____

2. Haga un alto al terminar el estudio del Evangelio de Juan, y dedique un tiempo para autoexaminarse. Ore por usted mismo y pregúntese si verdaderamente ama o no a Jesús. Tome medidas concretas para que su vida refleje este amor al Señor, y anótelas a continuación. _____

_____

Lecturas bíblicas para el siguiente estudio

Lunes: Job 1:1-3
Martes: Job 1: 4, 5
Miércoles: Job 1:6-8

Jueves: Job 1:9-12
Viernes: Job 1:13-17
Sábado: Job 1:18-22

PLAN DE ESTUDIOS
JOB

Escriba antes del número de cada estudio, la fecha en que lo usará.

Fecha   **Unidad 10: ¿Por qué sufren los seres humanos?**

_____ 40. Dios, Satanás y Job

_____ 41. Satanás y el sufrimiento humano

_____ 42. Lamentaciones de alguien que sufre

_____ 43. Amigos que consuelan

_____ 44. Dios habla en el torbellino

_____ 45. Job reconoce el poder de Dios

03001 —*Nuevo Comentario Bíblico, Edición Revisada.* Guthrie-Motyer-Stibbs-Wiseman.

Contiene notas sobre el texto, introducción y bosquejo para cada libro de la Biblia, mapas, tablas cronológicas y artículos generales de interés.

JOB
Una introducción

Job

Escritor. El escritor del libro de Job fue uno de los pensadores y escritores más profundos de toda la literatura universal. ¿Quién fue y dónde vivió? En realidad nadie lo sabe. Algunos eruditos creen que Job fue un personaje histórico; que sufrió aflicciones terribles y que las soportó sin abandonar su fe en Dios. Las referencias a Job en Ezequiel 14:14, 20 y Santiago 5:11 parecen establecer el hecho de que Job realmente vivió, sufrió y triunfó.

Estilo literario. Es improbable que cuatro personajes sostuvieran un debate poético y a nivel tan elevado. Todos los discursos de Job, Elifaz, Bildad, Zofar, Eliú y los del Todopoderoso están en poesía. El escritor de Job discute algunos de los problemas más profundos referentes al gobierno de Dios en el mundo. No era un mero cronista que procuraba consignar literalmente los discursos de un grupo de hombres del periodo patriarcal. Así pues, podemos decir que Job es una historia vestida bellamente de formas poéticas.

Teología del libro. ¿Qué es lo que Dios reveló por medio de la inspiración dada al escritor?

I. En cuanto a Satanás
1. Es el adversario de los hombres justos.
2. Está sujeto al poder de Dios.

II. En cuanto a la naturaleza y el carácter de Dios
1. Dios es poderoso, sabio y santo.
2. Dios es justo. Aplica castigos y premios.
3. Dios preside los acontecimientos externos.

III. El destino final
1. El Seol no puede retener a los justos.
2. Habrá un juicio después de la muerte.
3. Se prepara el terreno para anunciar posteriormente la resurrección del cuerpo.

IV. Nueva interpretación del sufrimiento humano
1. Las aflicciones pueden venir a los justos como prueba de su fe.
2. El sufrimiento no significa que Dios está disgustado con sus siervos.
3. Dios se goza con los que le sirven a pesar del sufrimiento.

Dios, Satanás y Job

Contexto: Job 1:1-22
Texto básico: Job 1:1-22
Versículo clave: Job 1:22
Verdad central: Dios, que es soberano, tiene un plan perfecto para la vida de cada persona. En su sabiduría infinita permite el sufrimiento, a la vez que aplica su poderoso cuidado a quien está pasando por las circunstancias más adversas, y las transforma en bendiciones.
Metas de enseñanza-aprendizaje: Que el alumno demuestre su: (1) conocimiento de cómo Job confiesa el obrar sabio de Dios, (2) actitud de reconocer y aceptar la soberanía de Dios en su vida y circunstancias.

--- *Estudio panorámico del contexto* ---

Job se considera uno de los personajes más antiguos de la Biblia. El libro de Job fue escrito muchos años después de vivir el personaje principal del libro. Job 1:1 dice que Job era de la tierra de Uz. Era hijo de Aram, hijo de Sem (Gén. 10:22, 23), quien era hermano mayor de Jafet. Esto nos ilustra que Job era descendiente de la familia de Noé.

Los amigos de Job son árabes y vienen del Cercano Oriente. Aunque es imposible aclarar algunas de las preguntas normales con relación a los hechos históricos de Job y su tierra, esto no le quita la importancia que el libro tiene, al contrario, hace que el mensaje sea contemporáneo y universal.

Hay dos opiniones sobre la fecha del libro. (1) Fue escrito en el tiempo de Salomón, y tal vez Salomón fue el escritor. (2) Fue escrito durante o después del exilio, en la época de Jeremías y Ezequiel. La teología relacionada con Satanás es parecida a la teología de aquella época. Se le considera persona y el nombre es propio y no una referencia a un adversario en sentido impersonal. Los que aceptan este punto de vista insisten en que el Job histórico pudiera haber vivido miles de años antes, pero que el escritor del libro es de la historia tardía veterotestamentaria. El mensaje del libro no varía, no importa la fecha que se establezca para la escritura del libro. Utiliza experiencias de personas en la antigüedad, pero el mensaje del libro es contemporáneo.

El drama, forma literaria para recalcar lo que el escritor quería enseñar, era utilizado con mucha frecuencia en la antigüedad (1:6, 7; 2:1, 2). En el libro de Job los primeros dos capítulos forman el prólogo y los últimos versículos son el epílogo, y el resto es un drama. Hay tres ciclos en que cada uno de los amigos de Job habla y después Job responde a cada uno.

Lea su Biblia y responda

Falso-Verdadero: Escriba una **F** en el espacio antes de cada declaración si es falsa y una **V** si es verdadera.

___ 1. Uz se refiere a una región geográfica antigua.

___ 2. Job era perfecto en el sentido moral; nunca pecó.

___ 3. El temer a Dios implica que Dios quiere que los seres humanos lo reverencien.

___ 4. La prosperidad de Job era prueba de que Dios bendice a los que luchan por obedecer todos los mandamientos de Dios.

___ 5. Satanás tiene autoridad para controlar los elementos de la naturaleza.

___ 6. Satanás ejerce su autoridad en los seres humanos, creando las ocasiones para la tentación.

___ 7. Satanás practica la rivalidad con Dios porque es eterno como Dios y no fue creado por Dios.

___ 8. Satanás fue el instrumento utilizado por Dios en traer las calamidades a la vida de Job.

___ 9. Las calamidades que acontecieron a Job y a su familia se debían al pecado en la vida de Job.

___10. En todo lo que aconteció a Job, no pecó.

Lea su Biblia y piense

1 Evidencias del favor de Dios hacia Job, Job 1:1-5.

V. 1. *Hubo un hombre* comprueba la historicidad de Job. No es una parábola, es la historia de un hombre que vivió, sufrió y perduró para disfrutar de las bendiciones al final de su prueba. *Uz;* descendiente de Noé, según Génesis 10:23. *Que se llamaba Job;* en el hebreo el nombre puede significar "hostilizado". *Integro,* una palabra que abarca las cualidades de madurez y equilibrio que caracterizaban a Job. *Recto,* siempre busca hacer lo correcto en cualquier circunstancia. *Temeroso de Dios* refleja su sumisión y reverencia hacia su Creador. *Apartado del mal* refleja el estilo de vida de Job. Se mantenía separado de las influencias y actitudes que podrían corromperlo.

V. 2. *Le nacieron siete...;* El tener muchos hijos, según el concepto prevaleciente de esa región y cultura, especialmente varones, era evidencia de la bendición de Dios. Esto refleja el hecho que Job era visto como persona bendecida por Dios.

V. 3. En una breve frase se da un sumario de las riquezas de Job. Los camellos eran animales de valor elevado, ya que permitían viajar largas distancias en el desierto. *Yuntas de bueyes* refleja el hecho de que Job probablemente tenía terreno donde se cultivaban uvas, higos y otros productos que crecían en regiones desérticas. *Era el más grande de todos los orientales;* es un sumario para comprobar las riquezas y la prominencia de Job.

V. 4. *Sus hijos iban y celebraban...* los hijos de Job participaron en las actividades de diversión que son características de los jóvenes en todas las épocas. En este caso, como en muchos otros, la indulgencia en la satisfacción de los deseos de la carne les trajo una perspectiva sensual.

V. 5. El sacrificio de Job era por los pecados de sus hijos. *Ofrecía holocaustos,* Levítico 1 da los detalles del holocausto. *Pues decía: "Quizás mis hijos habrán pecado..."*; Job era un padre muy interesado en el bienestar espiritual de sus hijos.

2 La autoridad de Satanás en el mundo, Job 1:6-12.

V. 6. No sabemos con qué propósito vinieron los hijos de Dios. *Hijos* probablemente es referencia a los ángeles; de todos modos sabemos que eran criaturas de Dios. *Y...vino también Satanás.* Satanás es identificado como persona con nombre propio. Figura como un hijo de Dios, creado por Dios y sujeto a la autoridad de Dios.

V. 7. *¿De dónde vienes?* Es una pregunta retórica es decir, ya se sabe la respuesta que se va a dar. *De recorrer la tierra y de andar por ella.* Esta respuesta concuerda con 1 Pedro 5:8: "Vuestro adversario, el diablo, como león rugiente, anda alrededor buscando a quién devorar."

V. 8. *¿No te has fijado en mi siervo Job?* Preguntamos: ¿Por qué Dios dirige la atención hacia su siervo Job? ¿Habría alguna clase de competencia para determinar las personas más aptas para resistir las pruebas? Dios menciona las mismas cualidades con que Job es descrito en 1:1.

V. 9. *¿Acaso teme Job a Dios de balde?* Esta es una pregunta desafiante y escéptica, lleva acusación por implicación. La pregunta que puede ser acusación, acerca de si Job cree en Dios y le sirve por temor.

V. 10. *¿Acaso no le has protegido?* Satanás continúa con su sarcasmo, acusando a Dios de mostrar cierto favoritismo con relación a Job y su familia.

V. 11. El tocar todo lo que tiene implica que sus posesiones y su familia le serían quitados, lo cual acontece en los versículos siguientes. *¡Y verás si no te maldice en tu misma cara!* Satanás piensa que la devoción de Job se debe a la prosperidad que Dios le da. Satanás conoce la naturaleza humana, porque lo que está diciendo sería la reacción de muchos frente a tales circunstancias.

V. 12. *Jehovah respondió...* Esta declaración afirma la verdad que Satanás tiene solamente el poder que Dios le otorga. Por eso, debemos orar todos los días para que el poder de Satanás sea limitado. *Solamente no extiendas tu mano contra él.* Esta limitación se impone, *entonces Satanás salió de la presencia de Jehovah.*

3 Job pierde todo, Job 1:13-22.

V. 13. Los hijos de Job, según sus costumbres, estaban participando en las actividades normales de los jóvenes en aquellos días.

Vv. 14, 15. Los sabeos llegaron y se llevaron los bueyes y las asnas, matando a los criados.

V. 16. Un rayo *cayó del cielo y quemó las ovejas y a los criados.*
V. 17. *Los caldeos* se llevaron *los camellos y mataron* a otros *criados.*
Vv. 18, 19. Llega la noticia que los hijos y las hijas perecieron por un viento fuerte que golpeó las cuatro esquinas de la casa (tienda).
V. 20. *Entonces Job se levantó, rasgó su manto y se rapó la cabeza;* señales de duelo muy comunes en el Cercano Oriente. El manto era una túnica que llevaban las personas más prósperas; el rasgarlo significaba la carencia de sus riquezas y rango social. *Se postró a tierra* es acto simbólico de sumisión.
V. 21. Job reconoce que al fin y al cabo todo lo que pasa es por la voluntad permisiva de Dios. *¡Sea bendito el nombre de Jehovah!* Es evidencia de la madurez de Job el poder bendecir a Jehovah en medio de sus pérdidas.
V. 22. *En todo esto Job no pecó...* Es una afirmación de la fe de Job y su confianza en el propósito benigno de Dios en la historia. *Ni atribuyó a Dios despropósito alguno.* ¡Cuántas personas maldicen a Dios y hacen voto de nunca volver a la casa de Dios cuando les pasan cosas semejantes!

──────── *Aplicaciones del estudio* ────────

1. Nada nos pasa que no esté bajo la voluntad permisiva de Dios, Job 1:12. Los ojos de Dios contemplan toda la tierra para mostrarse poderoso hacia los que le aman.
2. Satanás actúa, probando y tentándonos, Job 1:9-11. Hay que resistir su influencia, igual como Cristo se enfrentó con Satanás en el desierto.
3. Debemos ser fieles a Dios a pesar de las pruebas, Job 1:21, 22. En momentos de dificultad necesitamos el amparo divino más que nunca. Es el momento de acercarnos a Dios y esperar su poder.

──────── *Prueba* ────────

1. Después de estudiar Job 1:1-22 identifique el versículo en el cual expresa su confianza en el obrar sabio de Dios. Escríbalo aquí:

_____

_____

2. Identifique en su vida la circunstancia más difícil que está enfrentando. ¿Cómo expresaría su confianza en Dios a través de esa circunstancia? Escriba aquí su respuesta: _____

_____

Lecturas bíblicas para el siguiente estudio

Lunes: Job 2:1, 2
Martes: Job 2:3-5
Miércoles: Job 2:6-8

Jueves: Job 2:9, 10
Viernes: Job 2:11
Sábado: Job 2:12, 13

Satanás y el sufrimiento humano

Contexto: Job 2:1-13
Texto básico: Job 2:1-10
Versículo clave: Job 2:10b
Verdad central: El poder que tiene Satanás le es concedido por Dios, quien le pone límites a sus acciones destructoras.
Metas de enseñanza-aprendizaje: Que el alumno demuestre su: (1) conocimiento del poder limitado de Satanás, (2) actitud de resistencia a las acciones destructivas de Satanás.

────────── *Estudio panorámico del contexto* ──────────

En la antigüedad predominaba el concepto que la buena salud, la prosperidad, los muchos hijos y la vida larga eran evidencias de que la persona estaba viviendo en obediencia a las leyes de Dios y que estas bendiciones eran una recompensa por tal fidelidad.

En forma negativa, el sufrimiento, la esterilidad y los reveses económicos eran prueba de que existía el pecado, abierto u oculto, en la vida. Las personas que vivían estas experiencias positivas aceptaban tales bendiciones como de Dios. Pero hubo un hecho que no podían explicar: en muchos casos quienes tenían un comportamiento malo prosperaban en forma dramática. ¿Cómo podría existir esta contradicción?

El libro de Job es un drama que desafía este concepto predominante y enseña lo contrario. Job es un hombre recto, pero a pesar de eso sufre la pérdida de sus bienes, su familia y su salud.

Sus amigos reciben las noticias de las tragedias en la vida de Job, y llegan para consolarle. Pero su consuelo consiste en reflejar los conceptos prevalecientes de aquel entonces: el sufrimiento implica que Job ha pecado y no acepta su necesidad de reconocerlo, confesarlo y abandonarlo. Job afirma su inocencia, insistiendo en que su vida está libre de pecado.

Los bienes se pueden perder rápidamente (1:13-19). La narración parece indicar que la serie de tragedias acontecieron seguidamente, de modo que tenemos una sucesión de eventos que representaron para Job reveses económicos y pérdidas personales.

Job nos da el ejemplo de cómo, en medio de las dificultades recordó a Dios y le adoró (1:20, 21). Algunos dicen que en esos momentos no se tiene tiempo para orar, pero otros insisten en que la situación es tan crítica que el acto más importante es el de orar.

Lea su Biblia y responda

1. ¿Qué fue lo que Satanás incitó a Dios a hacer en relación con Job? (vv. 1-5).

2. ¿Qué limitación impuso Dios sobre Satanás en su trato con Job? (v. 6).

3. ¿Cómo hirió Satanás a Job? (v. 7). _____

4. ¿Qué le dijo la esposa a Job? (v. 9)._____

5. ¿Cuál fue la respuesta de Job a su esposa? (v. 10).

Lea su Biblia y piense

1 Satanás tiene poder limitado, Job 2:1-3.
V. 1. No sabemos si la presentación ante Dios era requisito establecido o simplemente una costumbre o un acto espontáneo de parte de *los hijos*. Recuerde que la mayoría de los comentarios interpretan que *hijos* probablemente se puede interpretar como los ángeles, que son seres celestiales que sirven a Dios o a Satanás.

A pesar de los esfuerzos de los teólogos, todavía hay mucho que no entendemos del origen y las actuaciones de Satanás.

V. 2. Satanás siempre está buscando presa que pueda llegar a ser su víctima. No descansa en su búsqueda de víctimas que han descuidado su relación con Dios. Conoce nuestras flaquezas y las circunstancias que son más propicias para sus ataques.

V. 3. *Se aferra a su integridad;* Job había manifestado serenidad y una aceptación de las circunstancias que le acontecieron sin maldecir a Dios. *Tú me incitaste contra él;* demuestra la influencia de Satanás con Dios en relación con Job. Vimos en el estudio anterior que la autoridad de Satanás es limitada. Esto es importante porque nos indica que Dios es el soberano en el universo y no hay competencia entre él y Satanás para determinar cuál es más poderoso.

Dios acepta la responsabilidad por haber permitido el toque de Satanás de las posesiones y los hijos de Job. *Para que lo arruinara sin motivo* refleja, según la apreciación de Dios, las consecuencias del actuar de Satanás en la vida de Job. Es necesario entender que Dios permite experiencias en nuestra vida para que se muestre la dependencia en él. Sin embargo, nunca dejará que el enemigo nos arrebate de su mano. Es lo que dijo Jesús cuando se refirió a todos los hijos que el Padre había puesto en sus manos.

2 Dios permite el sufrimiento de Job, Job 2:4-6.

V. 4. *Satanás respondió: Piel por piel;* los eruditos sugieren que Job está dispuesto a dar sus animales, sus siervos y hasta sus propios hijos, mientras no tenga que sufrir en forma personal. *Todo lo que el hombre tiene lo dará por su vida.* Esto ilustra la manera que tiene Satanás de entorpecernos: si no nos entrampa en una forma, busca otra táctica. **V. 5.** *Pero extiende... toca sus huesos y su carne.* Satanás desafía a Dios con relación a Job, mencionando que el sufrimiento físico traerá un rechazo de parte de Job hacia Dios. *Verás si no te maldice.* Satanás está seguro de que Job no resistirá el dolor físico. **V. 6.** *Jehovah respondió a Satanás;* percibimos que Jehovah todavía está en control y establece los límites del poder de Satanás. *El está en tu poder; pero respeta su vida.* Preguntamos: ¿Por qué tiene que sufrir tanto Job para probarle a Satanás que no va a maldecir a Dios? La respuesta a esta pregunta no es fácil, como no es fácil ninguna explicación del porqué de las formas distintas de sufrimiento que existen en el mundo.

3 La realidad del sufrimiento de Job, Job 2:7, 8.

V. 7. *Satanás ...hirió a Job con unas llagas malignas.* El relato bíblico no da explicaciones científicas ni diagnóstico exacto de la naturaleza de las llagas. Podría haber sido una de las muchas condiciones que se diagnostican como lepra. Lo cierto es que era muy doloroso para Job. ¿Hasta qué grado podemos soportar el sufrimiento físico? A Job ahora le toca esta prueba. *Desde la planta de sus pies...* explica que fue una infección generalizada en todo el cuerpo. **V. 8.** *Tomaba... tiesto para rascarse con él;* Job intenta aliviar su dolor usando un pedazo de barro para rascarse. *Estaba sentado en medio de cenizas;* para comunicar su duelo. En el Cercano Oriente cuando acontecía una tragedia en la familia o a una persona, sentarse en las cenizas indicaba humillación. El hombre que anteriormente estaba entre los más prominentes ahora está entre los más desafortunados.

4 La evidencia de la integridad de Job, Job 2:9, 10.

V. 9. *Entonces su mujer le dijo;* es la primera mención de la esposa de Job. Algunos la han considerado como colaboradora de Satanás, por cuanto parece que simpatiza con él en contra de Dios. Agustín la llamó "el emisario del diablo". Calvino la llamó "la encarnación de Satanás". *¿Todavía te aferras a tu integridad?*, es una pregunta que implica que ella creía en la integridad de Job a pesar de su sufrimiento. En esto se identificó con Job; estaba a su lado y había visto su sufrimiento. Simpatizó tanto que fue llevada a dar un consejo muy severo: *Maldice a Dios;* la nota dice que la traducción literal es "bendice a Dios". Se creía que el maldecir a Dios conllevaba una muerte segura. Ella usa la palabra en forma eufemística; utilizando un término suave y bonito cuando quería decir lo opuesto. Ella está diciendo que Job merece liberación de un sufrimiento tan intenso. *Y muérete;* con frecuencia se escucha a las personas pedir a Dios la muerte como forma de liberación del sufrimiento. En el día de hoy la eutanasia es tema de mucha controversia, aunque reconoce el hecho que muchos enfermos sin esperanza anhelan la muerte como la alternativa más deseada en un sufrimiento prolongado.

V. 10. *Pero él le respondió;* Job reprende a su esposa, no puede aceptar esa perspectiva con relación a la solución de su problema. *Has hablado como... las ...insensatas*; Job insiste en que la esposa no se baje al nivel de las personas que ofrecen soluciones tontas a su problema. Eso sería violar su integridad. *Recibimos el bien ...de Dios* con una alegría que es contagiosa. Cuando algo bueno nos pasa, estamos listos para alabar a Dios. *¿Y no recibiremos también el mal?* Pero la adversidad cambia nuestra actitud hacia Dios. Estamos más inclinados a enojarnos con Dios y preguntar el porqué de lo que nos pasa. Job acepta lo que le ha pasado, sin cuestionar, sin acusar, sin maldecir, lo cual indica que es varón perfecto, como se declara en Job 1:1.

En todo esto Job no pecó con sus labios; la integridad de Job se establece. Los intentos de Satanás son frustrados. No puede penetrar el carácter de Job, aunque ha tocado su cuerpo. Esto es una poderosa lección para nosotros, acerca de cómo los sufrimientos en la vida pueden fortalecer nuestro carácter, o pueden quebrantar nuestra voluntad y encaminarnos al pecado.

─────────── *Aplicaciones del estudio* ───────────

1. Las tragedias no se pueden explicar. El volcán erupciona y entierra a miles de personas, entre ellas los justos y los injustos. No debemos tratar de emitir juicios sobre la causa ni la intención de Dios.

2. Hay que utilizar sabiduría al visitar a los que sufren. Podemos expresar nuestro amor y disposición para hacer lo posible en aliviar su sufrimiento, sin mencionar el porqué de tal sufrimiento.

3. No debemos atribuir causa a los sufrimientos. Lo que sí podemos hacer es preguntarnos: ¿Qué cosas buenas pueden resultar de mi sufrimiento?

─────────────── *Prueba* ───────────────

1. ¿Tiene Satanás más poder que el que Dios le brinda? _____ ¿Por qué?

_____

2. Mencione dos acciones de resistencia al poder de Satanás que usted pondrá en práctica esta semana. _____

_____

Lecturas bíblicas para el siguiente estudio

Lunes: Job 3:1-5   **Jueves:** Job 3:16-19
Martes: Job 3:6-10   **Viernes:** Job 3:20-23
Miércoles: Job 3:11-15   **Sábado:** Job 3:24-26

Lamentaciones de alguien que sufre

Contexto: Job 3:1-26
Texto básico: Job 3:1-12, 20-26
Versículo clave: Job 3:25
Verdad central: El dolor físico puede forzar a una persona a actuar en maneras fuera de sí, insensatamente, pero Dios que le comprende, no le abandona.
Metas de enseñanza-aprendizaje: Que el alumno demuestre su: (1) conocimiento de por lo menos tres expresiones de Job en las que evidencia lamentos profundos, (2) actitud de escuchar, comprender y ayudar a quien está sufriendo.

―――――――― *Estudio panorámico del contexto* ――――――――

Elifaz, Bildad y Zofar son tres sabios del Oriente. Llegan a la ciudad de Job, y alguien les informa que Job está en el basurero de la ciudad. Los enfermos intocables solían habitar ese sector, porque era el método de cuarentena médica y aislamiento social. Allí estaba Job en medio de un montón de cenizas, rascándose las llagas. No le reconocieron, porque era muy grande el cambio de la prosperidad y la salud, como lo habían conocido anteriormente, a la miseria de la actualidad. Alzaron sus voces y lloraron (2:12). Esparcieron polvo hacia el cielo para dejarlo caer sobre sus cabezas, lo cual era, en aquel entonces, una forma de lamentación.

Los amigos llegaron justamente cuando Job estaba sintiendo los dolores más intensos (2:11-13). Escucharon sus desesperadas expresiones durante siete días sin responderle. Era el tiempo estipulado para llorar la muerte de un ser querido.

Mientras están en silencio, consideran lo que van a decirle a Job. Las respuestas de los amigos reflejan desconocer el marco de referencia de las lamentaciones de Job. Han llegado con sus explicaciones ya elaboradas en sentido filosófico tanto como teológico. Los argumentos de los amigos representan las explicaciones clásicas del sufrimiento según las personas de esa época: "Uno sufre porque ha pecado". Es una explicación sencilla, pero el libro de Job contiene unos 35 capítulos con variadas explicaciones que giran alrededor de este mismo punto de vista. Vamos a considerar en este estudio y en el siguiente, algunos de los argumentos de los tres amigos de Job.

Lea su Biblia y responda

1. ¿Cuál fue el lamento de Job según los vv. 1-10?

_____

2. Según el v. 23 ¿cómo se sentía Job en su relación con Dios?

_____

3. ¿Cuáles eran los sentimientos de Job según el v. 25?

_____

4. En el v. 26 Job expresa: no tengo _____; no tengo _____;

no tengo _____; más bien, me viene la _____.

Lea su Biblia y piense

1 Lamento por haber nacido, Job 3:1-10.

V. 1. Con la llegada de sus amigos se despertó una esperanza en Job, como es el caso de todos los que sufren. Pero ellos guardaron silencio y al fin reaccionaron en forma defensiva. *Job abrió su boca y maldijo su día*; tarde o temprano el enfermo estalla y exterioriza lo que está sintiendo. Pero Job no maldice a Dios como supuso Satanás y como le aconsejó su esposa; más bien maldice su día, o sea el día de su nacimiento. Dirige la maldición hacia sí mismo. La palabra *maldijo* tiene aquí el significado de burlarse de ese día o declarar el día como sin significado.

V. 2. *Tomó Job la palabra y dijo*: Aquí sigue un lamento que es respuesta a las muchas cosas que le han pasado. Job ventila su enojo. Los versículos que siguen son las expresiones de quien ha sufrido tanto que al fin grita lo que considera que es injusto.

V. 3. *Perezca el día en que nací;* es una expresión de deseo que ese día nunca hubiera llegado. *¡Un varón ha sido concebido!* Normalmente estas eran las palabras más bellas que un padre podría escuchar, porque todo hombre justo anhelaba el nacimiento de un varón.

V. 4. *Sea aquel día tinieblas;* o sea día de tristeza y no de felicidad. *Dios no pregunte por él... ni resplandezca la claridad;* Job expresa que el día de su nacimiento hubiera sido *de tinieblas*, sin que *resplandezca la claridad*.

V. 5. *Reclámenlo... tinieblas y la densa oscuridad;* Job insiste en que el día de su nacimiento fuera caracterizado por la oscuridad, símbolo de algo trágico y no algo feliz. *Oscurecimiento del día* comunica que algo fuera de lo ordinario pasa.

V. 6. La variación que utiliza el escritor en expresar el mismo anhelo de Job ilustra el poder de la poesía que contiene el libro.

V. 7. *Sea aquella noche estéril; no penetren en ella gritos de júbilo*; que solían brotar cuando había noticias del nacimiento de un varón.

V. 8. *Los que se aprestan a instigar al Leviatán*; Leviatán en la mitología semítica fue un dragón que tuvo que ser derrotado antes de que pudiera ser creado el mundo.

Vv. 9, 10. Job desea que el día de su nacimiento nunca hubiera llegado. Los momentos de la aurora por regla general son momentos de felicidad; los animales están despertando; los gallos cantan. Pero Job desea que no fuera así. *Porque no cerró las puertas de la matriz;* otra variación del deseo que Job expresa de no haber nacido.

2 Lamento por no haber muerto antes de nacer, Job 3:11, 12.

V. 11. *¿Por qué no morí en las entrañas, o ...al salir del vientre?* Normalmente hay un anhelo de vivir y una resistencia a la muerte, pero el dolor puede transformar esos impulsos instintivos en lo opuesto. Tal es el caso de Job.

V. 12. *¿Por qué me recibieron las rodillas?*, explica el proceso del parto y a la vez puede indicar las experiencias en la niñez cuando el niño es acariciado en las rodillas de los adultos. *¿Para qué los pechos que mamé?*, el alimento que le sustentó.

3 Lamento por no dejar morir al que desea la muerte, Job 3:20-25.

V. 20. *¿Para qué darle luz al que sufre y vida a los de alma amargada?* Después de expresar sus lamentos porque nació o no murió en la infancia, Job entra en la etapa de lamentar por medio de la pregunta: *¿Por qué?* Por regla general las personas que preguntan ¿por qué? no están esperando una respuesta a la pregunta. Simplemente es una expresión de desespero. No hay respuesta adecuada a tales preguntas. *Y vida a los de alma amargada* se refiere a las personas que han experimentado tanto dolor que ya la vida no contiene nada de placer ni alegría.

V. 21. *A los que esperan la muerte ...más que a tesoros enterrados*; es una figura muy gráfica para ilustrar la intensidad con que algunos esperan la muerte. Esta expresión se puede aplicar a la persona que anhela la muerte porque ha sufrido tanto.

V. 22. *A los que se alegran ante el gozo ...se regocijan cuando hallan el sepulcro*; se refiere a las personas que sienten que la muerte y el sepulcro les dará el descanso que no pueden experimentar por el sufrimiento.

V. 23. *A quien Dios ha cercado*; aquí termina la pregunta que comenzó en el versículo 20. La referencia a que Dios ha cercado significa que Job sintió que estaba completamente arrinconado por los sufrimientos físicos. Un animal salvaje pelea hasta morir cuando siente que está siendo capturado.

V. 24. Job ha expresado con muchos detalles el sufrimiento que siente. Sus suspiros son constantes como el pan que uno busca todos los días. Sus gemidos salen sin cesar. Uno no puede entender cómo hay tanta agua que sale de los nevados y los manantiales, pero el agua ha corrido por siglos sin cesar.

V. 25. *El miedo que presentía me ha sobrevenido;* cuando uno teme tanto una experiencia no agradable, hay una tendencia de anticipar que tal acontezca. El temor al fracaso es el primer paso hacia el fracaso. *Lo que me daba terror me ha acontecido*; hay lo que se llama la realización de nuestros mayores temores. Job tanto temía el sufrimiento y ahora está viviendo lo que temía.

4 Expresión de completa desesperación, Job 3:26.

V. 26. *No tengo tranquilidad, ...quietud, ...sosiego*; tres palabras que representan lo opuesto de lo que Job está sintiendo. La repetición del paralelismo en el hebreo se hace con el fin de intensificar el efecto de su declaración. *Más bien, me viene la desesperación*; es la expresión de uno que no ve ningún rayo de esperanza. El dolor tiene el efecto de quitarnos toda clase de esperanza y hacernos pensar que la muerte será bienvenida.

──────────── *Aplicaciones del estudio* ────────────

1. A veces el silencio sagrado es el mejor acto de ministerio que podemos ejercer hacia los que sufren.

2. ¿Qué podemos decirles a las personas que están sufriendo por enfermedad, desastres u otros motivos? ¿Cómo podemos convencerles de que Dios les ama a pesar de su dolor o de las tragedias que les han sobrevenido?

3. Debemos recordar las promesas de Cristo. En medio del sufrimiento debe estar en nuestra mente el cúmulo de promesas que dejó nuestro Señor.

──────────── *Prueba* ────────────

1. Según el texto bíblico de este estudio, mencione tres expresiones de Job en las que evidencia lamentos profundos.

   a _____ b _____ c _____

2. Mencione las respuestas que usted daría a una persona que sufre y le dice:

   a. "¿Por qué me pasa esto?"_____

   b. "Creo que Dios me está castigando." _____

   _____

   c. "Merezco lo que me pasa." _____

   _____

Lecturas bíblicas para el siguiente estudio

Lunes: Job 4:1 a 6:30   **Jueves:** Job 12:1 a 14:22
Martes: Job 7:1 a 8:22   **Viernes:** Job 15:1 a 17:16
Miércoles: Job 9:1 a 11:20   **Sábado:** Job 18:1 a 20:29

Amigos que consuelan

Contexto: Job 4:1 a 20:29
Texto básico: Job 4:2-8, 5:17, 18; 8:6-13; 11:7-11
Versículo clave: Job 5:9
Verdad central: Los amigos de Job expresaron las explicaciones comunes de su día, las cuales declaraban que el pecado trae el sufrimiento. Estas declaraciones, aunque están en la Biblia, no representan la verdad desde el punto de vista de Dios.
Metas de enseñanza-aprendizaje: Que el alumno demuestre su: (1) conocimiento de porqué las declaraciones de los amigos de Job no representan la verdad de Dios, (2) actitud de acercarse al que sufre con la verdad de Dios en cuanto al sufrimiento.

Estudio panorámico del contexto

Los países de origen de los amigos de Job se mencionan. Elifaz era temanita (posiblemente de Edom y paisano de Job), Bildad era sujita (tal vez cerca del Eufrates) y Zofar era namatita (de afuera de Palestina). Todos pensaban que si uno sufre, es por algún pecado.

Los capítulos 4 al 27 de Job contienen tres ciclos de discursos en los cuales los amigos de Job hablan y después Job les contesta. El texto del tercer ciclo es desorganizado de modo que a veces uno no puede saber con certidumbre quién·está hablando.

Elifaz acusa a Job de no actuar en forma adecuada frente al dolor, 4:3-5. Elifaz reconoce que a veces hay fuerza para soportar las adversidades. Pero también llega el momento cuando uno no es capaz ni de llevar su propia carga. Necesita de otros que le ayuden. El sufrimiento es inevitable (5:7).

No se debe menospreciar la disciplina del Señor, 5:17. Las tragedias de la vida se pueden interpretar como mensajes de Dios para captar nuestra atención. Algunos de los sufrimientos se pueden interpretar así, pero no podemos decir que todo sufrimiento es disciplina del Señor.

Bildad declara que Dios recompensa al bueno y castiga al malo, 8:20, 21. Bildad ha estudiado los problemas en el sentido intelectual, y tiene las soluciones teóricas, pero no ha vivido tiempo suficiente todavía para sentir y experimentar de lo que habla.

Zofar declara que si Job fuera inocente, podría estar firme en su forma de vivir, 11:7-11. Zofar da cuatro pasos necesarios en el arrepentimiento: (1) Predisponer el corazón a Dios, (2) extender las manos a él, (3) alejar la injusticia de sus manos y (4) no cobijar la maldad en su morada.

Lea su Biblia y responda

Lea el *Texto básico* de este estudio y responda escribiendo una **F** en el espacio antes de la declaración si es falsa y una **V** si es verdadera.

___ 1. Job anteriormente había instruido a muchas personas.

___ 2. Ahora Job acepta instrucción sin resistencia.

___ 3. Las palabras de Job anteriormente han sido fuente de consuelo para muchos.

___ 4. Los que aran iniquidad y siembran sufrimiento cosechan lo mismo (4:8).

___ 5. El hombre puede ser más justo que su Hacedor (4:17).

___ 6. El hombre nace para el sufrimiento como las chispas vuelan hacia arriba (5:7).

___ 7. Bienaventurado es el hombre a quien Dios disciplina (5:17).

___ 8. Dios hace doler, pero también venda (5:18).

___ 9. Dios en su omnipotencia ha establecido la ley de causa y efecto (8:11).

___ 10. El Seol era morada de los muertos (11:8).

Lea su Biblia y piense

1 Job, que aconsejó a otros, ahora necesita consejo, Job 4:2-6.
V. 2. Este es el comienzo del discurso de Elifaz, quien trata de ayudar a Job a entender que sus angustias se deben a algún pecado que ha cometido. *¿Quién podría reprimir las palabras?* Elifaz declara que ha llegado el momento cuando él tiene que arriesgar el rechazo de su amigo. Han pasado siete días en silencio, observando los dolores angustiosos de Job, y ahora tiene que hablar.

V. 3. *Tú instruías a muchos;* Job había dado consuelo a multitudes. Pero cuando le toca al mismo Job experimentar estas mismas crisis es muy difícil que acepte inmediatamente tal ministerio. Es más fácil *afirmar las manos debilitadas* de otros que recibir tal afirmación.

V. 4. Las palabras del líder sirven para levantar al que ha tropezado. *Las rodillas que se doblaban* se refiere a la debilidad que uno siente cuando se agotan las energías. Job había levantado en muchas ocasiones a las personas que ya no tenían energías para seguir adelante.

V. 5. Dicen que es difícil para el médico ser paciente, para el abogado ser cliente y para el ministro ser ministrado por otros. Pero Elifaz está listo para razonar con Job con la esperanza de hacerle ver que necesita ser ministrado.

V. 6. El concepto que el que anda correctamente recibe bendiciones y el que hace lo malo sufre como consecuencia de su comportamiento se refleja en las palabras: *la integridad de tus caminos, tu esperanza.* El reclamo es que Job ha cumplido su parte del pacto, y ahora Dios no está cumpliendo la parte que le corresponde.

2 Declaraciones rígidas, Job 4:7, 8.

V. 7. Elifaz ahora entra más directamente al argumento sobre la justicia de Dios y su modo de tratar a los seres humanos. Los culpables son los que perecen como castigo por sus delitos. Elifaz declara una de las bases fundamentales que la gente de su época aceptaba. *¿Dónde han sido destruidos los rectos?* Elifaz no puede concebir la destrucción de los rectos.

V. 8. *Los que aran... siembran... cosechan,* aquí vemos el proceso necesario en la agricultura para lograr una cosecha. Uno tiene que preparar la tierra para obtener una cosecha. Pero la aplicación que da Elifaz al asunto es negativa. El *arar iniquidad* quiere decir que uno comete pecados graves.

3 Sufrimiento es una forma de disciplina, Job 5:17, 18.

Vv. 17, 18. La persona que Dios disciplina debe estar feliz, según Elifaz. El está en lo correcto en reconocer que Dios nos disciplina, y esas lecciones a veces traen sufrimiento. *El hace doler, pero también venda;* esta es una de las declaraciones más profundas en el libro. *El golpea, pero sus manos sanan;* reflejan el concepto de Elifaz con relación a la manera en que Dios castiga el pecado, pero sana al que es obediente y sumiso a su disciplina.

4 Argumento de Bildad, Job 8:6-13.

V. 6. Bildad, el segundo amigo de Job argumenta que el hecho de su sufrimiento es evidencia clara de su pecado. Este argumento refleja el concepto tradicional que Dios protege al bueno y castiga al que ha pecado.

V. 7. Nuestra permanencia aquí en la tierra es de poca significancia, pero el porvenir en el cielo con Dios será de gran transcendencia.

V. 8. Bildad exhorta a Job a indagar de las generaciones pasadas para buscar la contestación de las preguntas tan complejas que desafían el razonamiento y la sabiduría de los seres humanos.

Vv. 9, 10. Podemos observar la rapidez con que desaparece una sombra, y esto ilustra la característica temporal de nuestra existencia aquí en la tierra. Nuestra época es como una gota en el mar cuando consideramos toda la historia. La sabiduría de siglos pasados puede enseñarnos mucho si tomamos el tiempo para estudiar.

Vv. 11, 12. La ilustración del *papiro* y el *junco*, que requieren *agua* para crecer, ilustra que el autor estaba familiarizado con Egipto, donde estas plantas abundaban en las regiones del Nilo. Estas plantas, viven corto tiempo, porque es su naturaleza. Son temporales, y se mueren aun si no son cortados.

V. 13. El que se olvida de Dios también va a perecer. El que comete pecado sufrirá las consecuencias. Estas consecuencias serán una muerte prematura.

5 Argumento de Zofar, Job 11:7-11.

V. 7. Llega el turno de Zofar para hablar a Job. *¿Alcanzarás tú las cosas profundas de Dios... el propósito del Todopoderoso?* Al intervenir Zofar se basa en las respuestas de Job a los argumentos de Bildad. Se impacienta con la insistencia de su inocencia de parte de Job. Puesto que Dios no le ha instruido a

Job en forma directa, Zofar siente que puede interpretarle los misterios de Dios.

V. 8. Zofar dice que no podemos hacer nada frente a la omnipotencia de Dios; el *Seol* es la esfera de los muertos, que era misterio porque ellos no sabían mucho de la existencia después de la muerte. Zofar insiste en que Job tiene las limitaciones normales de los seres humanos.

Vv. 9-11. En aquel entonces, la *tierra* parecía una extensión eterna y el *mar*, por su amplitud, parecía llegar hasta el fin de la tierra. Dios es soberano. Nadie tiene poder de determinar la manera en que Dios va a tratar a los seres humanos. Dios conoce a todo ser humano. Los tres amigos de Job tienen un solo tema para presentarle: su sufrimiento se debe al pecado. Si Job confiesa ese pecado y se arrepiente, Dios dejará de castigarlo.

Aplicaciones del estudio

1. Debemos ser prudentes con el que sufre. El mejor consuelo que podemos dar a los que sufren es nuestra presencia, un abrazo y una promesa de orar por ellos en la crisis que están experimentando.

2. No es bueno hacer preguntas penetrantes que tienden a señalar la culpa o la causa del problema. Dios perdona y restaura a cada uno cuando confiesa sus pecados. Podemos orar por los que sufren, y animarles a pedirle perdón a Dios si ellos sienten que necesitan hacerlo.

3. Los intentos de explicar la naturaleza de Dios y su manera de tratar a los seres humanos caen en oídos sordos cuando uno está sufriendo.

Prueba

Complete los siguientes ejercicios:

1. Dé dos razones de por qué las declaraciones de los amigos de Job no representan la verdad de Dios:

   a. _____

   b. _____

2. Escriba dos breves declaraciones que expresan cómo usted ayudaría con la verdad de Dios al que sufre.

   a. _____

   b. _____

Lecturas bíblicas para el siguiente estudio

Lunes: Job 21:1 a 22:30   **Jueves:** Job 30:1 a 32:22
Martes: Job 23:1 a 26:14   **Viernes:** Job 33:1 a 36:33
Miércoles: Job 27:1 a 29:25   **Sábado:** Job 37:1 a 40:2

Dios habla en el torbellino

Contexto: Job 21:1 a 40:2
Texto básico: Job 38:1-18, 34-41
Versículo clave: Job 38:4
Verdad central: Aunque a veces no reconocemos que Dios está a nuestro lado, él es fiel y siempre está actuando a nuestro favor permaneciendo en nosotros y en nuestras circunstancias.
Metas de enseñanza-aprendizaje: Que el alumno demuestre su: (1) conocimiento de cómo le habló Dios a Job desde un torbellino, (2) actitud de reconocer la realidad de lo infinito de Dios y lo finito que es el ser humano.

————————— *Estudio panorámico del contexto* —————————

Job siente que ha recibido trato injusto, pero insiste en que tiene que haber justicia en el mundo.

El capítulo 38 de Job relata la intervención de Dios en el drama. Job se ha quejado porque no ha escuchado la voz de Dios y en muchas ocasiones siente que Dios le ha abandonado. Pero Dios que ha estado escuchando los argumentos de los tres amigos y las respuestas de Job en cada caso, va a mostrarles ahora que todos ellos tienen una comprensión inadecuada debido a su naturaleza humana. Dios aquí afirma su presencia, su sabiduría y su poder. Por medio de una serie de preguntas llega a convencer a Job de que no tiene derecho a quejarse porque hay muchas facetas de la obra de Dios que ni Job ni sus amigos entienden.

Dios afirma su presencia en el mundo, porque es Señor de la creación, 38:1-7. En varias ocasiones Job ha expresado su anhelo de tener la oportunidad de presentar su caso ante Dios o de hablar con él. Ahora viene la oportunidad de escuchar a Dios y también de hablarle.

Dios es Señor de los elementos de la naturaleza, 38:16, 19, 22, 24, 25. Las lluvias son sumamente necesarias para la existencia humana y animal, tanto en la agricultura como en la vida urbana y en otras facetas de la vida.

El orden en el universo es testimonio de la existencia de un Dios inteligente, que sabe lo que los seres humanos necesitan.

Dios ha establecido las actividades de los animales, según su especie, 39:1, 5, 9, 13, 19, 27. Es interesante reconocer que Dios estaba suministrando los medios de la sobrevivencia del universo cuando estableció la naturaleza de las criaturas y sus funciones en la naturaleza.

Lea su Biblia y responda

Escriba en el paréntesis las palabras que indican actividades de Dios con relación a la naturaleza según Job 38:1-10, 34-41.
1. Indicios en los cielos que son amenaza de lluvia. (   )
2. Elemento común en una tempestad. (   )
3. Cuerpo de agua que rodea un país. (   )
4. Elementos donde no pueden crecer las semillas. (   )
5. Cuerpos celestiales que se perciben de noche. (   )
6. Elementos para limitar la entrada y salida. (   )
7. Acto de crear. (   )
8. Palabra bíblica que se refiere a las bases de la tierra. (   )
9. Líneas imaginarias para medir la distancia en la tierra. (   )
10. El comienzo del día. (   )

Lea su Biblia y piense

1 Una represión, Job 38:1-3.

V. 1. El sufrimiento de Job ha abarcado el cuerpo dolorido, la mente que ha sufrido angustia y el alma, que ha anhelado conversar con Dios. Ahora Dios rompe el silencio. Habla con Job, para hacerle ver sus acciones providenciales en el universo. *Desde un torbellino.* Dios eligió un medio dramático para hablarle a Job. Dios controla todos los elementos de la naturaleza.

V. 2. Los amigos de Job han hablado miles de palabras, pero han dado explicaciones equivocadas de la manera en que Dios actúa frente al sufrimiento humano. El *consejo* significa en este contexto el plan y el procedimiento de Dios en tratar la creación y la historia.

V. 3. *Cíñete, pues, los lomos.* Era un llamado a prepararse para una tarea dura. Job debe prepararse porque Dios le va a mostrar muchas verdades. *Te preguntaré ...me lo harás saber;* Dios establece su propia esfera de acción y señala la de Job. Antes de darle oportunidad de contestar, Dios hace preguntas a Job. Después de tantas preguntas, Job tiene poco que decir.

2 La fundación de la tierra, Job 38:4-7.

V. 4. *¿Dónde estabas tú cuando yo fundaba la tierra?* Obviamente Job no estaba presente en ese día lejano. *Házmelo saber...* intensifica la pregunta.

V. 5. Ahora Dios utiliza la terminología de un constructor, refiriéndose a determinar las *medidas* y extender un *cordel* sobre la tierra. Son metáforas, pero tienen el fin de convencer a Job de que Dios es soberano en su creación.

V. 6. Los *fundamentos* representan la parte más importante de una construcción. La *piedra angular* era la piedra colocada en los arcos, para asegurar la estabilidad y permanencia de la construcción. Dios está hablando de los aspectos más importantes de la creación del universo.

V. 7. Solían tener una fiesta para celebrar la colocación de los *fundamentos* y de la *piedra angular,* y la fiesta incluía música y alabanzas a Dios.

3 El establecimiento de los límites de los mares, Job 38:8-11.

Vv. 8-10. Dios sigue preguntando sobre sus actos sobrenaturales relacionados con el establecimiento del orden en el universo. El mar se presenta como un parto, en el que las aguas salieron en forma repentina del vientre. *Las nubes* se relacionan íntimamente con las aguas y *la oscuridad* de la noche cubre las aguas. Uno no puede verlas, aunque puede escuchar su movimiento.

Cerrojos y puertas son formas de asegurar y limitar. Los que han estado en una tempestad en el océano pueden testificar de la fuerza de las aguas. Resisten todo intento de domarlas, sólo queda esperar la calma.

V. 11. Dios permite que las fuerzas de las aguas se manifiesten en forma destructiva, pero controla estas fuerzas poderosas según su voluntad.

4 El impacto de la aurora, Job 38:12-15.

V. 12. *¿Alguna vez... diste órdenes a la mañana?* Es como si Dios da cada día una orden para la salida del sol y pregunta a Job si él ha dado tal orden en alguna ocasión. Otra vez refleja la omnipotencia de Dios en controlar las fuerzas del universo.

Vv. 13-15. La luz llega a los extremos de la tierra, y descubre todo acto de los impíos. La luz tiende a sacudir a los impíos y hacerles buscar escondite. El escritor menciona que la aurora *se transforma,* es decir que su acción es ir revelando todo lo que estaba oculto bajo la oscuridad; *cual la arcilla en el molde,* expresa que la luz deja sus huellas, sus impresiones. *La luz es quitada a los impíos;* la noche, o sea, la ausencia de la luz es el ambiente más provechoso para los impíos. *Es quebrantado el brazo enaltecido* se refiere al poder soberano de Dios. Nadie tiene poder sin la autorización divina.

5 La esfera de la muerte, Job 38:16-18.

V. 16. *Las fuentes del mar* ilustran que el hombre no puede saber todos los misterios de las aguas. Hay personas que tratan de *escudriñar el abismo;* pero seguramente hay misterios allí que no se han resuelto.

V. 17. Tampoco ha visto Job *las puertas de la muerte, de la densa oscuridad.* Nadie ha podido pasar la puerta de la muerte y después regresar a este lado para relatarlo

V. 18. Job conoció en su vida una parte muy limitada de la tierra. No tenían un concepto claro de *la amplitud de la tierra,* y pasarían muchos años antes de llegar a comprender la magnitud de este planeta.

6 El examen final, Job 38:34-41.

V. 34. Dios le pregunta a Job si tiene la capacidad de ordenar las nubes para derramar las lluvias en el lugar deseado. *Abundancia de aguas* era el anhelo de todo agricultor y pastor, porque eso garantizaba prosperidad. Podemos pedir a Dios que envíe la lluvia pero no crear la lluvia. Eso es obra de Dios.

V. 35. El relámpago tiene una trayectoria instantánea que uno no puede predecir ni controlar. Nadie puede desafiar al relámpago. Obra bajo las leyes de la naturaleza que ha establecido el Dios soberano.

V. 36. El ser humano es limitado en su inteligencia y su poder, mientras Dios es omnipotente. Dios da la sabiduría al ser humano y la inteligencia instintiva a los animales.

V. 37. *Contar las nubes* sería una imposibilidad humana, ya que los bordes de una nube no se pueden definir. El lector tiene que responder que nadie es capaz de hacerlo. Inclinar *las tinajas de los cielos* se refiere a la capacidad de retener las lluvias o de controlar el lugar donde cae la lluvia.

V. 38. Continúa las preguntas, indicando que nadie ha logrado hacer y ver que *el polvo* se endurece *como sólido*. Hay cosas que quedan bajo la soberanía de Dios.

Vv. 39-41. ¿Es capaz el ser humano de suministrar la comida que los animales silvestres necesitan y cuidar de sus hijos? Tal vez podríamos hacerlo en una escala limitada, pero sería imposible intentar hacerlo con todos los animales. *El cuervo* es ave que se alimenta por su propio esfuerzo, pero cuando la comida escasea, solo Dios provee alimento para él y sus polluelos.

─────────── *Aplicaciones del estudio* ───────────

1. Nos conviene una actitud de reverencia cuando consideramos a Dios y su obra en la creación.

2. Reconocemos que el ser humano es finito; Dios es infinito. Damos gracias a Dios porque es tan grande. Podemos cantar el himno "Cuán Grande Es El" a todo volumen, porque su grandeza se manifiesta cada día.

3. El orden en la creación es testimonio de un Ser supremo que ha organizado todo para funcionar en un diseño divino inmenso.

─────────────── *Prueba* ───────────────

1. Escriba una breve frase expresando cómo Dios le habló a Job desde un torbellino. _____

_____

2. Escriba una oración expresándole gratitud a Dios por lo infinito que él es, y pidiéndole que le ayude en una dificultad que usted solo no puede vencer. _____

_____

Lecturas bíblicas para el siguiente estudio

Lunes: Job 40:3-5   **Jueves:** Job 41:1-24
Martes: Job 40:6-14   **Viernes:** Job 41:25-34
Miércoles: Job 40:15-24 **Sábado:** Job 42:1-17

Job reconoce el poder de Dios

Contexto: Job 40:3 a 42:17
Texto básico: Job 40:1-5, 8-14; 42:1-17
Versículo clave: Job 42:10
Verdad central: La paciencia del ser humano frente a las pruebas y un corazón humilde, es la mejor manera de enfrentarlas para salir victorioso de ellas.
Metas de enseñanza-aprendizaje: Que el alumno demuestre su: (1) conocimiento de la expresión de humildad de Job frente al poder de Dios, (2) actitud de paciencia y humildad frente a las pruebas.

─────────── *Estudio panorámico del contexto* ───────────

Job reclamó la presencia de Dios pero no abandonó su fe en él. Al fin, Dios interviene para hablar con Job.

Cuando analizamos los discursos de Dios en estos últimos capítulos, podemos captar que Dios sí está preguntando a Job de esa manera para que él pueda llegar a entender que el Dios soberano todavía reina. Hay cuatro hechos que nos convencen de que Dios está en control del universo: (1) Dios habla. Ha reinado un silencio durante todos los discursos de Job y sus amigos. Pero al fin Dios habla, y ese hecho nos asegura que está presente y activo en nuestros asuntos. (2) Dios manifiesta su sabiduría y poder en la creación. Un resumen ligero del relato en Génesis 1 y 2 y una consideración de estos capítulos al final de Job nos convencen de esto. (3) El poder de Dios se ilustra en la consideración del Behemot y el Leviatán. Son de entre los animales más grandes y más temidos, pero Dios cuida de ellos, y están bajo su autoridad. (4) Dios ejerce su sabiduría, poder y justicia en los eventos de la historia. Hay facetas de la vida que no podemos comprender ni arreglar en orden perfecto. Tenemos que aceptar el hecho de que hay algunos problemas que no vamos a comprender durante esta vida. Tenemos que esperar la eternidad para las contestaciones perfectas.

Job pone su mano sobre la boca, 40:4, 5. Después del discurso de Dios, Job reconoce que es insignificante, que no tiene nada que responder.

Job reconoce que Dios es todopoderoso, 42:1-5. Afirma que "de oídas había oído de ti, pero ahora mis ojos te ven". Se da cuenta de que Dios hace lo mejor en cada circunstancia de la vida.

Job se retracta, se arrepiente en polvo y ceniza, 42:6. Reconoce que su pecado era el orgullo.

Lea su Biblia y responda

1. Escriba la respuesta de Job a Dios (40:4)._____

_____

2. Según Job 42:2 ¿cómo es Dios? _____

3. ¿Cuál es la confesión de Job a Dios? (42:5). _____

_____

4. Según 42:8 ¿de qué acusa Dios a los amigos de Job? _____

_____

5. ¿Con qué restauró Dios a Job? (42:10). _____

_____

Lea su Biblia y piense

1 Job responde a Jehovah, Job 40:1-5.
V. 1. Jehovah continúa su conversación con Job, para ilustrar su dominio sobre toda la creación.
V. 2. *Contiende* implica que Job ha continuado su argumento con Dios con relación a la manera en que ha ejercido su soberanía. *Que responda a esto*, implica que Dios va a darle a Job la oportunidad de razonar y decidir en cuanto a lo que él, como soberano, ha hecho en su vida.
Vv. 3, 4. Podemos captar una actitud diferente en las respuestas de Job. *Yo soy insignificante.* Job reconoce que es muy pequeño cuando se compara con lo grande que es Dios. Job ya no tiene más que decir.
V. 5. Job ha hablado por primera y segunda vez, pero ahora reconoce que no puede decir más. Queda inconforme, porque hay algunas cosas que no comprende, pero humildemente declara: no continuaré.

2 Dios desafía a Job a tomar decisiones, Job 40:8-14.
V. 8. Job ha caído en el error de cuestionar el juicio de Dios para vindicar su propia circunstancia.
V. 9. ¿Tiene la voz de Job el efecto que tiene el trueno, o sea la voz de Dios? Las preguntas exigen una respuesta negativa de parte de Job.
V. 10. Dios desafía a Job a hacer el papel de Dios por un tiempo, actuar como él en las decisiones que tiene que tomar.
V. 11. Una parte de la actividad de Dios es manifestar su ira frente a la inmundicia y juzgar el mal en el universo. Job comienza a captar la magnitud de la responsabilidad que Dios tiene.

V. 12. Dios desafía a Job para someter a los soberbios a la humillación. A la vez le da el mandato de pisotear a *los impíos*. Esto ilustra la variedad de la responsabilidad de Dios en controlar el universo. **V. 13.** *Entiérralos juntos...* Esta acción, como todas las sugeridas desde el v. 11, tiene que ver con la administración de la justicia y el juicio divino. **V. 14.** Esta es la última parte de la condición hipotética que expone Dios en los versículos del 8 al 13. Si Job pudiera desempeñar el papel de Dios en forma perfecta, entonces Dios estaría listo para concederle la victoria.

3 Job se humilla y retracta, Job 42:1-6.

Vv. 1, 2. Job le responde a Jehovah con humildad. *Reconozco que todo lo puedes.* Este es el punto a que tiene que llegar cada ser humano en la vida. *No hay plan que te sea irrealizable* afirma las capacidades sin límites de Dios. **V. 3.** Job confiesa: *Ciertamente dije cosas que no entendía.* Esto nos pasa especialmente cuando estamos pasando experiencias de estrés, como era el caso de Job. *Demasiado maravillosas para mí...;* Job se da cuenta de que los misterios de Dios son muy complejos. **V. 4.** Puede ser una repetición de Job 38:3, que Job está recordando de nuevo al considerar el cambio que él mismo ha experimentado en su punto de vista. **V. 5.** Job había recibido las instrucciones referentes a Jehovah desde la niñez, pero llegó el momento de experimentarlas en su vida. Sentir y ver que Dios es su Dios único y personal. **V. 6.** Job ya no reclama la vindicación de su caso delante de Dios. Ahora tiene una perspectiva más correcta de sí mismo. La palabra para *arrepentimiento* en este caso significa "suspiro" como el respirar profundamente, frente a una circunstancia dramática. El arrepentimiento de Job era del orgullo espiritual y su falta de fe en la operación final de la justicia de Dios.

4 Dios juzga a los amigos de Job, Job 42:7-9.

V. 7. Se llega al sumario de la historia de Job. En forma rápida se resumen los acontecimientos, que seguramente tomaron un tiempo largo para cumplirse. *Mi ira se ha encendido...;* es cosa seria cuando se cae bajo la ira de Dios. *Porque no habéis hablado lo recto acerca de mí.* Los amigos de Job habían enfocado una defensa de un punto de vista teológico, de acuerdo con la comprensión tradicional de aquel entonces, pero no habían tomado en cuenta de la naturaleza de Dios. **V. 8.** Los tres amigos de Job tenían que hacer sacrificios de *siete toros y siete carneros*, sacrificios bastante grandes, puesto que su pecado también era grande. Esto ilustra la gravedad de los pecados de los amigos de Job. Es interesante que Job ya queda libre de una actitud de venganza, resentimiento o rencor. Pero se establece la justicia en el sentido que Job es vindicado. **V. 9.** Los tres amigos hicieron como Dios les había mandado. Entonces Dios atendió a Job, había llegado el "tiempo de Dios" para revelarle a Job su amor, justicia y misericordia.

5 Dios bendice a Job, Job 42:10-17.

V. 10. Queda claro que hubo perdón de parte de Job y una restauración de la relación de amistad entre todos. *Aumentó Jehovah al doble;* señal de una bendición especial para Job.

V. 11. La reunión familiar era para festejar el cambio en las circunstancias de Job. Durante sus sufrimientos estaba abandonado y aislado de todos; ahora todos llegan para felicitarle por el cambio en sus circunstancias, y le traen una moneda y un *pendiente de oro,* símbolos de honor, respeto y cariño.

V. 12. Job recibió exactamente el doble del número de ganado y posesiones que había tenido antes de sus pruebas.

V. 13. Job es bendecido con el mismo número de hijos e hijas.

Vv. 14, 15. Se da importancia a las hijas al mencionar sus nombres, y el hecho de que participaban también en la herencia. Las hijas no solían participar en la herencia excepto en casos donde no había hijos.

Vv. 16, 17. El vivir para ver a los hijos hasta la cuarta generación se consideraba bendición especial, de modo que el relato asegura que Job disfrutó de todo lo que uno normalmente podría esperar en la vida. El morir anciano y lleno de años indicaba que había disfrutado de la vida en la mejor manera.

─────────── *Aplicaciones del estudio* ───────────

1. La justicia de Dios llega finalmente. Tenemos que vivir con fe y paciencia para aprender lo que Dios nos enseña por medio de estos problemas.

2. Dios arregla las cuentas en su tiempo. Lo importante es confiar en Dios y esperar con paciencia hasta que él nos aclare las cosas.

3. La fidelidad de Dios se afirma. Cuando Dios tarda en contestar no significa ni rechazo ni falta de interés. Muchas veces Dios está formando el carácter para que sea más semejante al suyo por medio de las demoras.

─────────────── *Prueba* ───────────────

1. Del texto bíblico estudiado, ¿cuál es la expresión de Job que más evidencia su humildad? _____

2. Al terminar el estudio del libro de Job, ¿en cuáles aspectos ha cambiado su actitud frente a las pruebas? Mencione dos:

    a. _____

    b. _____

Lecturas bíblicas para el siguiente estudio

Lunes: Proverbios 1:1-33
Martes: Proverbios 2:1-22
Miércoles: Proverbios 3:1-35

Jueves: Proverbios 4:1-27
Viernes: Proverbios 5:1-23
Sábado: Proverbios 1:5-7, 20-23; 2:1-5, 12, 16

PLAN DE ESTUDIOS
PROVERBIOS

Escriba antes del número de cada estudio, la fecha en que lo usará.

PROVERBIOS
Una introducción

El libro de Proverbios forma parte de la llamada literatura sapiencial de Israel. Este tipo de literatura no fue patrimonio exclusivo de ellos, sino que formó parte de una herencia cultural común del mundo antiguo. En Egipto y Mesopotamia proliferaron durante mucho tiempo los dichos sapienciales. Otro nombre con el cual se les conoce es: "dichos de sabiduría". Por sabiduría los hebreos entendían no el conocimiento especulativo, a semejanza de los griegos, sino una sabiduría práctica.

Escritor y contenido. Tradicionalmente el libro ha sido atribuido a Salomón. Entre los judíos se consideraba a David como el escritor de los Salmos, a Moisés como escritor del Pentateuco y Salomón como el escritor de Proverbios. Pero así como David no escribió todos los salmos, así Salomón no escribió todos los proverbios. Pudiera ser que él fuera el editor o compilador de los proverbios. La referencia en 1:1 puede tomarse en ese sentido.

Secciones:
1. **Introducción y alabanza a la sabiduría, 1:1 a 9:18.** Mayormente esta sección consiste en poemas cortos sobre una gran variedad de temas. El hombre sabio, quien toma el papel de maestro, se dirige al aprendiz como "hijo mío". El versículo 7 del capítulo 1 es el lema de esta sección: "El temor de Jehovah es el principio del conocimiento; los insensatos desprecian la sabiduría y la disciplina."

2. **Los Proverbios de Salomón, 10:1 a 22:16.** Estos dichos son considerados de Salomón mismo. Casi todos estos proverbios vienen en dos líneas, siguiendo un paralelismo, como en 10:1.

"El hijo sabio alegra a su padre, pero el hijo necio es tristeza de su madre."

Otra cosa que se destaca en esta sección es la ausencia de un orden de arreglo de los materiales. Proverbios de diferentes asuntos van uno detrás de otro sin ninguna lógica. Uno queda impresionado, sin embargo, por el alto nivel de moralidad enseñado.

3. **Dichos del Sabio, 22:1 a 24:34.** Treinta dichos de amonestaciones y conocimiento. Aquí el estilo es más personal y didáctico.

4. **El segundo libro de proverbios de Salomón, 25:1-29.** Estos difieren en algo de los primeros.

5. **Las palabras de Agur, y el rey Lemuel, 30:1 a 31:31.** Agur, de quien no sabemos nada más que lo que se revela en estos proverbios, parece reflejar una gran humildad e insuficiencia; pero en verdad, por sus consejos, se manifiesta como un hombre lleno de sabiduría y experiencia. El otro sabio, el rey Lemuel, parece ser un ismaelita. Repite los consejos que su madre le diera sobre cómo comportarse como rey y cómo evitar los males del día. Quizá su misma madre fue la inspiración del poema dedicado a la mujer virtuosa.

La sabiduría nos encamina a vivir bien

Contexto: Proverbios 1:1 a 5:23
Texto básico: Proverbios 1:5-7, 20-23; 2:1-5, 12, 16
Versículo clave: Proverbios 1:7
Verdad central: La sabiduría, que es la combinación adecuada entre los conocimientos y la reflexión moral y espiritual, es la base para una vida significativa y feliz.
Metas de enseñanza-aprendizaje: Que el alumno demuestre su: (1) conocimiento en cuanto a qué es la sabiduría, (2) actitud de aplicar sabiduría en sus acciones diarias.

―――――― *Estudio panorámico del contexto* ――――――

El Antiguo Testamento fue dividido en tres partes por los judíos: el Pentateuco, los libros Proféticos y los Escritos. El libro de Proverbios es parte de los Escritos, la literatura poética. Proverbios se atribuye a Salomón, aunque también se mencionan varios escritores en el libro. El libro es una compilación de enseñanzas que abarcan los temas de la sabiduría y varios otros temas prácticos para ayudar a las personas a vivir bien.

Seguramente el libro fue escrito por partes durante varios años. La palabra *proverbio* quiere decir "ser parecido a", son dichos sabios que comparan una verdad con otra. Los proverbios son consejos prácticos para jóvenes y adultos, para orientarles en las cualidades que contribuyen a la felicidad personal y la armonía en las relaciones interpersonales.

La sabiduría es el conocimiento práctico de la teoría combinada con el juicio sabio para tomar las decisiones que garantizan la felicidad y el éxito en la vida. La disciplina se adquiere de los maestros sabios y experimentados.

La sabiduría se personifica en varias formas, inclusive como una persona que anda en las calles exhortando a la gente a abandonar la ingenuidad (1:20). Tal cuadro es llamativo en nuestra imaginación, porque no solemos ver a personas andando y pregonando así en la actualidad.

La sabiduría brindará la capacidad de valorar las cosas, 1:20-23. Esto ayudará a colocarlas en su perspectiva debida y evitar las caídas morales y espirituales. Proverbios es uno de los libros más prácticos de toda la Biblia, porque enfoca estos temas en forma directa y franca, y llama al ser humano a vivir de acuerdo con estas normas.

Lea su Biblia y responda

1. Los proverbios son para conocer tres cosas (1:2):

    (a) _____(b) _____ y (c) _____

2. Los proverbios ayudan a adquirir tres virtudes en 1:3: (a) _____

    (b) _____ (c) _____

3. El escritor declara que los proverbios tienen dos metas (1:4):

    (a) _____

    (b) _____

4. ¿Cómo podemos adquirir más sabiduría? (1:5). _____

5. ¿Qué diferencia hay entre conocimiento y entendimiento? (1:5). _____

6. ¿En qué consiste el temor de Jehovah, según su opinión?

7. ¿Qué diferencia hay entre ingenuos, burladores y necios? (1:22).

8. ¿Qué tiene que hacer uno para entender el temor de Jehovah? (2:2-5).

9. ¿Qué efectos preventivos tiene la sabiduría en la vida? (2:11, 12).

Lea su Biblia y piense

1 Los componentes de la sabiduría, Proverbios 1:5, 6.
V. 5. *El sabio oirá...* Una persona es considerada sabia cuando está dispuesta a escuchar en lugar de hablar. *Aumentará su saber* y *adquirirá habilidades*.
   V. 6. *Comprenderá...* Aquí se presentan las cuatro clases de literatura que contiene el libro: *los proverbios*, o los dichos que son hechos famosos por su uso y naturaleza práctica; los *dichos profundos*, que cada cultura pasa de una generación a la otra; las *palabras de los sabios*, quienes han dedicado tiempo a la contemplación de la vida y su propósito; y sus *enigmas*, que son dichos que forman una pregunta y que piden que el participante busque la respuesta.

2 El principio de conocimiento, Proverbios 1:7.

V. 7. El *temor de Jehovah* tiene dos facetas. *Primera*, es reverencia santa hacia Dios, reconociendo que él es digno de toda alabanza. Dios se distingue de los seres humanos por su naturaleza santa. *Segunda*, es obediencia a las leyes de Dios y fidelidad a su pacto. Los *insensatos* se refiere a las personas del otro extremo que no reconocen a Dios. Por eso desprecian la sabiduría espiritual.

3 La sabiduría personificada, Proverbios 1:20-23.

V. 20. La sabiduría es como una persona que está hablando y clamando para ser reconocida y respetada. *Llama* indica la intensidad de la emoción, sea de gozo o de tristeza. Las *calles* y las *plazas* se refieren a los lugares donde se congrega mayor número de personas.

V. 21. *Las entradas de las puertas...* eran los lugares donde se realizaban los negocios; eran el centro de la vida pública y comercial del pueblo. Aquí pregonaban los profetas (1 Rey. 22:10), se contrataban los negocios legales de las personas (Rut 4:1) y proclamaban los filósofos sus enseñanzas.

V. 22. Tres grupos que no sabían recibir las instrucciones del sabio. Los *ingenuos,* personas con deficiencias mentales, que no podían asimilar las enseñanzas. Los *burladores*, gente contenciosa y arrogante que buscaba discutir temas de controversia. Los *necios,* gente insensible a los valores morales.

V. 23. La *reprensión* de Jehovah viene a los seres humanos cuando nos alejamos de él y vamos por las sendas de rebeldía en contra de los ideales divinos. Dios promete manifestar su espíritu, es decir, el espíritu perdonador, hacia los pecadores y los rebeldes.

4 Los frutos de recibir y aplicar sabiduría, Proverbios 2:1-5.

V. 1. *Hijo mío* es término de afecto que se utiliza muchas veces en los proverbios. *Si aceptas...* quiere decir una aceptación intelectual y emocional, que predispone a la persona para actuar sobre tal afirmación. *Y atesoras* da un paso más, porque implica una valoración de las enseñanzas de tal manera que las memoriza y las guarda en su corazón.

V. 2. *Si prestas oído a la sabiduría* es una ampliación de los dos pasos anteriores, pero en verdad uno tiene que prestar oído antes de aceptar y atesorar las enseñanzas. *Inclinas tu corazón* implica que uno simpatiza con las enseñanzas y está dispuesto a que dirijan su vida. Uno utiliza el *oído* para escuchar y el *corazón* para ejercer la voluntad para actuar.

V. 3. *Si invocas*, en forma intensa, según el verbo, y *llamas a gritos*, implica que el estudiante está pidiendo en forma insistente un entendimiento de las verdades que le ayudarán a vivir mejor. La *inteligencia* abarca el conocimiento que nos ayuda a vivir bien, y el *entendimiento* abarca la capacidad de implementar estos conceptos en comportamiento moral.

V. 4. En la antigüedad cuando no había bancos, una de las formas más comunes para guardar el dinero era enterrarlo. Para recuperarlo era necesario ejercer mucha diligencia. Se utiliza esta figura para ilustrar la intensidad del deseo de la persona para adquirir la sabiduría.

V. 5. *Entonces entenderás el temor de Jehovah;* aquí comienza la conclusión o el cumplimiento de las condiciones que se han presentado, con las promesas de las consecuencias de una búsqueda sincera de la verdad. Es interesante que la persona que decide buscar la verdad y la base del sentido de la vida termina encontrando a Dios.

5 Los efectos positivos de la sabiduría, Proverbios 2:12, 16.

V. 12. La sabiduría nos ayuda a tomar las decisiones más correctas y positivas. Siempre habrá hombres *que hablan perversidades* y tratarán de distraernos de la dedicación a Dios y a nuestra familia. Nos damos cuenta del valor de la sabiduría espiritual cuando estamos frente a la problemática de decisiones difíciles que afectarán nuestro futuro.

V. 16. *La mujer ajena;* uno de los problemas más serios que amenazan la estabilidad de los hogares es la infidelidad en el matrimonio. El hombre sabio es el que está prevenido de tales peligros y resiste la tentación de dar el primer paso hacia la infidelidad.

Aplicaciones del estudio

1. Para adquirir sabiduría hay que atesorar la Palabra de Dios y sus enseñanzas en nuestros corazones.
2. La sabiduría es cualidad que nos prepara para toda faceta de la vida. Nos da la orientación para tomar las decisiones sabias en los negocios, en el matrimonio, en el hogar y en resistir las tentaciones.
3. Necesitamos también las normas morales para poder actuar con sabiduría verdadera.

Prueba

1. La sabiduría y la disciplina se mencionan como las metas de Proverbios:
   a. ¿Qué es sabiduría? _____

   b. ¿De dónde se adquiere la disciplina? _____

2. Elija acciones en su vida diaria a las cuales aplicará sabiduría durante esta semana. ¿Cuáles son? a _____
   b. _____
   ¿Qué hará en cada caso? a. _____
   b. _____

Lecturas bíblicas para el siguiente estudio

Lunes: Proverbios 6:1 a 7:27
Martes: Proverbios 8:1-36
Miércoles: Proverbios 9:1 a 10:32

Jueves: Proverbios 11:1-31
Viernes: Proverbios 12:1-28
Sábado: Proverbios 6:20-35;
12:1, 2; 13:1; 19:18;
22:6; 29:15; 30:11, 12

La clave del éxito

Contexto: Proverbios 6:1 a 12:28
Texto básico: Proverbios 6:20-35; 12:1, 2; 13:1; 19:18; 22:6; 29:15; 30:11, 12
Versículo clave: Proverbios 13:1
Verdad central: Las normas morales que han sido reveladas en la Biblia forman la única base segura para criar a los hijos en el camino de una vida exitosa.
Metas de enseñanza-aprendizaje: Que el alumno demuestre su: (1) conocimiento de las normas morales estudiadas hoy sobre la pureza sexual y la obediencia a los padres, (2) actitud de aceptar y practicar las normas morales presentadas en este estudio.

--- *Estudio panorámico del contexto* ---

La preparación para la felicidad en el matrimonio comienza en los primeros años de vida en el hogar de los padres, donde se forman los valores morales y espirituales. Los padres judíos solían dialogar con los hijos sobre las normas morales. Reunían cada día a toda la familia para leer pasajes selectos de la *Tora* y para pasar un tiempo en oración para pedir la bendición de Dios sobre cada miembro del hogar. Todo este ambiente comunicaba un sentido de valores espirituales que permanecían con los hijos cuando llegaban a ser adultos.

En Proverbios se enfoca la disciplina de Dios, que brota del amor divino, tanto como la disciplina de parte de los padres, que es motivada por su amor (3:11, 12). No se debe resentir tal disciplina, porque se sabe que tiene fines positivos.

Los jóvenes deben evitar los lugares de tentación, 6:20-35. Hay la posibilidad de ser conquistados por la tentación y caer en las trampas de Satanás.

Hay distracciones que representan tentaciones, 7:6-27. Se debe estar prevenido para evitar tales peligros. En Proverbios se presenta en forma gráfica la manera en que la adúltera puede atraer a cometer adulterio.

La disciplina de los hijos debe ser firme, 22:6. También debe ser templada para no exceder las normas destruyendo así la iniciativa y la creatividad.

El contexto de este estudio toca dos áreas muy importantes en la vida del ser humano: la obediencia a los padres y la sexualidad. El tratar estos temas era tan pertinente en los tiempos bíblicos como en nuestro tiempo.

───────── *Estudio del texto básico* ─────────

Lea su Biblia y responda

1. Según 6:23, las represiones de la disciplina son: _____

_____

2. ¿Quién se destruye a sí mismo? (6:32). _____

_____

3. ¿Quién es el que se embrutece? (12:1). _____

_____

4. ¿Quién es el hijo sabio? (13:1). _____

5. ¿Cuál es el consejo sabio? (19:18). _____

_____

6. ¿Quién avergüenza a su madre? (19:15). _____

_____

Lea su Biblia y piense

1 **Obedecer a los padres es imprescindible, Proverbios 6:20-23.**
V. 20. En los hogares hebreos el padre era fuente de instrucción religiosa de los hijos. Habían recibido las instrucciones de los padres durante varias generaciones. El mandato de no abandonar la *instrucción* de la madre es expresión paralela en el hebreo, dado para reforzar la primera parte del versículo. La rebeldía en contra de la autoridad traerá problemas futuros (Prov. 6:20).
V. 21. El *corazón* era considerado por los hebreos como la sede de las emociones, de modo que este versículo está llamando a los jóvenes a mantener esas enseñanzas siempre activas en sus pensamientos.
V. 22. Se insiste en la importancia de la meditación en la Ley para vivir según sus enseñanzas en todo tiempo: *cuando camines... te acuestes... te despiertes.* Esto implica tanto a las actividades diarias como al proceso de toda una vida.
V. 23. *Las antorchas:* se refiere a las instrucciones de la Ley que son la iluminación necesaria para poder vivir bien. *Las represiones* puede referirse a la disciplina de los padres, o a los ajustes a la conducta en base a esos consejos.

2 **Obedecer las instrucciones bíblicas es protección,**
Proverbios 6:24-29.
V. 24. Uno de los beneficios de guardar los mandamientos es que ayudan para no ser engañado por la *mujer mala* (la mujer que es adúltera). El resto del pa-

saje indica que es una mujer casada que aprovecha la ausencia de su esposo para atraer al joven a su cama. *La extraña* se refiere a una mujer que no es su esposa. El consejo es: no dejarse impresionar por el atractivo físico.

Vv. 25-28. Quien se deja arrastrar por el sexo, *es reducido a un bocado de pan*: a nada. *Fuego en su seno.* Continúa la metáfora, para remachar el hecho que es tonto quien piensa que puede cometer adulterio y escaparse sin los vestigios de la culpabilidad y sus efectos sobre el hogar.

V. 29. Aquí se enfoca *la mujer de su prójimo*, para indicar la gravedad del pecado. En aquel entonces la esposa se consideraba propiedad del esposo, de modo que el adulterio representaba el robo de su propiedad.

3 Cometer adulterio es robar y autodestruirse, Proverbios 6:30-33.

Vv. 30, 31. El ladrón es despreciado por robar pan, aunque lo haga para saciar *su apetito*. La aplicación es que el que comete adulterio es culpable de pecado tan grave como el ladrón. *Siete veces* (v. 31) puede simbolizar un número completo, para indicar que el ladrón puede tener que pagar con todas sus posesiones. Si no podía pagar, era vendido como esclavo. El propósito de la ilustración es poner énfasis en la gravedad del adulterio.

Vv. 32, 33. *El que comete adulterio* paga un precio mayor que el que roba. Demuestra su falta de inteligencia y destruye su *alma, se destruye a sí mismo*. El castigo por el adulterio, según Deuteronomio 22:22-24 y Levítico 20:10 era la muerte del hombre y la mujer culpables.

4 Consecuencias destructoras del adulterio, Proverbios 6:34, 35.

V. 34. La declaración que el esposo *no perdonará en el día de la venganza* puede referirse a la venganza personal o legal. Según la ley había castigo severo estipulado para los dos.

V. 35. La *restitución* era una costumbre en caso de daños a las propiedades tanto como cuando los animales entraban en los campos vecinos y hacían daño (Exo. 21:28-32). Pero aquí dice que el esposo de la adúltera no aceptará ninguna restitución ni soborno para tratar de apaciguar la ira.

5 Respeto y obediencia a los padres, Proverbios 12:1, 2; 13:1; 19:18; 22:6; 29:15; 30:11, 12.

12:1. El que acepta la *corrección* sin resentimiento es uno que en verdad ama el *conocimiento*. Hay áreas de conocimiento en que el no aceptar la corrección podría ser fatal. El contraste con el que aborrece la reprensión es dramático. *Se embrutece* es característica del animal irracional, de modo que se hace claro el valor de recibir la corrección y la tontería de rechazar la reprensión.

V. 2. *El bueno*, el que trata de hacer la voluntad de Dios es bendecido por Dios. Pero aquel *que urde males* recibe la condenación de Dios.

13:1. *Hijo sabio* es el que respeta la autoridad de los padres y se somete. El *burlador*, en cambio, piensa que ya tiene toda la sabiduría disponible y no quiere escuchar la corrección.

19:18. *Corrige a tu hijo,* comunica la idea de la disciplina correctiva, pero sin crueldad. Afirma la importancia de una influencia positiva sobre los hijos en los primeros años. *No se exceda tu alma...* es una amonestación a los padres para no destruir a sus hijos con un castig oque llega al abuso físico a la muerte. **22:6; 29:15.** La instrucción de los primeros años de la vida deja impresiones indelebles. La *vara* era instrumento de *corrección* y sugiere castigo corporal. *La corrección* alude a la instrucción, al consejo y buen ejemplo. *El muchacho dejado por su cuenta* se refiere a la carencia de disciplina y corrección. **30:11.** *Una generación* se refiere a una clase de hombres y no a un tiempo. Había castigos severos para el hijo que maldijera a sus padres (Lev. 20:9). **V. 12.** *Limpia en su propia opinión* se refiere a la clase de persona que se justifica en cualquier circunstancia y siempre tiene base para evadir la responsabilidad por los problemas que surgen.

--- *Aplicaciones del estudio* ---

1. Hay recordatorios que nos ayudan para mantener las enseñanzas bíblicas delante de nosotros. Pueden ser lemas, cuadros y obras artísticas que nos hacen recordar algún consejo especial.

2. Cuando nos toca experimentar la disciplina del Señor, debemos aceptarla sin resentimiento ni hacia Dios ni hacia otros. Debemos reconocer que por medio de ella podemos llegar a ser personas más consagradas.

3. Los padres deben aceptar su responsabilidad de instruir a los hijos en toda faceta de la vida. Esto les preparará para vivir con éxito, y para evitar muchos problemas.

--- *Prueba* ---

1. De las enseñanzas de este estudio, mencione una norma moral sobre la pureza sexual y otra sobre la obediencia a los padres.

   a. _____

   b. _____

2. De las normas morales presentadas en este estudio ¿cuál pondrá en práctica hoy mismo? _____

   ¿Por qué? _____ ¿Cómo lo hará? _____

Lecturas bíblicas para el siguiente estudio

Lunes: Proverbios 13:1 a 14:35
Martes: Proverbios 15:1 a 16:33
Miércoles: Proverbios 17:1 a 18:24

Jueves: Proverbios 19:1 a 20:30
Viernes: Proverbios 21:1 a 22:29
Sábado: Proverbios 6:1-11; 11:1-3; 19:15, 24; 22:28; 28:6

La mayordomía del tiempo y las posesiones

Contexto: Proverbios 13:1 a 22:29
Texto básico: Proverbios 6:1-11; 11:1-3; 19:15, 24; 22:28; 28:6
Versículo clave: Proverbios 6:6
Verdad central: Para lograr la verdadera seguridad material, hay que ser responsable en el trabajo, honesto en los negocios, evitar deudas excesivas y no codiciar.
Metas de enseñanza-aprendizaje: Que el alumno demuestre su: (1) conocimiento de lo que la Biblia demanda en cuanto a ser responsable en el trabajo, honesto en los negocios, evitar deudas excesivas y no codiciar, (2) actitud de aplicar a su vida las demandas bíblicas presentadas en este estudio.

Estudio panorámico del contexto

Los pasajes de Proverbios que hemos escogido para estudiar hoy tienen que ver con las normas prácticas que nos guían en nuestra vida cotidiana en el hogar y en nuestros lugares de trabajo. Necesitamos recordar no tanto los valores materiales, y sí dedicarnos más a las relaciones con familiares y amigos y en especial a nuestra relación con Dios.

Bajo estas perspectivas se desarrolla este estudio enfocando estos cinco aspectos:

1. Normas para los préstamos.
2. Se debe evitar la pereza.
3. Se debe ser honesto.
4. Se deben respetar los límites.
5. La honradez es riqueza personal.

Estudio del texto básico

Lea su Biblia y responda

Falso-Verdadero: Escriba una **F** en el espacio antes de la declaración si es falsa y una **V** si es verdadera.

_____ 1. Proverbios 6:1 prohíbe dar fianza por el prójimo.

_____ 2. El ser fiador de otro le esclaviza a uno a esa persona (6:2, 3).

    3. La hormiga se proyecta como insecto perezoso (6:6).

    4. Las hormigas no tienen cadenas de autoridad, según el escritor de Proverbios 6:7.

    5. La pereza mantiene despierto (19:15).

    6. La balanza falsa era medio de engañar al vendedor (11:1).

    7. Dios aborrece la pesa exacta (11:1).

    8. La justicia predomina siempre y el impío caerá por su impiedad (11:5).

    9. Los traicioneros y los hipócritas recibirán su recompensa justa (11:6, 9).

   10. Las riquezas y la pobreza son medidas correctas para juzgar a una persona (28:6).

Lea su Biblia y piense

1 Normas para los préstamos, Proverbios 6:1-5.

Vv . 1, 2. *Hijo mío,* es término utilizado para referirse al estudiante tanto como al hijo, y aparece con frecuencia en la literatura didáctica de Egipto y Babilonia. La *fianza* es la obligación que una persona adquiere de hacer algo a lo que otro se ha obligado en caso de que este no lo haga. La persona que había respondido como fiador tenía que pagar, aunque eso le creara crisis económica en su propia vida. *Estrechaste la mano con un extraño* se refiere a un compromiso legal que se concretaba con un estrechón de mano. En la antigüedad esto era suficiente, porque la palabra de uno valía tanto como un contrato legal firmado con testigosDebemos reconsiderar la costumbre de ofrecer ayuda que puede conducir a problemas legales y económicos. *Atrapado* representa el haber caído en una situación de la cual no se puede salir.

Vv. 3, 4. Cuando no se quiere ofender al prójimo, a veces se cede a peticiones que dejan en una situación delicada. Se anima a tomar toda medida para librarse del compromiso que viene por ser fiador. La urgencia se refleja en que anima a no dormir hasta no salir de ese compromiso.

V. 5. El *venado* se conoce como uno de los animales más veloces, y puede escaparse de la vista del *cazador* en un instante. Los que trataban de atrapar *aves* con una *red* necesitaban de una pericia especial, ya que son muy esquivas. Otra vez la enseñanza comunica la importancia de evitar ser fiador y de salir de tal compromiso en la forma más rápida.

2 Se debe evitar la pereza, Proverbios 6:6-11; 19:15, 24.

V. 6. Observar a *la hormiga,* es una lección sobre la necesidad de acumular las cosas necesarias cuando el tiempo es favorable, porque llegará el día cuando será difícil. *Observa sus caminos,* se nota cómo corta distancias para facilitar la movilización de todo su ejército y cumplir sus trabajos con mayor rapidez.

Vv. 7, 8. El escritor de Proverbios, que no había estudiado la organización social de *la hormiga*; hablaba simplemente desde su perspectiva de observador. Si se pasa un tiempo observando a las hormigas en su trabajo, parece que no tienen *jefe, ni comisario, ni gobernador,* pero los que han estudiado la entomología más detalladamente reconocen que sí hay una jerarquía entre ellas, pero que en unidad trabajan todas por igual. El verano es la época cuando más actividad se nota entre las hormigas, ya que es la época de la siembra y la cosecha de los granos. *Tiempo de la siega* es referencia a las actividades intensas que caracterizan la época cuando habría más grano disponible.

Vv. 9, 10. *¿Hasta cuándo?* Se está hablando a los perezosos que se quedaban dormidos hasta muy avanzada la mañana porque seguramente pasaban largas horas de la noche en diversiones. El perezoso parece estar en un letargo del cual nunca sale, un poco de cada cosa muestra su indiferencia a la vida y hasta su aburrimiento de tanto descansar.

V. 11. *Vagabundo* puede referirse a un extraño que no tiene metas para cumplir, no le es importante cumplir con ningún horario, y por eso la pobreza le alcanza fácilmente. *Tu escasez* es el resultado de ser perezoso.

19:15. La *pereza* es sustantivo que comunica indiferencia y descuido en las responsabilidades. El resultado de tal pereza es pobreza, porque nadie va a contratar a una persona que tiene fama de dormir en *sueño profundo* en horas cuando debe estar trabajando.

V. 24. En los campos donde la comida está preparada en una olla sobre una fogata, cada persona hunde su pedazo de pan en la olla y lleva la comida en esta forma a su boca. Algunas traducciones indican que el perezoso descansa su mano sobre el pecho y ni siquiera tiene motivación para llevar los alimentos a su boca.

3 Se debe ser honesto, Proverbios 11:1-3.

V. 1. *La balanza falsa,* señala el ser deshonesto en los negocios, lo cual es abominación a Jehovah, quien dio mandamientos en contra de estos actos (Lev. 19:35, 36; Deut. 25:13-15), pero su pueblo faltó en cumplirlas (Amós 8:9). *La pesa exacta* es testimonio de la honestidad del negociante, y por eso *agrada a Jehovah.*

V. 2. *La soberbia* y *la deshonra* son antitéticos a *la humildad* y *la sabiduría.* En Proverbios ya se ha elogiado la importancia de la sabiduría y a los negociantes que se dan cuenta de la importancia de ser humildes.

V. 3. *Su integridad;* el empleado íntegro promoverá el bien de la compañía donde trabaja. *La perversidad* viene de una palabra que significa "torcido", y se refiere a las personas que no obran en forma honesta. *Traicioneros* se refiere a las personas que tratan de engañar.

4 Se deben respetar los límites, Proverbios 22:28.

V. 28. Cuando los israelitas entraron en la tierra prometida, repartieron los terrenos según las tribus, asignando a cada familia un terreno. Colocaron piedras y otras formas de división para establecer los linderos. Desde muy temprano había una ley que prohibía el cambio de estos linderos (Deut. 19:14; 23:10, 11).

La tierra se consideraba como sagrada y era una violación legal tanto como espiritual si se cambiaba el lindero. El respeto a la propiedad privada es un asunto que se trata desde tiempos inmemoriales. De hecho, Dios establece que la tierra no debe darse a perpetuidad porque él es el auténtico dueño de ella por derecho de creación.

5 La honradez es riqueza personal, Proverbios 28:6.

V. 6. El caminar implica un estilo de vida, el cual caracteriza a la persona en todos los asuntos de su vida privada tanto como pública. En contraste, *caminos torcidos* es una referencia a negocios sucios, que pueden manifestarse en múltiples expresiones.

———————— Aplicaciones del estudio ————————

1. El abuso del crédito es uno de los males que más caracterizan nuestros días. Debemos recordar que cuando es necesario pedir dinero prestado, es mucho mejor hacerlo por medio de las instituciones establecidas para tales fines y no pedir ni a los familiares ni a los amigos.

2. La pereza es tentación en todas partes. El ser humano está hecho para trabajar y sentirá su mayor felicidad en trabajar en actividades que dan satisfacción y sentido de valor. El cristiano está llamado a ser ejemplo de productividad. Tenemos la responsabilidad de no caer en la tentación de la pereza.

3. Debemos practicar la honestidad en toda faceta de nuestras vidas. Esto abarca nuestras relaciones familiares, de trabajo, en la iglesia y en todos los ámbitos. Ser honestos, porque Dios es honesto, es la vocación de cada uno de los que se han comprometido con el reino.

———————————— Prueba ————————————

1. Según este estudio, mencione dos de las demandas que Dios hace en cuanto al buen uso del tiempo y los bienes materiales.

   a. _____

   b. _____

2. Mencione dos acciones personales que realizará esta semana en respuesta a las enseñanzas de este estudio sobre el buen uso del tiempo y los bienes materiales.

   a. _____

   b. _____

Lecturas bíblicas para el siguiente estudio

Lunes: Proverbios 23:1 a 24:34
Martes: Proverbios 25:1 a 26:28
Miércoles: Proverbios 27:1 a 28:28

Jueves: Proverbios 29:1 a 30:33
Viernes: Proverbios 31:1-31
Sábado: Proverbios 5:1-20; 17:1; 19:14; 21:9

El hogar feliz

Contexto: Proverbios 23:1 a 31:31
Texto básico: Proverbios 5:1-20; 17:1; 19:14; 21:9
Versículo clave: Proverbios 19:14
Verdad central: Las relaciones armoniosas en el hogar fomentan la felicidad en todos sus miembros, esto es cuando cada uno aporta su parte para la armonía y la felicidad.
Metas de enseñanza-aprendizaje: Que el alumno demuestre su: (1) conocimiento de tres de los principios sobre un hogar feliz señalados en este estudio, (2) actitud de hacer su parte positiva como miembro de su familia.

--------------- *Estudio panorámico del contexto* ---------------

Antiguamente en el Cercano Oriente, la esposa se consideraba propiedad del esposo. Por eso, el adulterio representaba la violación de la persona y la propiedad del esposo. Había castigos muy severos para las personas que cometían adulterio, incluyendo el apedreamiento de los dos. El propósito de esta prohibición era formentar la seriedad del matrimonio y su permanencia.

El libro de Proverbios presenta el cuadro de un hogar feliz donde hay armonía entre todos sus miembros. En contraste, la contienda siempre resulta en inseguridad y falta de felicidad.

A pesar del dominio de los hombres en los asuntos de negocio en el mundo antiguo, en Proverbios se reconocen las virtudes de una mujer que respeta al esposo, cuida bien los hijos y vigila los quehaceres de la casa.

Amonestación contra el adulterio, 5:1-14. Se presenta el cuadro de una mujer que hace todo lo posible para captar la atención del hombre. La prostituta común abundaba en los pueblos antiguos. Las prostitutas se vestían para atraer la atención de los hombres, usaban perfumes para despertar el impulso sexual.

La expresión del amor por medio del acto sexual es sano y legítimo entre esposos, 5:15-20. Cada persona debe enfocar sus emociones hacia su cónyuge, y en esta manera no será tentada a buscar la satisfacción ajena.

Se debe promover la armonía en el hogar, 17:1; 19:14. Esta armonía será resultado del aporte positivo de cada miembro del hogar.

La mujer virtuosa es adorno de su esposo, 31:10-31. En una sociedad que no tenía un respeto muy alto por la mujer, es impresionante ver el nivel tan elevado de respeto que se evidencia en estos versículos.

Lea su Biblia y responda

1. Según Proverbios 5:1, 2 ¿por qué se aconseja poner atención a la sabiduría?

_____

2. En Proverbios 5:18, se exhorta al esposo a _____

_____

3. ¿Qué es lo que más perturba un hogar? (17:1). _____

_____

4. ¿A quién se señala como herencia de Jehovah? (19:14). _____

_____

5. ¿Con quién no se desea compartir una casa? (21:9). _____

_____

Lea su Biblia y piense

1 Amonestaciones contra el adulterio, Proverbios 5:1-14.

V. 1. *Pon atención* lleva el sentido de estar dispuesto para obedecer los consejos. *Inclinar tu oído* implica que se está dispuesto a escuchar.

V. 2. Las consecuencias de haber escuchado es el actuar en forma sabia y saber cuándo se debe hablar y cuándo se debe guardar silencio. Hay ocasiones cuando les conviene a los *labios* no revelar todo lo que uno sabe.

V. 3. Las prostitutas y adúlteras hablaban en forma persuasiva para atraer la atención de los hombres. *Gotean miel* es una figura para ilustrar que sus palabras atraen la atención de todo hombre. El *paladar* se refiere a su capacidad de decir las cosas en forma tan suave como algo que ha sido lubricado con *aceite*.

V. 4. La meta final de las palabras suaves de la adúltera es la condenación de quien la escucha. *El ajenjo* era una planta amarga, y el uso de esta figura simboliza el sufrimiento que vendrá para la persona que escucha sus palabras. Aunque las palabras parecen suaves como el aceite, el fin es destrucción.

V. 5. La destrucción a la que lleva la mujer extraña es mortal y final. Los *pies descienden a la muerte*, lo cual implica una muerte prematura para la mujer tanto como para el hombre. El *Seol* lleva el sentido de castigo eterno.

V. 6. *Sus sendas son inestables* es comentario triste del caso de las mujeres que viven así. *Ella no se da cuenta* de la felicidad que podría lograr si tuviera un hogar estable y un esposo que le ame.

V. 7. *No os apartéis* es un llamado a recordar y obedecer las palabras de amonestación con relación a la mujer extraña.

V. 8. *Aleja de ella,* es la estrategia que puede salvar al joven de la destrucción. El consejo es alejarse de las mujeres inmorales.

V. 9. *Des a otros tu honor,* se refiere a la inocencia del joven y a no malgastar su juventud. *Y tus años a alguien que es cruel* se refiere de nuevo a la vida que es acortada por decisiones incorrectas que destruyen.

V. 10. *Los extraños se sacien con tus fuerzas;* es un llamado a no desperdiciar la vida entregándola a quien está listo para destruirla. *Frutos de tu trabajo,* lo que se ha ganado con esfuerzo y dedicación se puede perder rápidamente al entrar en relaciones indecentes.

V. 11. *Gemirás* es señal de tristeza y dolor. *Al final...;* cuando la vida ha sido acortada lo que a uno le queda son recuerdos dolorosos de decisiones fatales que hizo. *Tu cuerpo y tu carne se hayan consumido* es comentario sobre los efectos de la participación en actividades que comprometen la salud.

V. 12. *Aborrecí la disciplina,* expresa lamentación, cuando es ya muy tarde y uno se da cuenta de que los descuidos del pasado crean cuentas por pagar posteriormente.

V. 13. ¡Cuántas personas tienen que cantar esta endecha! Es un lamento por no haber escuchado la voz de maestros, de padres o consejeros.

V. 14. *En todo mal,* sugiere todo tipo de pecado y libertinaje.

2 La legitimidad de las relaciones sexuales en el matrimonio, Proverbios 5:15-20.

V. 15. La metáfora de la *cisterna* es muy llamativa ya que representa a la esposa como participante legítima del placer sexual. *Tu propio pozo* es referencia también a la esposa como copartícipe de satisfacción sexual con su cónyuge.

V. 16. La pregunta resalta la gravedad del adulterio, en que el esposo mantiene relaciones ajenas a su esposa. Otra interpretación no incluye la interrogación, y afirma que la fidelidad del esposo en el matrimonio resultará en bendiciones para la humanidad, tales como las aguas que corren cuando hay mucha lluvia.

V. 17. *Que sean para ti solo* es un llamado serio a la monogamia y la fidelidad al cónyuge. Cuando prevalece una relación de amor y fidelidad mutuos, puede haber la tranquilidad que fomenta el placer máximo en la relación. Esta tranquilidad no existe cuando ha habido relaciones extramaritales, porque traen culpa, temor de ser descubierto y desconfianza.

V. 18. *Manantial* se refiere a la esposa. Se pronuncia aquí una bendición sobre la relación íntima entre cónyuges. Existía el peligro de cansarse con *la mujer de* la *juventud* y por eso se advierte que se debe determinar alegrarse con ella.

V. 19. Las símiles de la esposa como una *preciosa cierva o una graciosa gacela* no serían términos ofensivos para los orientales, ya que se refieren a los animales más rápidos y con mayor gracia en sus movimientos. *Sus pechos* indican que esta parte del cuerpo de la mujer representaba una atracción sensual. *Recréate siempre* afirma que el placer sexual dentro de los lazos del matrimonio tiene la bendición de Dios.

V. 20. La pregunta es para ilustrar lo fatuo de buscar satisfacción sexual en relaciones ilícitas extramaritales cuando se tiene una esposa con quien puede disfrutar de este placer.

3 La armonía en el hogar, Proverbios 17:1; 19:14; 21:9.

17:1. *Un bocado* del pobre es muy poco en cantidad y calidad. *Con tranquilidad* es la actitud de aceptación y paz aunque falten bienes materiales. *Una casa llena de banquetes* representa abundancia material. *Contiendas* como resultado de conflictos en el hogar. El versículo afirma la importancia de disfrutar de un hogar tranquilo, sin importar las circunstancias económicas.

19:14. La *herencia de los padres* puede suministrar las comodidades de una casa y todos los demás artículos que garantizan su comodidad, pero no puede asegurar la felicidad. *Una mujer prudente* no se puede heredar; tiene que ser dádiva de Dios. *Prudente* se refiere a sabia, afable.

21:9. *Vivir en un rincón* sería una situación bastante limitante, pero la ilustración tiene el fin de hacer contraste con la amplitud de *compartir una casa* pero con los sinsabores que resultan de los conflictos conyugales.

─────────── *Aplicaciones del estudio* ───────────

1. Los cónyuges deben promover la armonía en el hogar. La felicidad y la armonía no acontecen sin esfuerzos constantes de parte de los dos.

2. El matrimonio es relación exclusiva. Debemos animar a los casados a enfocar su búsqueda de satisfacción física en el cónyuge.

3. Los pecados que cometemos pueden acortar la vida y causar sufrimiento (5:5). Muchos jovenes han muerto como consecuencia de los pecados cometidos que han traído enfermedades como el SIDA.

─────────────── *Prueba* ───────────────

1. Escriba tres de los principios, presentados en este estudio, sobre un hogar feliz: a. _____

   b. _____

   c. _____

2. Mencione una acción positiva que desde hoy aportará a su hogar para que sea más feliz. _____

─────────────────────────────────────

Lecturas bíblicas para el siguiente estudio

Lunes: Eclesiastés 1:1-18
Martes: Eclesiastés 2:1-26
Miércoles: Eclesiastés 3:1-22

Jueves: Eclesiastés 4:1-16
Viernes: Eclesiastés 5:1 a 6:12
Sábado: Eclesiastés 1:1-11; 2:1-3, 11-14; 26; 3:16, 21

PLAN DE ESTUDIOS
ECLESIASTES y CANTARES

Escriba antes del número de cada estudio, la fecha en que lo usará.

Fecha   **Unidad 12: El verdadero sentido de la vida**

_____ 50. El sentido de la vida

_____ 51. Bases para el éxito

_____ 52. La intimidad en el matrimonio

03069 —*Comentario Bíblico Moody
Antiguo Testamento.*
Charles F. Ffeiffer, Editor.

Presenta una introducción, bosquejo,
comentario y análisis breve del significado
del texto bíblico.

ECLESIASTES
Una introducción

Eclesiastés significa uno que convoca a una asamblea o que pronuncia un discurso ante ella, y por eso se le ha dado el nombre de "Predicador". Posiblemente esta palabra proviene de la palabra hebrea *Qohélet*, un derivado femenino de ecclesía, asamblea.

Escritor. Tradicionalmente se le atribuye la paternidad literaria a Salomón y se dice que lo escribió ya en su ancianidad como un reflejo de las reminiscencias seniles del rey sabio. Estudios más recientes ubican el libro como posterior a Salomón. Esto es factible puesto que en la antigüedad era muy usual escribir algo y luego atribuirlo a personajes inportantes de la época para que dicho escrito tuviera el éxito que se pretendía.

Propósito. Más que predicar, el escritor trata de filosofar sobre la experiencia humana. La tesis fundamental trata de establecer la absoluta incapacidad de todos los objetivos y propósitos humanos, tomados como fin principal de la vida, para brindar la verdadera felicidad. Su primera cláusula es: todo es vanidad. Su última reflexión es: teme a Dios y guarda sus mandamientos.

Entre otras cosas, el escritor muestra incidentalmente cómo deben conducirse los hombres en medio de los distintos engaños que invariablemente encontrarán a lo largo de su camino por la vida.

Hay momentos en que la narración se vuelve complicada porque se usa en ella de manera indistinta la primera, la segunda y aun la tercera persona. A veces parece que el autor está narrando su biografía y en ella misma puede adoptar la posición de un científico, luego la de alguien que se entrega al placer sensual, en momentos es un epicúreo, a veces es un estoico. A veces es un hombre noble, arrepentido y humilde, pero puede parecer arrogante cuando proyecta frases y oraciones para mostrar con toda intención la personalidad de un hombre sabio y maduro.

Esta es una de las razones por las cuales hay pasajes en este libro que son difíciles de interpretar.

El libro es una narración de esperanzas fantásticas y de tremendos fracasos, con descripciones que a menudo son más fuertes que la verdad misma.

Hay una separación del polvo (cuerpo) que vuelve a la tierra y el espíritu que vuelve a Dios.

Aparentemente hay un gran escepticismo del escritor, sin embargo, al final se despide con estas palabras: Teme a Dios, y guarda sus mandamientos; porque esto es el todo del hombre. Porque Dios traerá toda obra a juicio, juntamente con toda cosa encubierta, sea buena o sea mala.

El sentido de la vida

Contexto: Eclesiastés 1:1 a 6:12
Texto básico: Eclesiastés 1:1-11; 2:1-3, 11-14; 3:16, 21
Versículos clave: Eclesiastés 3:10, 11
Verdad central: Quien busca el sentido de la vida por medio de adquirir cosas materiales, participar en actividades que le dan placer físico y por adquirir conocimientos, descubrirá que ninguna de esas cosas le brindan la verdadera felicidad ni el verdadero sentido a su vida.
Metas de enseñanza-aprendizaje: Que el alumno demuestre su: (1) conocimiento de la verdad bíblica sobre el verdadero sentido de la vida, (2) actitud de actuar consecuentemente en relación con las enseñanzas de este estudio.

─────────── *Estudio panorámico del contexto* ───────────

El Predicador era alguien que congregaba al pueblo para instruirlo. Algunos sugieren que el título se refiere a uno que recolecta ideas o filosofías con relación al valor de la vida. El libro afirma que Salomón, *hijo de David, rey en Jerusalén*, es el escritor.

Sin duda que el escritor de Eclesiastés había observado mucho a las personas en su búsqueda de la felicidad, y concluyó que estaban equivocadas en su búsqueda, porque todo había resultado en "vanidad de vida".

El libro toca varios temas de significado. Eclesiastés 1:4-11 refleja el orden del universo bajo el Dios soberano y la manera en que las leyes de la naturaleza exigen una sucesión de eventos. También declara que el placer no da felicidad (2:1-3), que la filosofía de comer, beber y alegrarse no brinda al ser humano satisfacción espiritual (8:15).

Una de las preguntas persistentes del predicador era: ¿por qué los buenos sufren y los malos prosperan?

El Predicador comenzó a cuestionar la diferencia entre los seres humanos y los animales, y llegó a dudar si había inmortalidad para la humanidad o si morimos como los animales, sin ventaja sobre ellos. Concluyó preguntando: "¿Quién sabe si el espíritu del hombre sube arriba, y si el espíritu del animal desciende abajo a la tierra?" Esta es una pregunta que muchas personas hacen hasta hoy. La respuesta está en el Nuevo Testamento, donde Cristo prometió vida eterna para todos los que creen en él. Pablo afirmó que la seguridad de la inmortalidad está en la resurrección de Cristo de la tumba (1 Cor. 15:12-19).

Lea su Biblia y responda

Falso-verdadero: Escriba una **F** en el espacio si la oración es falsa y una **V** si es verdadera.

____ 1. Eclesiastés presenta varios estilos de vida y concluyó diciendo que el valor más alto es el placer (2:1).

____ 2. El Predicador insistió en que lo torcido no se puede enderezar y lo incompleto no se puede completar (1:15).

____ 3. El Predicador lamenta el hecho que uno trabaja duro por toda la vida con sabiduría, conocimiento y talento, y deja sus riquezas a otro que no se ha afanado en ello (2:21).

____ 4. Al hombre que le agrada, Dios le da sabiduría, conocimiento y alegría (2:26).

____ 5. "Todo lo hizo hermoso en su tiempo" se refiere al ser humano exclusivamente (3:11).

____ 6. "Echar mano a la necedad" significa que el ser humano está inclinado a hacer lo bueno por naturaleza (2:3).

____ 7. El Predicador insiste en que los seres humanos y los animales van al mismo lugar después de la muerte (3:20).

Lea su Biblia y piense

1 La rutina de la vida da lugar al aburrimiento, Eclesiastés 1:1-11.
V. 1. El escritor se refiere a sí mismo como Predicador. La tradición atribuye el libro a Salomón, pero muchos piensan que fue otra persona que utilizó el nombre del hijo de David, rey en Jerusalén, para darle peso a su obra.
V. 2. *Vanidad de vanidades* es el tema que aparece repetidas veces en el libro para expresar la futilidad de las cosas. Es una expresión negativa que sugiere que todo en la vida es inútil, sin propósito.
V. 3. Las personas hoy, como en el día del Predicador, todavía buscan provecho de la inversión de sus energías intelectuales y físicas en las cosas.
V. 4. *Generación va y viene*, expresa el punto de vista pesimista de la historia. *La tierra permanece*, implicando que los asuntos diarios de la existencia eran iguales como antes.
V. 5. El sol sigue la misma trayectoria todos los días: *sale y se pone*. No se puede notar mucha diferencia de un día a otro.
V. 6. La monotonía de ver lo mismo, día tras día, contribuía al aburrimiento que sintió el Predicador al contemplar su existencia.
V. 7. El Predicador observa las varias facetas de la naturaleza, para resaltar el hecho que no hay cambio. La descongelación de las nieves en las montañas hace correr los ríos en las primaveras y los veranos, pero *el mar no se llena*.
V. 8. *Todas las cosas son fatigosas*, fue la conclusión a la que llegó el Predicador. Fue su manera de resumir las varias manifestaciones de la operación

de las leyes de la naturaleza. *El ojo... el oído...*; aunque podemos ver y escuchar mucho, somos incapaces de dar explicaciones de muchas cosas.

Vv. 9, 10. Es otra referencia al ciclo de la naturaleza y la vida. El escritor en su pesimismo no ve nada nuevo en la repetición de las cosas. Seguramente cualquier cosa que podemos percibir como siendo nueva ya ha sido observado por otros anteriormente, y ellos concluyen que ya sucedió.

V. 11. El ser humano tiene memoria muy corta. Difícilmente las generaciones que vienen recordarán los logros del presente. Pocos pueden trazar su geneología familiar más atrás que sus bisabuelos.

2 Los placeres de la carne no dan satisfacción perdurable, Eclesiastés 2:1-3, 11-14.

V. 1. *Dije en mi corazón*; el Predicador ya ha concluido que la sabiduría no podía darle la satisfacción que buscaba, de modo que va a seguir otro camino. *Te probaré*; decidió buscar sentido de vida en los *placeres*. La conclusión a la que llegó es que *esto también era vanidad*.

V. 2. *A la risa... ¡locura!* Es la conclusión lógica a la indulgencia sensual en que hay mucha risa, pero no hay alegría.

V. 3. *Echar mano a la necedad* significa dar rienda suelta a sus impulsos más bajos. *Mientras mi corazón... en sabiduría* ilustra la lucha contradictoria de los impulsos que batallan dentro del ser humano. Hay un elemento que busca el camino alto de la sabiduría, pero hay otro elemento que quiere seguir el camino más bajo de saciar los deseos de la carne.

V. 11. Al final, el rey hizo un inventario de su situación, y llegó otra vez a la conclusión que todo era vanidad y aflicción de espíritu. *Aflicción de espíritu* se refiere al sufrimiento mental, emocional y espiritual, que es lo más doloroso.

V. 12. Volvió a considerar la *sabiduría*, la *locura* y la *necedad*, y concluyó que todo era vanidad. El hombre común, si experimenta con la búsqueda de sentido de la vida por medio de la sabiduría, los placeres y las riquezas, va a llegar a la misma conclusión a que llegó el rey.

V. 13. El Predicador reconoce que la sabiduría da una *satisfacción* más alta que la *necedad*, y que el contraste es marcado. Muchos otros concuerdan en que hay mayor satisfacción en los placeres mentales y emocionales que lo que se deriva de los placeres hedonistas.

V. 14. *El sabio...*; es obvio que el Predicador favorece el estilo de vida del sabio, y desprecia al necio por no valorar la búsqueda intelectual por encima de los placeres. No importa lo que uno ha logrado en la vida, la muerte llegará al más inteligente que ha inventado aparatos para enriquecer la vida tanto como a los necios que no dejan ningún beneficio para la humanidad.

3 La injusticia en la vida, Eclesiastés 3:16.

V. 16. *En el lugar del derecho*, que abarca lo correcto y lo benigno en todas las relaciones, *allí está la impiedad*, o sea, todo lo opuesto. Esto representa el problema moral fundamental del universo que ha confundido a los filósofos, los religiosos y los seculares. ¿Por qué sufren los buenos y los inocentes y prosperan los malos? La única respuesta para la antigüedad era la de los amigos de Job, que explicaban tal problema, diciendo que tenía que existir un pecado secreto en la vida de Job, lo cual trajo su sufrimiento. Parece que el Predicador vivía cuando este concepto todavía prevalecía, pero obviamente quedó perplejo frente a lo que era una injusticia desde su perspectiva.

4 ¿Qué de la vida futura?, Eclesiastés 3:21.

V. 21. *¿Quién sabe...?*, es la pregunta que hacen los escépticos con relación a la inmortalidad. En los tiempos antiguos no había revelación suficiente para contestar esta pregunta y darle la tranquilidad a la humanidad, pero con la venida de Cristo al mundo, la seguridad de la inmortalidad vino a ser una verdad más clara. *El espíritu del animal desciende...;* los animales no tienen alma como el ser humano, y por eso, no disfrutarán de la inmortalidad.

Aplicaciones del estudio

1. Dios da sentido a la vida. Cristo dijo: "Yo he venido para que tengan vida, y para que la tengan en abundancia" (Juan 10:10).
2. Los valores en la vida. La búsqueda de la sabiduría, de la satisfacción de los placeres físicos y de las riquezas materiales, sin la seguridad de la vida eterna, no brindará la satisfacción y la tranquilidad. Con Cristo todo esto cambia, porque uno descubre que estos elementos son secundarios.
3. Uno puede escoger la actitud que tendrá frente a la vida. Si quiere que todo se vea negro y oscuro, así será su perspectiva. Pero si uno quiere ver las cosas desde una perspectiva más colorida y brillante, puede hacerlo.

Prueba

1. De acuerdo con el estudio de hoy, describa cuál es el verdadero sentido de la vida. _____

_____

2. Describa dos aspectos de su vida que han sido tocados por el estudio de hoy y que es necesario cambiar para glorificar a Dios.

_____

_____

Lecturas bíblicas para el siguiente estudio

Lunes: Eclesiastés 7:1-29
Martes: Eclesiastés 8:1-17
Miércoles: Eclesiastés 9:1-18
Jueves: Eclesiastés 10:1-20
Viernes: Eclesiastés 11:1 a 12:14
Sábado: Eclesiastés 11:1-8; 12:1, 2, 6, 7, 13, 14

Bases para el éxito

Contexto: Eclesiastés 7:1 a 12:14
Texto básico: Eclesiastés 11:1-8; 12:1, 2, 6, 7, 13, 14
Versículo clave: Eclesiastés 12:1
Verdad central: La persona que reconoce la soberanía de Dios se sentirá feliz en vivir una vida con propósito, pues tiene la motivación verdadera, y actuará correctamente para su propio beneficio y el de otros.
Metas de enseñanza-aprendizaje: Que el alumno demuestre su: (1) conocimiento de que aceptar la soberanía de Dios es la motivación adecuada para vivir feliz, (2) actitud de adecuar sus acciones diarias a la soberanía de Dios.

--------------- *Estudio panorámico del contexto* ---------------

El escritor del libro llega a la conclusión de que la única alternativa del hombre es temer a Dios y guardar sus mandamientos.

Los capítulos 10 y 11 contienen una colección miscelánea de dichos comunes en aquel entonces, y que el Predicador quería ofrecer como consejos para sus estudiantes. El capítulo 11 contiene consejos sabios. El involucrarse en actividades sanas y productivas da motivación (11:1, 2). Cuando uno se ocupa de actividades que traen beneficio a otros, se siente realizado. Hay que invertir la vida en múltiples actividades (11:2). El cultivar amistades con varias personas distintas nos da una base más grande de apoyo y de contactos. Es importante extender la esfera de nuestras amistades para incluir a nuevas personas. En esta forma se enriquece nuestra propia vida.

Muchos libros se escribirán que hasta fatigarán el cuerpo (12:9-14). Uno puede invertir mucho tiempo en buscar lo que dicen los hombres de letras con referencia al sentido de vida pero el deber fundamental es temer a Dios y guardar sus mandamientos. Este es el sumario de la vida, según la conclusión a que llegó el Predicador después de un peregrinaje largo.

--------------- *Estudio del texto básico* ---------------

Lea su Biblia y responda

Falso-Verdadero: Escriba una **F** en el espacio antes de la afirmación si es falsa y una **V** si es verdadera.

___ 1. El pan en 11:1 puede referirse a las obras de caridad que uno debe hacer.

___ 2. Cada acto de beneficencia traerá su recompensa con el tiempo.

___ 3. El predicador desafía al lector para ser emprendedor en sus negocios y obras de caridad (11:2).

___ 4. Si uno se queda mirando las nubes, percibirá las señales que indican cuándo se deben sembrar las semillas (11:4).

___ 5. El autor de Eclesiastés anima al joven a buscar el placer, sin pensar en el juicio de Dios (11:9).

___ 6. Eclesiastés anima a todos a buscar al Creador en la vejez (12:1).

___ 7. Al morir, el cuerpo y el espíritu vuelven a la tierra (12:7).

___ 8. Según el Predicador, el mucho estudio fatiga el cuerpo (12:12).

___ 9. El deber del hombre es temer a Dios y guardar sus mandamientos.

Lea su Biblia y piense

1 Una recompensa segura, Eclesiastés 11:1, 2.
V. 1. *Echa tu pan*; la interpretación tradicional de este dicho ha sido literal, animando a los seres humanos a ser generosos en compartir sus bienes materiales con los que tienen necesidad, y dando la seguridad de que tarde o temprano se nos devuelve algo de igual o mayor valor por esta generosidad. *Después de muchos días* se refiere a un tiempo indefinido. Si la interpretación es literal, animando a uno a ser generoso con los bienes, uno puede esperar años antes de recibir la recompensa.

V. 2. *Reparte a siete... ocho.* Siete en la Biblia es número que simboliza lo completo, y la utilización del número ocho indica que uno debe dar un paso más allá de lo perfecto. Es un desafío para extender nuestras relaciones más allá de las amistades ya formadas y de aumentar nuestros actos de caridad.

2 Causa y el efecto, Eclesiastés 11:3, 4.
V. 3. Se puede observar la naturaleza, y reconocer que si las nubes se recargan de agua, derramarán lluvia sobre la tierra. Las nubes oscuras traen lluvia. *Si el arbol cae...;* los árboles eran pesados, y no se podían mover fácilmente. Era más fácil dejarlos en el lugar donde habían caído para que se pudrieran allí o partirlo con un hacha. La enseñanza es que es mejor dejar algunas cosas sin intentar alterarlas, porque en el proceso pueden herir a multitudes de personas.

V. 4. Hay muchas personas para las cuales las circunstancias nunca son propicias para hacer lo que necesitan hacer. O es muy temprano o muy tarde para emprender la tarea. Los agricultores que pasan todo el tiempo estudiando los vientos para tratar de adivinar si la situación es óptima para sembrar y otros que tratan de pronosticar la lluvia por medio de las nubes, no van a tener la oportunidad de cosechar, lo cual es de mayor importancia.

3 Vivir responsablemente confiando en Dios, Eclesiastés 11:5-8.
V. 5. Hay muchas cosas que uno no comprende en cuanto a la vida, pero las

acepta y vive una vida normal sin tener que entenderlo todo. Aunque no comprendemos la obra de Dios, *quien hace todas las cosas*, podemos ejercer la fe y colaborar con él en lo que se propone hacer en nuestro mundo. Este versículo refleja la soberanía de Dios en el universo y nuestra necesidad de reconocerla.

V. 6. Se nos anima a hacer la inversión de todas las energías y la sabiduría cuando emprendemos una tarea, confiando en que Dios prosperará tal actividad.

V. 7. *Agradable es la luz,* porque anuncia la llegada de otro día, el cual nos ofrece nuevas oportunidades para utilizar nuestros talentos. *Bueno es... ver el sol*; dichosa es la persona que puede encararse con cada día como si representa una oportunidad para testificar del amor y la bondad de Dios.

V. 8. Uno espera vivir *muchos años*. El llegar a ser anciano, el haber tenido muchos hijos, el haber prosperado y el gozar de buena salud eran evidencias, según la filosofía predominante de los días del Predicador, de la bendición de Dios sobre la vida. Es buen ejercicio repasar los años y contar los motivos de alegría que la vida ha brindado. *Traiga a la memoria... días de tinieblas*, días de tristeza, que formarán una parte normal de la vida si se vive durante muchos años. Pero cada uno determina si va a enfocar más las experiencias dolorosas o las de alegría. Esto determina la actitud que va a manifestar frente a las circunstancias de la vida.

4 **Vivir alegre recordando al Creador, Eclesiastés 12:1, 2, 6, 7.**

V. 1. *Acuérdate* lleva el sentido de recordar con respeto y reverencia. *En los días de tu juventud* se refiere a la necesidad de formar nuestros valores durante los años tiernos cuando es más fácil creer. La juventud es el tiempo para tomar las decisiones que afectarán el resto de la vida. *Los días malos,* puede referirse a un día futuro hipotético, cuando no se siente tanta alegría por las cosas. La idea es que debemos aprovechar el día que tenemos, porque no sabemos si mañana o cualquier día futuro puede traernos experiencias tristes. Los años futuros en que dice *no tengo en ellos contentamiento* se refiere a las limitaciones de la vejez en que naturalmente disminuyen las fuerzas físicas, mentales y aun emocionales.

V. 2. *Antes que oscurezcan el sol... luna, ...estrellas,* se refiere al fin de los respectivos ciclos que anuncian el día y la noche, pero es también una metáfora para indicar la llegada de la "tercera edad". El Predicador enfrenta este tiempo con el mismo pesimismo que ha caracterizado los primeros años de su vida. Su perspectiva no ha cambiado; todo lo ve como vanidad de vanidades.

V. 6. *Antes que se rompa el cordón.* Es indudable que aquí se repite la alegoría de la edad avanzada *Antes que el cántaro se quiebre.* Hay un dicho popular que reza así: "Tanto va el cántaro al agua hasta que se queda adentro". Hay un desgaste natural de la fuerza y las facultades en las personas al paso de los años. *La rueda* se refiere a la polea que utilizaban con cuerda para sacar el agua de la cisterna o el pozo, esta también se desgasta. Todas las analogías son referencias simbólicas a la cercanía de la muerte.

V. 7. *El polvo se vuelva a la tierra;* es la desintegración de la materia, la cual es proceso de la vida. Hay una cadena y un ciclo que se sigue generación tras generación, y formamos parte de ese proceso. *El espíritu* es el aliento de vida que vuelve a *Dios,* quien es la fuente de vida. Aquí encontramos bases sólidas para referirnos a los tiempos que anuncia el Nuevo Testamento, aquel día cuando Cristo dictará su veredicto de vida y de muerte para la humanidad.

5 Vivir en obediencia y temor a Dios, Eclesiastés 12:13, 14.

V. 13. El Predicador ahora llega al fin del discurso y concluye: *todo es vanidad.* Pero hay un camino que cambia todo, el temer a Dios y guardar sus mandamientos.

V. 14. El Predicador termina su libro con la advertencia de que Dios *traerá a juicio* a cada persona. El juicio se basará en la relación de cada persona con Jesucristo como Salvador personal. *Junto con todo lo escondido* se refiere a los secretos que podemos guardar de otros, pero que son conocidos por Dios. Esto nos motiva a vivir una vida buena en el sentido de buscar la voluntad de Dios y hacerla.

─────────── *Aplicaciones del estudio* ───────────

1. Debemos estar dispuestos para ayudar a otros. Hay que tener una actitud generosa hacia los demás y ayudar a los que están en desventaja. Estos actos nos guardarán de la avaricia y nos darán una perspectiva de gratitud por las bendiciones que recibimos de Dios.

2. Trabajemos con fe. Dios multiplicará nuestros esfuerzos cuando están encaminados a extender su reino aquí sobre la tierra.

3. En todo esfuerzo por ganarnos la vida, tenemos que recordar a Dios. Confiemos en que Dios recompensará nuestra fidelidad.

─────────── *Prueba* ───────────

1. Aliste dos consecuencias de aceptar la soberanía de Dios.

    a. _____ b._____

2. Describa dos acciones habituales que necesita someter a la soberanía de Dios.

    a. _____

    b. _____

Lecturas bíblicas para el siguiente estudio

Lunes: Cantares 1:1 a 2:17　　**Jueves:** Cantares 7:1-13
Martes: Cantares 3:1 a 4:16　　**Viernes:** Cantares 8:1-14
Miércoles: Cantares 5:1 a 6:13　　**Sábado:** Cantares 2:3-10;
　　　　　　　　　　　　　　　　　　3:1-11; 5:2-8

CANTARES
Una introducción

Escritor. Tradicionalmente se ha atribuido este libro a Salomón.

Su tema es el amor mutuo de un hombre y una mujer que en un momento dado están unidos, luego se separan. En ese sentido, este es el único libro de la Biblia que habla acerca del amor humano, y más precisamente del aspecto erótico del amor. Es esta realidad lo que hace que muchos se nieguen a aceptar la canonicidad.

Ocasión y personajes. No se sabe a ciencia cierta en qué acontecimientos se inspiró el escritor para sus poemas, aunque parece que las imágenes son tomadas de la boda de Salomón, ya sea con la hija del faraón o con alguna doncella de Palestina. Hay dos personajes centrales en los cantos: el rey Salomón y la sulamita. El siguiente esquema puede ayudar a la comprensión del poema:

Escena I. Se desarrolla en los jardines de la mansión de Salomón. El coro de las doncellas de Jerusalén elogia a la novia (1:2-4). La sulamita excusa su rusticidad y pregunta dónde puede hallar al esposo; las doncellas le responden (1:5-7). Entra Salomón y sigue un diálogo cariñoso (1:8 a 2:7).

Escena II. La sulamita sola. Describe una visita de su amado, y después un sueño en el cual él aparece como perdido y luego hallado (2:8 a 3:5).

Escena III. Las bodas reales. Los habitantes de Jerusalén describen la llegada del rey (3:6-11). Sigue una escena de amor mutuo (4:1 a 5:1).

Escena IV. En el palacio. La sulamita narra un sueño al coro de doncellas (5:2-8). Ellas replican (5:9). Responde la esposa ensalzando a su amado (5:10-16). El coro responde (6:1). Replica la esposa (6:2, 3). Entra Salomón y expresa su delicia (7:6-9). La esposa invita a su amado a visitar su hogar campesino donde ella se crió (7:10 a 8:4).

Escena V. En el hogar de la sulamita. Los habitantes de la región (8:5a); Salomón (8:5b); la esposa (8:6, 7); sus hermanos (8:8, 9); la esposa (8:10-12); Salomón (8:13); la esposa (8:14).

Interpretación. Hay dos corrientes principales: (1) La interpretación literal o natural del poema que acepta el poema como un relato destinado a exaltar el amor conyugal como una de las bendiciones del Creador. (2) La interpretación alegórica que mistifica el relato como significando la relación espiritual entre Dios y su pueblo (en el caso de los intérpretes judíos) o entre Cristo y su iglesia (en el caso de los intérpretes cristianos).

Si el amor ideal entre un hombre y una mujer es tan fuerte como la muerte, podemos deducir que el amor de Dios en Jesucristo, comparado en las Escrituras con el amor del esposo hacia su esposa, es aun más fuerte (Ef. 5:25-29).

Unidad 12

La intimidad en el matrimonio

Contexto: Cantares 1:1 a 8:14
Texto básico: Cantares 2:3-10; 3:1-11; 5:2-8
Versículo clave: Cantares 1:4b
Verdad central: Dios, creador del matrimonio, quiere que los cónyuges disfruten de una relación íntima y exclusiva.
Metas de enseñanza-aprendizaje: Que el alumno demuestre su: (1) conocimiento del mandato de Dios de que la relación sexual debe ser exclusiva entre esposo y esposa; (2) actitud de aceptar y vivir en pureza sexual.

──────────── *Estudio panorámico del contexto* ────────────

Cantares ha sido llamado uno de los libros más difíciles en la Biblia, por varias razones. Su punto de vista es completamente secular. No aparece el nombre de Dios en el libro y no menciona atributos morales o teológicos. Es poesía folklórica, y los pronombres crean confusión para el lector. A veces es difícil determinar quién está hablando. El libro es diálogo exclusivo, no hay narración para explicar los detalles de la presentación.

El libro se atribuye a Salomón, pero la mayoría de los eruditos, al analizar el lenguaje del libro, indican que fue escrito años después de Salomón. Era costumbre atribuirle a una persona famosa las obras literarias, para darles peso frente a los lectores.

La interpretación *literal* declara que el libro describe las emociones que sienten dos personas que se quieren y que se comprometen. Aunque hay personas que todavía buscan interpretación alegórica o tipológica, la mayoría de los eruditos en Antiguo Testamento insisten en que la interpretación más aceptable y correcta es la *literal*.

Una síntesis del libro abarcará lo siguiente:
Dos personas jóvenes enamoradas expresan sus sentimientos con acciones y en palabras (1:2-4), en el cortejo hay oportunidad de divertirse, soñar juntos y expresar las emociones que sienten el uno por el otro (2:3-13), la pareja expresa su amor en forma verbal y física pero determina esperar que se lleve a cabo la ceremonia nupcial para consumar su matrimonio en el acto sexual (3:6-11), después de casados hay oportunidad para el juego del amor (4:1-16) y los cónyuges buscan la manera de resolver las diferencias y continuar disfrutando de su felicidad (5:2-16).

Lea su Biblia y responda

En el bloque abajo hay trece palabras que se encuentran en el texto básico para hoy. En el paréntesis a la derecha escriba de qué se trata, según el versículo correspondiente.

1. Una fruta que se deriva de las uvas secas, 2:5 (   ).
2. Un árbol cuyo fruto es muy sabroso, 2:3 (   ).
3 Elementos aromáticos para despertar las emociones, 3:6 (   ).
4. Parte de la anatomía humana, 2:6 (   ).
5. Sectores de una ciudad, 3:2 (y   ).
6. Un lugar árido en el Cercano Oriente, 3:6 (   ).
7. Animal veloz, símbolo de gracia y hermosura, 3:5 (   ).
8. Lo opuesto a un valle, 2:8 (   ).
9. Elemento emotivo entre enamorados, 2:4 (   ).
10. Parte de la boca, 2:3 (   ).
11. Animal común en el Cercano Oriente, 2:7 (   ).

Lea su Biblia y piense

1 Expresiones de afecto, Cantares 2:3-10.

V. 3. El *Manzano* era considerado de mayor atracción por la fruta que producía. La amada prefiere a su *amado entre los jóvenes*. Es un cuadro de dos jóvenes que gozan de la compañía uno del otro.

V. 4. Ahora el amado lleva a la amada a un banquete, lugar donde hay abundancia de comida. *Su bandera sobre mí es el amor;* ilustra las variadas maneras de expresar en forma verbal las emociones.

V. 5. El escritor habla de las pasas y las manzanas para referirse a las emociones tiernas que sienten dos jóvenes enamorados. *Enferma de amor* es expresión viva de estas emociones.

V. 6. *Brazo izquierdo ...me abraza;* se ve que la expresión tangible del afecto es tan viejo como la humanidad.

V. 7. *Por las ciervas, ...las gacelas;* son animales que formaban parte de los cultos de fertilidad a Astarte, consorte de Baal, y algunos opinan que estas expresiones reflejan las influencias duraderas de este paganismo. *No provocaréis ni despertaréi*s es advertencia de no despertar el deseo de amor hasta el tiempo propicio.

Vv. 8-10. La amada escucha *la voz* de su amado. Se capta la alegría y la despreocupación que caracterizan a un joven enamorado. Piensa que puede hacer lo imposible. La metáfora del *venado* y el *cervantillo* ilustra el concepto alto que tiene de su amado. Todo el cuadro apunta a la ansiedad que se experimenta en la espera del ser amado, y la alegría de verle llegar. Son sentimientos positivos que deben caracterizar una relación sana.

2 El deseo de estar junto al ser amado, Cantares 3:1-5.

V. 1. Como un sueño que se repite cuando se extraña a la persona más cercana. *Buscaba*; cuando no está uno que es amado, todo pensamiento de día y todo sueño de noche están enfocados en esa persona.

V. 2. *Me levantaré e iré...* El cuadro expresa un profundo temor por perder al ser amado, o un deseo tremendo por hacer cualquier cosa por tenerlo a su lado. Su decisión es buscarlo por *las calles y las plazas,* pero su esfuerzo es inútil: *no lo hallé.*

V. 3. Toda ciudad tenía a sus *guardias,* quienes *rondan la ciudad,* vigilaban para evitar el ataque sorpresivo de un enemigo.

V. 4. Su búsqueda da resultados. *Me prendí... no lo solté*; indica su placer al encontrar a la persona que había buscado. Al llevarlo a la *casa* de su *madre,* comunica que es una relación abierta y no escondida de sus padres.

V. 5. La amonestación de no despertar ni provocar el amor *hasta que quiera* puede indicar que las tentaciones para los jóvenes enamorados antes del matrimonio era tan intensas como son hoy en día.

3 Una ceremonia de bodas, Cantares 3:6-11.

V. 6. *¿Quién es aquella...?* la forma femenina indicaría que es la amada acompañada por el cortejo nupcial. Era costumbre estar *perfumada con mirra.*

V. 7. *Litera de Salomón.* En los cortejos transportaban a los dignatarios en literas. *Sesenta valientes* tenían la responsabilidad de velar por la seguridad del rey.

V. 8. *Los temores de la noche* refleja que la inseguridad era problema en aquel entonces. Como siempre, hay mayores peligros durante la noche.

Vv. 9, 10. Dan detalles relacionados con la *carroza* de Salomón. En el *Líbano* abundaba el cedro; madera de la mejor calidad en el Cercano Oriente. *Su interior fue decorado con amor,* aunque algunos opinan que la palabra *amor* debe ser traducida "cuero".

V. 11. *Salid...* es una invitación a las hijas de Sion para presenciar una ceremonia de tanto significado. Es *día en que se regocijó su corazón.*

4 Los ajustes en el matrimonio, Cantares 5:2-8.

V. 2. El drama presenta a la amada en la cama. El amado llega a la casa, pero la puerta está cerrada con seguro. El esposo llama con expresiones tiernas de cariño. *Mi cabeza está llena de rocío... cabellos están mojados;* que comunican la urgencia de abrirle la puerta, por la inclemencia del tiempo.

Vv. 3, 4. La esposa se resiste a tener que levantarse de noche. Cada persona solía lavarse los pies antes de acostarse. Parece que a la esposa le molestaba el tener que levantarse y abrir la puerta al esposo.

V. 5. *Me levanté para abrir;* parece que había una puerta interna de la alcoba de la pareja para brindarles privacidad. La esposa se levanta para recibir al esposo. *Sus manos y dedos gotearon perfume de mirra* refleja el grado de cuidado personal de la amada como una manera de mantener el encanto de los primeros días de la relación.

Vv. 6, 7. Tal vez por la tardanza en levantarse para abrirle, el esposo se impacientó y salió de la casa. *Se me salía el alma* refleja el efecto emotivo que tal golpe significó para la amada. Ella lo buscó, llamándolo repetidas veces, pero él no respondió. El *manto* era el velo que llevaban las damas respetadas. Sin manto la mujer era considerada prostituta. Es enigma que los guardas, quienes tenían responsabilidad de proteger a los ciudadanos, son los agresores en este caso.

V. 8. *Juradme, oh hijas...* es petición de agonía porque la esposa no ha encontrado a su esposo. *Si halláis a mi amado* puede implicar que estaba por allí, pero no regresaba a la casa. *Estoy enferma de amor* refleja el estado anímico de la esposa. Ha perdido a su amado, y eso le afecta en todo otro aspecto de su vida.

Aplicaciones del estudio

1. Es importante expresar el afecto en el hogar. La expresión visible del cariño en el hogar tiene efecto positivo sobre la pareja y sobre los hijos.

2. La pareja tiene que cultivar el amor para que crezca. Los cónyuges deben planear los tiempos cuando pueden salir juntos y dialogar sobre los temas de interés especial para ellos.

3. La ceremonia de bodas es un día muy especial. La pareja debe planificar bien la ceremonia y la fiesta de bodas, para que en los años futuros puedan recordar con alegría esta ocasión.

Prueba

1. Declare en sus palabras el mandato de Dios en el sentido de que la relación sexual debe ser exclusiva entre esposo y esposa.

_____

_____

2. Como corresponde a un hijo de Dios, tome hoy la decisión o confírmela, si ya la ha hecho antes, de aceptar y vivir su sexualidad en conformidad con los principios de la Palabra de Dios.

Yo: _____ en el día _____ del mes de _____

del año _____ en _____ me comprometo a vivir mi sexualidad

de acuerdo con lo que enseña la Biblia.

Lecturas bíblicas para el siguiente estudio

Lunes: Efesios 1:1, 2
Martes: Efesios 1:3-10
Miércoles: Efesios 1:11-14

Jueves: Efesios 1:15, 16
Viernes: Efesios 1:17-19
Sábado: Efesios 1:20-23